언론계 거목들 3

세상 밝힌 이야기

대한언론인회 편저

도서
출판 **정음서원**

박기병
대한언론인회 회장

근현대사의 언론사적 기념비

한국 언론사의 시원(始原)은 종이 매체에서 싹이 트고 성장하였습니다. 흑백 종이 지면에 한정되었던 초기 시절에서 TV컬러 매체 시대와 함께 동영상 인터넷 시대로 발전한 지금은 뉴스의 카테고리가 전혀 다른 딴 세상이 되었습니다.

광복과 건국의 환희, 전쟁과 휴전의 아픔, 산업화 시대를 누볐던 감동 시대 속에서, 선배 동료 언론인들이 불타는 정의, 사회적 목탁(木鐸)의 열정으로 뉴스를 취재하고 다듬어 세상에 전달하던 그 시절이 엊그제 같아 감회가 새롭습니다.

격동의 시절, 기자를 천직으로 알고 언론일로(言論一路)에 매진해온 수많은 언론인들이 세월의 수레바퀴 따라 타계하셨지만, 투철한 신념과 탁월한 인간애로 엮어낸 뉴스들은 지면 행간마다 가득 담겨 면면히 흐릅니다. 지금은 고인이 되신 언론계의 거목(巨木)들이 언론 현장을 장식하던 시대와 오늘의 현실이 엄청 달라서 금석지감(今昔之感)을 금할 수 없습니다.

《언론계 거목들 3》은 언론문화 창달과 친목도모를 기치로 내건 대한언론인회에서 일편단심으로 언론 외길만을 달려오면서 국가 발전과 국민계도에 헌신하시다가 타계한 원로 언론인들의 투철한 언론정신과 진솔한 삶으로 사회에 귀감이 되었던 기자정신의 사례들을 모아 후진들에게 전해주자는 취지에서 시작, 이번이 그 세 번째 발간입니다. 따라서 이 책은 한국 근현대사의 언론사적 기념비라고 자부하고 확신합니다.

이 책에 수록된 분들은 독특한 개성, 탁월한 박력, 위대한 족적을 한국 언론사에 전하면서 언론의 위상과 품격을 높이고, 거룩한 발자취를 남기신 거목들이셨습니다.

그 분들이 과감하게 쏟아낸 열정과 투철한 기자정신은 현직 언론인들은 물론, 장차 언론에 종사하고자 하는 언론학도들에게도 소중한 지침서이자, 텍스트 교본이 되리라 믿습니다.

끝으로 이 책을 발간할 수 있도록 후원해 주신 한국언론진흥재단 표완수 이사장께 진심으로 감사를 드리는 동시에, 이 출판사업이 계속 이어질 수 있도록 변함없이 지원해 주시기를 바랍니다.

아울러 코로나19 역병이 계속되는 어려움 속에서도 선배 언론인들의 고결한 언론생애를 옥고로 정리해 주신 필자와, 간행위원들에게도 진심으로 감사를 드립니다.

대한언론인회 회장 **박 기 병**

언론학 가르친 교육자
소오(小梧) 설의식(薛義植)

1901~1954년

문장가이자 역사연구가
다양한 활동 편 언론인

글 : 박용규(상지대학교 인문사회대 학장/ 언론정보학 박사)

〈소오 설의식 약력〉
함남 단천 출신

단천공립보통학교
단천사립 협성실업학교
원산공립 간이상업학교
서울중앙중학교 중퇴
일본 동양대학 문화학과 중퇴
전남 장성 약수학교 교원
동아일보 기자~사회부장
동아일보 도쿄 특파원
동아일보 편집국장~주간
서울신문 사장
새한민보 창간 사장

〈저서〉
'해방이전'
'해방이후'
'독립전야'
'금단의 자유'
'화동시대'
'통일조국'

거인의 여정(旅程)

1. 송진우와의 인연으로 『동아일보』 입사

소오 설의식(小梧 薛義植 ; 1901~1954년)은 일제강점기에 12년, 광복 이후 2년 등 총 14년 동안 『동아일보』에서만 근무했던 언론인이다. 『동아일보』를 떠난 이후 순간(旬刊) 『새한민보』를 발행하며 남북통일의 염원을 실현하기 위한 언론 활동을 펼치기도 했다. 그는 『동아일보』에서 맺었던 '인연'과 『새한민보』를 통해 추구했던 '지향' 사이에서 갈등을 겪었다.

그는 현대적 감각을 지닌 뛰어난 문장가이자 조선신문학원에서 언론학을 가르친 교육자이기도 했다. 또한 그는 전통문화를 살리기 위해 노력한 문화기획자이자 충무공 이순신 연구에 관해 몰두했던 역사연구자이기도 했다.

이 글에서는 설의식의 언론 활동은 물론 그 외 다양한 영역에서의 활동까지 폭넓게 조명해 보려고 한다.

설의식은 1901년 함경남도 단천군 용성리에서 태어났다. 그의 부친 설태희(1875~1940년)는 개신유학자로서 독립운동가였다. 그는 고향인 단천에서 사립 유신학교 심상과를 졸업하고, 이후 단천 공립보통학교, 단천 사립협성실업학교를 거쳐 원산 공립상업학교를 졸업했다.

1917년 9월에 서울로 와서 중앙학교에 입학했으나 1919년 3·1운동 참여로 퇴학당했고, 1920년에 복학했다가 1921년 초에 중퇴했다. 그가 중앙학교에 입학했던 시기의 교장이 송진우였다. 1921년 4월 일본 도쿄 동양대학 문화학과에 입학했고 같은 해 8월에 귀국했다가 결국 중퇴하고 말았다. 1922년 4월 전남 장성군 약수학교 교원으로 잠시 근무하다가 1922년 5월 3일에 『동아일보』에 입사했다.[1]

설의식은 "총독부 폭탄범 혐의로 붙잡혀 종로서에서 갖은 고문을 당하고 나와 두 달 동안 거동하지도 못했다"고 회고했다. 1921년 9월 12일에 김익상이 총독부 청사에 폭탄을 던지고 사라지자 경찰이 '폭탄범' 검거를 위해 마구잡이로 사람들을 잡아서 취조할 때 잡혀들어 갔던 듯하다. 그는 풀려난 후 '중학 시절의 은사'인 송진우를 만나 '격려와 권유'를 받아서 『동아일보』에 입사하게 되었다고 했다.[2]

설의식은 입사 이후 사회부 기자로 활동했고 1923년 4월부터는 지방부 기자로도 활동하며 다양한 현장을 취재했다. 그는 입사 2년 반 만인 1924년 12월에 사회부장을 맡았다. 『동아일보』 혁신 운동을 벌이던 세력이 떠나면서 경력에 비해 비교적 빨리 사회부장을 맡을 수 있었다. 그가 사회부장을 맡고 있던 시절에 『동아일보』는 『조선일보』와 치열한 경쟁을 벌였는데, 그 경쟁 무대는 주로 사회면이었다.

그는 사회부장으로서 두 신문 사이의 취재보도 경쟁에서 능력을

---

1) http://dongne.donga.com/2016/06/01/d-story-97
2) 「동아일보와 나, 화동시대편 (2)」, 『동아일보』 1950.4.2., 2면.

발휘했다.[3]

그는 사회부장이 되면서 '망중한인(忙中閑人)'이란 필명으로 사회만평을 써서 주목을 받았다. 1926년 8월 11일자에 쓴 '헐려 짓는 광화문'은 나중에 교과서에 실릴 만큼 유명한 명문으로 알려졌다.

---

3) 주요한, 「인물론-소오 설의식」, 『신문평론』 1975.8, 44-45쪽.

설의식은 1927년 5월에 도쿄에 특파원으로 파견되었는데, 그가 도쿄에 갔던 데는 '신문연구'의 목적도 있었다.[4]

도쿄에서의 신문연구 경험이 훗날 그가 신문에 관한 강연이나 강의를 할 수 있는 토대가 되었다. 그는 1929년 9월에 귀국해 11월부터 편집국장 대리를 맡았다.

편집국장을 맡고 있던 이광수가 1933년 8월에 퇴사하고도 설의식은 계속 편집국장 대리로 있었다. 사장 송진우가 사실상 편집국장을 겸직하고 있었기 때문이다. 그는 1931년 11월에 창간된 『신동아』의 제작도 총괄 지휘하며 제호를 정하기도 했다.

설의식은 『동아일보』 편집국장 대리와 편집국장으로 재직하며 단평란인 '횡설수설'을 통해 날카로운 사회비평을 선보였다. 또한 『신

---

4) 「소식」, 『동아일보』 1929.9.15., 1면.

동아』 단평란인 '정시사시(正視斜視)'를 통해 시사문제를 알기 쉽게 논평하고 해설했다. 설의식은 "그의 취재편집 능력과 단평 칼럼의 인기, 그리고 회사경영층과의 인간관계 면에서 나무랄 데 없이 인정을 받았다"고 할 수 있다.[5]

그는 1935년 3월에 비로소 편집국장이 되었지만, 1936년 8월의 '일장기 말소사건'에 대한 책임을 지고 신문사를 떠났다.

2. 퇴사 이후 일제 말기의 문화 활동과 광산 경영

설의식은 신문사를 떠난 이후 형인 설원식(1896~1942년)이 운영하던 광산회사에서 근무했다. 당시 잡지는 그가 "지난번의 정간 사건 이후 뜻을 고쳐 조고계(操觚界)에서 발을 끊고 광산 방면에 투족하여 모 광산 주식회사 상무취제역으로 활약 중"이라고 보도했다.[6]

그는 광산회사에 근무하면서도 민족 운동의 일환으로 다양한 문화 사업을 펼쳤다.

설의식은 가장 먼저 1940년에 오문(梧文)출판사를 설립했다. 고전문헌 출판을 목표로 하던 오문출판사는 '설의식 씨 가문의 출자'로 운영되었다고 알려졌다.[7] 오문출판사에는 『동아일보』 출신 이여

---

5) 여영무, 「소오 설의식」, 『한국언론인물사화』 8·15전편(하), 대한언론인회, 1992, 56쪽.
6) 「기밀실, 우리 사회의 제 내막」, 『삼천리』 1938.11, 19쪽.
7) 「정보실, 우리 사회의 제 사정」, 『삼천리』 1941.9, 85-86쪽.

성, 문학평론가 임화 등이 참여했고, 한문학자 김춘동도 편집주간으로 입사했다.[8] 그러나 오문출판사는 오래가지 못하고 1941년 8월에 해산하면서 '가시적인 성과'를 거두지는 못했다.[9]

설의식은 극작가로서 『동아일보』에서 함께 근무했던 서항석 (1900~1985년)과 콜럼비아 가극단을 결성해 활동하기도 했다. 박용구는 "일제의 언어말살정책에 맞서 우리 언어를 노래로라도 남기자는 뜻에서" 설의식이 가극단을 만들었던 것이라고 주장했다. 콜럼비아 가극단에는 세 집단이 참여했다. 설의식과 『동아일보』에서 함께 근무했던 서항석과 채정근, 설의식의 동생들인 시인 설정식과 가수 설도식, 채정근의 소개로 들어온 음악평론가 박용구와 설도식의 친구인 작곡가 김순남 등이었다.[10]

콜럼비아 레코드사와 협의해 만든 가극단은 레코드사 소속 가수들을 중심으로 유치진이 쓴 '목단등기(牧丹燈記)' 등의 레퍼토리를 가지고 지방공연을 했다. 콜럼비아 가극단은 1941년에 서울에서 '견우직녀'라는 작품을 공연했는데, 가사를 설의식이 썼고 안기영이 작곡을 했으며 서항석이 연출을 맡았다. 콜럼비아 가극단은 1941년 말에 라미라(羅美羅) 가극단으로 이름을 바꾸었다. 흥행 실패로 재정의 어려움을 겪다가 라미라 가극단에 경영권을 넘기면서 설의식

---

8) 박성규, 「운정 김춘동 선생의 생애와 학문」, 『어문논집』 55집, 2007, 68-69쪽.
9) 장문석, 「식민지 출판과 양반: 1930년대 신조선사의 고문헌 출판 활동과 전통 지식의 식민지 공공성」, 『민족문학사연구』 55호, 2014, 357~358쪽.
10) 한국정신문화연구원 한민족문화연구소, 『내가 겪은 해방과 분단』, 도서출판 선인, 2001, 479-483쪽.

은 1942년에 가극단 활동을 그만두었다.[11]

1943년 이후 설의식은 광산업에 종사하며 1943년 7월에 보인광업주식회사 사장을 맡았고, 1944년 3월부터는 삼화흑연광업주식회사의 사장도 겸임했다.[12] 광산업을 하던 그의 형 설원식이 1942년에 사망하면서 그가 경영을 맡게 된 것이다. 많은 언론인과 지식인이 친일 매체에 각종 기고를 하던 시절에 설의식은 아예 절필하고 지냈다.

그는 해외 단파방송을 몰래 청취해 그 내용을 송진우에게 알리며[13] 퇴사 이후에도 『동아일보』와의 인연을 이어갔다.

3. 광복 이후 『동아일보』 주간으로서의 활동

광복 직후 설의식은 건국준비위원회에 맞서서 송진우가 중심이 되어 1945년 9월 7일에 결성한 국민대회준비회의 정보부장직을 맡았다.[14] 또한 이 무렵에 설의식은 서상일, 김용무 등과 함께 미군정 정보부 책임자인 니스트 대령을 만나 우익의 입장을 전달하기도 했다.[15] 국민대회준비회에 참여했던 사람들이 대부분 한민당에 참여

---

11) 김호연, 「한국근대악극연구: 레코드사 소속 악극단을 중심으로」, 『동양학』 32집, 2002, 57-58쪽.
12) 「인사」, 『매일신보』 1943.7.4., 1면.; 「설 보인광업 사장 삼화흑연 사장 겸임」, 『매일신보』 1944.35., 2면.
13) 「해방삽화-8·15 직전·직후(3)」, 『동아일보』 1946.9.10., 3면.
14) 송남헌, 『한국현대정치사』 1권, 성문각, 1980, 85-86쪽.
15) 브루스 커밍스 저·김자동 역, 『한국전쟁의 기원』, 일월서각, 1986, 434쪽.

했던 것과 달리 그는 『동아일보』 중간 작업에만 참여해 1945년 12월 1일 주간이 되었다. 설의식은 중간호에서 "소신을 고집하는 답답한 우직과 소기(所期)를 강행하는 억지의 만용"을 가지고 '국운의 발전에 기여'하겠다고 다짐했다.[16]

설의식은 1945년 12월 1일 『동아일보』의 중간사(重刊辭)도 집필했다. 보수 세력인 한민당의 사실상의 기관지였던 『동아일보』 중간사로서는 다소 특이한 부분이 있었다. 중간사에는 창간 당시 3대 주지(主旨)의 계승이 언급되었지만, 이의 부연 설명 부분에서 '우리 민족의 독자성의 고조'와 '근로대중의 행복을 보장하는 사회정의의 구현'이 주장되기도 했다.[17] 설의식은 1946년 상반기까지 사설 및 논평의 상당 부분을 직접 집필하는 등 적극적인 활동을 하여 『동아일보』는 "주필 설의식의 존재가 너무 뚜렷하다"는 평가를 들었다.[18]

그러나 송진우의 타계 이후 『동아일보』 내에서의 설의식의 입지는 불안정해졌다. 유광열은 "그를 돌보던 송진우 씨가 정계로 나갔다가 12월 30일에 암살된 후에는 그를 알아주는 사람이 없으니만큼 대체로 불우하였다"고 설의식의 처지를 설명했다.[19]

1946년 4월에 편집국장이던 고재욱이 주필이 되면서 논조를 둘러싼 설의식과 고재욱 간의 갈등이 격화되었던 것으로 보인다.

---

16) 「우직과 만용으로-동인을 대표하여 인사드립니다」, 『동아일보』 1945.12.1., 2면.
17) 동아일보사, 『동아일보사사』 권2, 1978, 46쪽.
18) 동전생(東田生), 「동아일보」, 『신천지』 1946.5, 75쪽.
19) 유광열, 「한국의 기자상-설의식 선생」, 『기자협회보』 36호(1968.4.15.), 11면.

한민당의 입장과 다른 내용을 설의식이 주장했던 것이 갈등을 빚어낸 요인이었다. 대표적인 것으로 1946년 5월 3일부터 9회에 걸쳐 연재된 '5호 성명과 우리의 각오'를 들 수 있다. 미소공동위원회의 성공을 기원하는 내용을 담고 있던 이 기사는 한민당의 정치적 입장에 부합되지 않았다. 설의식은 통일정부 수립에 대한 염원을 갖고 미소공동위원회의 역할에 기대를 걸었다.

> 남부조선 단독정부란 원래 말이 안 되는 말이다. 남북이 양단된 38의 교수(絞首)선 철폐를 유일한 목표로서 통일 정체의 수립을 염원하는 이 마당에 있어서 국토를 양단하고 국민을 양단하는 남부의 단독정부라는 것은 북부의 단독정부가 말이 안 되는 말인 것처럼 가당치 않은 말이다. 이 가당치 않은 소식이 공공연한 통신으로 전하여짐은 무슨 까닭인가?… (중략) 통일정권의 급속 수립은 우리의 절대적 염원일 뿐만 아니라 국제조약도 이를 희망하였고 삼상회의도 이를 예정하였다. …(중략) 단독정부가 만일 실현된다고 하면 이는 단순한 미소만의 실패가 아니라 극동의 파국이오 세계의 불행이다.[20]

고재욱은 주필이 되면서 사장이었던 김성수에게 설의식과 관련된

---

20) 설의식, 「5호 성명과 우리의 각오(6)-돌연한 단독정부설」, 『동아일보』 1946.5.8., 2면.

문제점을 보고하고 체제 정비를 요구했다. 설의식이 "교우관계로 차츰 친좌익적 색채를 띠기 시작"했다는 것이 비판의 요지였다. 『동아일보사사』에서는 설의식의 동생인 설정식이 공산당원이고, 설의식 본인이 김두봉의 동생 김두백, 백남운의 동생 백남교 등 좌익 인사들과 친한 사이였다는 점을 설의식이 '친좌익적'이라고 판단하는 근거로 제시했다. 또한 설의식이 좌익 인사들과 교류를 하면서 『동아일보』 논조의 변질이 나타났고, 우익 기자들을 배제하고 좌익 자금으로 '동인지적 체제'였던 『동아일보』를 장악하려고 했다고 주장하기도 했다.[21]

그러나 설의식이 좌익에 대해서도 비판적이었다는 점에서 이런 주장은 상당히 무리가 있다. 설의식이 한민당의 정치노선을 전폭 지지했던 『동아일보』의 정치 노선과는 달리 중도파로서의 정치적 입장을 가졌던 것이 빌미가 되었을 것이다. 주요한은 "한민당의 노선을 따라야 할 그가 미소공위의 성공을 바라는 편의 대변자적 주장을 하는가 하면 소위 남북협상을 성공할 수 있으리라고 믿은 순수함을 보이기도 했다"고 설명했다.[22]

설의식이 "동아일보와 같은 정치 노선인 한민당의 보수노선과는 조금 괴리가 있었기 때문에 해방 직후의 혼란기에 동아일보사의 정체성 위기"를 염려한 사람들에게는 그가 '친좌익적'으로 받아들여졌

---

21) 동아일보사, 1978, 앞의 책, 67-68쪽.
22) 주요한, 1975, 앞의 글, 47쪽.

을 가능성이 없지 않다.[23)]

결국 설의식은 1947년 2월에 『동아일보』를 떠났다. 설의식의 퇴사와 함께 『동아일보』 발행사를 동본사에서 주식회사 동아일보사로 바꾸고 사장으로 최두선이 취임했다. 설의식은 퇴임사에서 "동아와 같이 훌륭한 터전을 스스로 떠난다는 것은 진실로 어리석은 일이나 타고난 천성이라 하는 수 없습니다"라고 하고는, "자못 동아일보사를 떠나는 일이 쓸쓸합니다. '동아일보 동인'을 여의는 일이 쓸쓸합니다."라고 하며 떠나는 소회를 밝혔다.[24)] 당시 그가 『동아일보』의 "재단설립과 아울러 부사장의 직을 거부하고 피땀 숨어 있는 동지(同紙)와 결별"했다는 인물평이 있었다.[25)]

설의식은 논조에 영향을 줄 수 있는 주간 자리를 떠나 경영진인 부사장직으로 옮기라는 제안을 받고 이를 거절하며 『동아일보』를 떠났던 것으로 보인다. 그의 퇴진으로 『동아일보』는 이전보다 더욱 확실히 '한민당의 기관지화' 되었고, "완전히 병상에 누워버리고 말았다"는 평가까지 받게 되었다.[26)]

설의식의 퇴사에 큰 역할을 했던 고재욱이 주도해 1947년 8월에 우익계 신문사 기자들만 참여한 조선신문기자협회가 결성되었다.[27)]

---

23) 남시욱, 『고재욱 평전』, 동아일보사, 2021, 168-169쪽.
24) 설의식, 「퇴임사, 지우와 독자 제씨에」, 『동아일보』 1947.2.11., 1면.
25) 슬포산인, 「현역 기자 100인평」, 『일선기자의 고백』, 모던출판사, 1949, 174쪽.
26) 곡수장인, 「도하 신문 만평」, 『민성』 1948.4, 14쪽.
27) 박용규, 「미군정기 언론인 단체들의 특성과 활동」, 『한국언론학보』 61권 6호, 148-149쪽.

좌익계 기자들이 주도하던 조선신문기자회에 맞서기 위해 조선신문기자협회를 결성했던 것이다. 조선신문기자협회 결성식에서 김성수, 방응모와 함께 설의식에게 공로상을 수여했다. 고재욱이 주도하던 우익계 기자단체에서 '친좌익적'이라는 이유로 『동아일보』를 떠날 수밖에 없었던 설의식에게 공로상을 주었던 것은 의외였다. 더욱이 『동아일보』 사주 김성수, 『조선일보』 사주 방응모와 함께 그에게 공로상이 주어졌기 때문에 더욱 이채로웠다.

설의식은 이에 대한 답사를 쓰며 "받기도 어렵고 안 받기도 어려운 '기념품'인 동시에 이 글도 따라서 쓰기가 거북하기도 하고 안 쓰기도 거북한 글이다. 이 같은 어리둥절한 심정으로 이글을 쓴다"고 복잡한 심경을 밝혔다.[28]

4. 중도파 입장을 대변하던 『새한민보』의 창간

설의식은 『동아일보』를 퇴사하고 얼마 지나지 않아 『새한민보』를 창간했다. 1947년 6월에 창간된 『새한민보』는 순간(旬刊)으로 46배판 30면 내외로 발행되었다. 원래 순간은 10일 간격으로 발행하는 것을 의미하지만, 『새한민보』는 실제로는 한 달에 두 번 발행하는 반월간지였고, 1948년에는 간혹 두 호가 합본으로 나와 사실상 월

---

28) 설의식, 「호의에 대한 답사」, 『동아일보』 1947.8.14., 2면.

간지나 다름없었다. 설의식은 『새한민보』를 '신문적 잡지, 잡지적 신문'이라고 규정하면서 시사 문제에 관한 보도에 중점을 두어 편집할 것임을 시사했다.

『새한민보』의 편집상 특징은 시평이나 단평뿐만 아니라, '신문의 신문', '여론의 여론', '자료의 자료', 대담, 설문 등 다양한 고정란들을 두었다는 점이다. '신문의 신문'에는 주로 신문에 대한 단평이나 논평 등을 게재했는데, 당시 매체 중에서는 비교적 적극적으로 신문 비평을 게재했던 편이다. '여론의 여론'은 각 정당이나 사회단체의 선언문, 성명서, 건의문, 담화문, 벽신문, 전단 등을 게재하는 난으로서 신문에 발표된 것 이외에도 자체적으로 입수해 이를 게재하기도 했다.

이 난을 통해 각 시기 주요 쟁점에 대한 좌우익 단체들의 의견을 구체적으로 전달하고자 했다. '자료의 자료'란은 한국과 관련된 주요한 국제회의의 내용이나 미소공위의 발표문 등을 게재해 한국 문제의 국제적 성격을 알리려고 했다.

『새한민보』에는 많은 중도파 지식인이 참여했다. 설의식이 『동아일보』를 떠날 때, 백남운의 동생으로 정경부장이던 백남교, 사회부 차장이었던 정광현, 평론부 기자였던 장인갑 등이 함께 퇴사해 『새한민보』 창간에 참여했다.[29] 이들 외에 중도파 언론인이라고 할 수 있는 오기영, 이갑섭, 백남진 등이 『새한민보』에 필진으로 참여했

---

29) 강영수, 「해방 이후 남조선 신문인 동태」, 『신문기자수첩』, 모던출판사, 1948, 櫻4-5쪽.

다.[30] 1947년 중반에 제2차 미소공위가 사실상 결렬되고 남한만의 단독정부 수립을 위한 우익 정치 세력의 움직임이 활발해졌기 때문에 중도파 언론인들도 자신들의 정치적 입장을 펼치기 위한 독자적 매체의 필요성을 절감했고, 그 결과로서 『새한민보』가 창간되었던 것이다.

설의식은 『새한민보』의 창간을 주도했을 뿐만 아니라 권두언, 단평, 논평 등의 상당 부분을 직접 집필했다. 설의식은 창간사에서 좌우익의 대립을 비판하며 '자주조선, 민주조선, 청년조선'의 건설을 위해 『새한민보』를 창간하게 되었다고 주장했다.[31] 특히 설의식은 주지를 밝히며 독특한 그의 변증법적인 세계관, 즉 중정론(中正論)에 기초해서 좌우의 대립을 넘어서서 발전적인 합일점을 찾는 것이 중요하다는 점을 강조했다.[32]

설의식은 좌우익의 대립 극복과 통일국가의 수립을 위해 『새한민보』를 창간했다는 점을 명확히 밝혔다.

설의식은 1947년 12월 27일에 『서울신문』의 고문이 되었다. 그는 사장이었던 하경덕과의 인연으로 고문이 되었는데, 하경덕은 '자유주의적' 태도 때문에 보수우익에 의해 좌익으로 몰리기도 했던 인물이다.[33] 하경덕 외에도 당시 이 신문의 간부진은 대부분이 중도파

---

30) 박용규, 「미군정기 중간파 언론-설의식의 『새한민보』를 중심으로」, 『한국 사회와 언론』 2호, 1992, 179-182쪽.
31) 설의식, 「창간사」, 『새한민보』 1호(1947년 중순호), 3쪽.
32) 설의식, 『독립전야』, 새한민보사, 1948, 197-198쪽.
33) 서울신문사, 『서울신문 40년사』, 서울신문사, 1985, 182-183쪽.

적인 정치 성향을 지니고 있었다.[34] 설의식은 『서울신문』 고문에 취임하며 "대내 관계에 있어서도 자진하여 명예직적 허위(虛位)가 아니기를 자면(自勉)하겠다는 것, 경영면의 주축에는 간여하지 않겠다는 것" 등의 입장을 밝혔다.[35] 설의식은 『새한민보』를 계속 발행하며, 『서울신문』 고문으로서 시평을 쓰기도 했다.

5. 남북협상 지지와 통일운동 참여

1947년 말 이후 남한만의 단독정부 수립이 현실로 다가오자 설의식은 "지금 우리의 좌우는 서로서로 혼선상태에 있다"고 비판하며 좌우익의 대립을 극복하고 '자주적 통일국가의 수립'을 위해 노력해야 한다고 주장했다. 그는 단독정부의 수립이 분단의 고착화와 동족상잔의 비극으로 이어질 것이기 때문에 통일국가를 수립하기 위해 계속 노력해야 한다고 주장했다.[36] 그가 발행하던 『새한민보』도 1947년 말 이후 일관되게 기존 좌우익 대립에 대한 반성과 자주적 통일국가 수립을 촉구하는 글들을 게재했다.

1948년에 남북협상이 본격적으로 논의되자 설의식은 이를 적극적으로 지지하고 나섰다. 『새한민보』도 남북협상의 필요성과 그 의

---

34) 김동선, 『미군정기 『서울신문』의 정치성향 연구』, 도서출판 선인, 2014, 81-94쪽.
35) 설의식, 「고문 취임의 변」, 『서울신문』 1947.12.30., 1면.
36) 설의식, 『통일조국』, 새한민보사, 1948, 191-914쪽.

의를 주장하는 논평을 게재하고, 남북협상을 추진하던 김구나 김규식의 성명서와 발표문 등에 대해 상세히 보도했다. 남북협상에 대한 설의식의 입장은, 그가 집필하고 문화인 108인의 이름으로 발표했던 '남북협상을 성원함'이라는 성명서를 통해 잘 드러났다.[37]

> 조국은 지금 독립의 길이냐? 예속의 길이냐? 또는 통일의 길이냐? 분열의 길이냐? 하는 분수령상의 절정에 있다. (중략) 과거에의 탈각으로써 재건될 우리의 민주국가는 첫째도 민족적 자주독립이오, 둘째도 민족적 자주독립이다. 남북이 통합된 전일체(全一體)의 자주독립이오, 본연의 자태에 돌아가는 자가적 자립인 것이니 이것은 우리의 본질적 명제일 뿐만 아니라 이것은 우리의 총의적 염원일 뿐만 아니라 외력의 침간(侵干)이 부정되고 민족자결의 원칙이 확립된 국제 민주주의 노선과도 합치되는 것이다. (중략) '최후의 일각까지 최후의 일인까지' 남북협상의 대도를 추진하여 통일국가의 수립을 기필(期必)하자!

이 성명서는 김규식이 남북협상을 위해 북행을 결심하는 데 큰 영향을 주었고,[38] 3·1 운동 당시의 독립선언문에 비견할 정도의 명

---

37) 「남북협상을 성원함」, 『새한민보』 2권 9호(1948년 4월 하순호), 14쪽.
38) 송남헌, 『해방 3년사』 II, 까치, 1985, 533쪽.

문장이었다고 평가를 받기도 했다.[39] 남북협상이 무위로 돌아가고, 1948년 5월 10일에 남한만의 총선거가 실시되었다. 남북협상을 지지했던 중도파 언론인들은 조선언론협회라는 새로운 언론인 단체를 만들었다. 1948년 6월 24일에 열린 창립총회에서 설의식은 회장으로 추대되었다.[40] 설의식은 조선언론협회의 선언문에서 "조국의 당면한 과제는 정치적으로 응결된 통일체의 완수"인데, "외세의 농단에 아부하고 통일에의 역행을 조장하는 무문(舞文)곡필이 존재하니 이제 '민족의 정필'이 필요하다"고 하며 다음과 같은 강령을 발표했다.[41]

> 1. 의사 발표의 자유가 보장된 기본인권의 창달을 위하여 우리는 조국과 더불어 존재할 언론진의 결속과 강화를 도모함.
> 2. 인류적 이념과 민족적 도의에 즉한 사회적 혁신의 구현을 위하여 우리는 조국과 더불어 존재할 언론도의 존엄과 긍지를 발양함.
> 3. 통일된 민주국가로 재건될 새 나라의 민주적 발전을 위하여 우리는 조국과 더불어 존재할 언론인의 사명과 임무를 완수함.

---

39) 안철현, 「남북협상 운동의 민족운동사적 의미」, 최장집 편, 『한국현대사』 I, 열음사, 1985, 322쪽.
40) 박용규, 2007, 앞의 글, 154-157쪽.
41) 「조선언론협회 결의문」, 『새한민보』 2권 13호(1948년 8월 상·중순호), 9쪽.

조선언론협회의 강령은 분단을 고착화하는 언론을 비판하며, 통일을 지향하는 언론의 필요성을 강조한 것이었다. 설의식이 사용한 '민족의 정필'이라는 표현은 민족 전체의 이익을 위해 활동하는 언론을 가리키는 것이며, 여기에서의 민족 전체의 이익이란 곧 자주적 통일국가의 수립을 의미했다. 1948년 6월 초부터 남북협상 재개 움직임이 나타났는데, 조선언론협회의 결성은 바로 이런 활동을 지원하기 위한 성격이 강했다.

1948년 7월 26일에 문화인 330명이 민족적 위기의 극복과 자주적 통일국가의 수립을 위해 '조국의 위기를 천명함'이라는 선언문을 발표했는데, 이것도 역시 설의식이 주도했고 『새한민보』에 게재되었다. 이 선언문은 "통일과 민주는 둘이 아니라 하나이다"라고 지적하면서 자주적 통일국가수립의 좌절이 '예속과 폭압'을 가져올 것이고, 외세 의존적인 분단정부의 수립은 필연적으로 비민주성을 노정할 수밖에 없다고 주장했다.[42]

설의식은 좌우익의 대립도 실제로는 외세 의존적인 것에 불과하다고 비판하며 이런 대립의 초월을 거듭 주장했다. 나아가 그는 계급적 대립의 문제보다는 자주적 통일국가의 수립이라는 민족적 과제의 해결이 시급하다고 주장했다.

설의식은 통일정부 수립을 위한 정치 활동에 참여해서, 1948년 7월 21일에 김구와 김규식이 중심이 되어 결성한 통일독립촉진회의

---

42) 「330인, 조국의 위기를 천명함」, 『새한민보』 2권 14호(1948년 8월 하순호), 10-11쪽.

1945년 12월3일 임정요인들. 앞줄 왼쪽부터 장건상, 조완구, 이시영, 김구, 김규식, 조소앙, 신익희, 조성환. 뒷줄 왼쪽부터 류진동, 황학수, 성주식, 김성숙, 김상덕, 유림, 조경한, 김봉준, 유동열, 김원봉, 최동오. 이들 중 이시영, 신익희 등 일부를 제외하고는 단독정부에 반대하고 남북협상에 참여했다.

중앙상무집행위원이 되었다. 중앙상무집행위원 13명 중에 김규식의 민족자주연맹 8명, 김구의 한독당 4명이 포함되었고 특정 정치 세력과 관련이 없던 사람은 설의식뿐이었다.[43]

설의식은 정부수립 이후인 1948년 8월 29일에 통일독립촉진회 선전국 위원이 되었고, 9월 9일에는 외교전문위원회 위원이 되었다.[44] 1948년 말에 2차 남북협상이 별 성과 없이 끝나면서 중도파

43) 도진순, 『한국 민족주의와 남북관계』, 서울대학교 출판부, 1997, 298-299쪽.
44) 「통촉 태도 천명, 일간 선언 발표」, 『국제신문』 1948.8.26., 1면.; 「통촉서 외교전문위원회를 설치」, 『국제신문』 1948.9.9., 1면.

도 분열되고 변화했다.[45] 그는 1949년 2월에 김구와 김규식의 제휴 강화를 위한 통일독립촉진회 상무위원회에 참여했지만,[46] 그 이후로는 별다른 정치 활동을 하지 않았다. 설의식은 조선언론협회 회장으로 1949년 4월 30일에 UN한국위원회 초청을 받아 협의하고, 기자들에게 "무력통일은 우리 민족의 자멸을 가져올 뿐이니 절대로 회피"해야 하며, "평화적 통일방안이라 할지라도 독선적인 아집으로 사태에 임해서는 안 될 것"이라는 의견을 밝혔다.[47]

설의식은 취임한 지 1년 만인 1948년 12월에 『서울신문』 고문에서 물러났다. 그는 퇴임하며 "상주(常住)를 불허하는 세태의 변전(變轉)은 끔직도 하였습니다. 그 어처구니도 없이 바뀌어 가는 속세의 가상(假相)을 돌아다보면서 그 자리를 떠나는 것입니다"라고 하며 쓸쓸한 심경을 밝혔다.[48] 1949년 이후 설의식은 『새한민보』 경영에만 전념했고, 틈틈이 전국 각지를 다니며 시국 강연을 했다. 그는 1949년 4월 16일 경남 진주에서 강연하던 중에 임석 경관이 중지시키려고 했던 일이 있었다고 하며, "치안 상태로 빚어지는 공기가 일선 경찰로 하여금 과민케" 한다고 비판했다.[49] 『새한민보』는 언론통

---

45) 윤민재, 『중도파의 민족주의 운동과 분단국가』, 서울대학교 출판부, 2004, 395-408
46) 「통일독립촉진회 상무위원회 개최」, 『독립신문』 1949.2.13., 1면
47) 「설의식 조선언론협회 회장 남북통일의 6개 전제를 피력」, 『서울신문』 1949.5.1., 1면
48) 설의식, 「물러가는 말씀」, 『서울신문』 1948.12.29., 1면.
49) 설의식, 「영남로 여기저기」 (3), 『새한민보』 3권 13호(1949년 6월 상순호), 36쪽.

제의 강화와 재정적인 어려움으로 인해 1950년 2월 5일 통권 63호를 마지막으로 폐간되었다.

설의식은 1949년 12월 3일에 "민족진영의 문화인뿐만 아니라 과거의 과오를 깨끗이 청산하고 새 출발을 맹서한 전향 작가들 전원이 솔선 참가"했다는 '민족정신 앙양을 위한 종합예술제'에서 강연을 했다.[50] 1950년 1월 9일에는 국민보도연맹이 개최한 국민예술제전에서도 강연을 했다.[51]

전향자가 아닌 설의식이 국민보도연맹 행사에 나와야만 했던 이유를 정확히 알 수 없다. 음악평론가 박용구도 국민보도연맹 가입자가 아니었음에도 자신도 모르게 국민보도연맹 행사에 참여하는 것으로 광고가 나갔다고 했다.[52] 국민보도연맹에 가입하지 않은 중도 성향의 사람들도 강제로 동원하려고 했던 것으로 볼 수 있다. 설의식은 1950년 5월 30일의 2대 국회의원 선거에서 충북 영동 선거구에 출마했다가 낙선했다.

6. 신문학 교육과 저술 활동

설의식은 일찍부터 신문 교육에 관심이 많아서 일제강점기부터

---

50) 「성황 이룬 민족정신 앙양 종합예술제」, 『경향신문』 1949.12.5., 2면.
51) 「국민보도연맹, 제1회 국민예술제전을 개최」, 『서울신문』 1950.1.8., 2면.
52) 박용구, 「자전 에세이 나의 길」 (39), 『경향신문』 1991.1.13., 9면.

신문에 관한 강연을 자주 했다. 그는 1947년 2월 18일에 조선신문학원이 설립되자 교무위원으로 참여하고 1950년까지 '신문 편집론' 등의 다양한 강의를 담당했다.[53] 1952년에 피난지 부산에서도 신문학원의 강의를 맡았다.[54] 신문학원 동창회가 '창설 공로자의 한 사람'으로서 "언론계에 남긴 귀한 발자취를 받들고자" 설의식의 흉상을 제작하려고 했을 정도로 설의식이 신문학원의 설립과 운영에 기여한 바가 컸다.[55]

설의식은 해방 직후부터 활발한 저술 활동을 하여 자신이 근무하는 신문은 물론 다른 매체들에도 자주 기고를 했다. 또한 일제강점기나 해방 이후 쓴 글들을 모아서 여러 권의 책을 발간하기도 했다. 그는 1947년에 『해방 이후』(동아일보사)를 발행했고, 1948년에는 『통일 조국』, 『독립 전야』, 『해방 이전』, 1949년에는 『화동 시대』, 『금단의 자유』를 발간했다. 1948년과 1949년의 책들은 모두 새한민보사에 발간했다.

한국전쟁으로 부산으로 피난 온 설의식은 "충무광이라는 소리를 들을 정도로 충무공 연구에 온갖 정력을 다하였다"고 한다.[56]

그는 1951년에 이충무공기념사업회가 발행한 『민족의 태양: 성웅 이순신 사전(史傳)』에 '난중일기'를 번역해 실었다. 설의식은 "사실상

53) 정진석, 『조선신문학원의 기자양성과 언론학연구』, 서강대학교 언론문화연구소, 1995, 22-36쪽.
54) 「광고: 신문학원 전수과 학생모집 (야간 6개월)」, 『동아일보』 1952.5.7., 1면.
55) 「고 설의식 씨 흉상, 신문학원서 제작」, 『동아일보』 1954.7.24., 2면.
56) 주요한, 1975, 앞의 글, 47쪽.

우리나라에서 최초의 『난중일기』 번역자"라는 평가를 받았다.[57]

설의식은 김영수가 『동아일보』에 1952년 5월 26일부터 6월 23일까지 연재한 소설 '성웅 이순신'의 감수를 맡기도 했다. 1953년에는 발췌 번역본인 『난중일기초』(수도문화사)를 냈는데, 한국전쟁이라는 국난을 맞아 이순신 같은 리더가 필요하다고 보고 발간했던 것이다. 설의식은 1952년에 『소오 문장선』, 1953년에 『치욕의 표정』, 1954년에 『학생과 현실』(공저) 등을 수도문화사에서 발간했다.

---

57) 「박종평의 이순신 이야기-해설 난중일기 33」, 『일요서울』 1137호(2016.2.15.), 48면.

7. 독립과 통일을 위해 헌신한 언론인

설의식은 "신문에 대한 열정과 신문을 잘 아는 데 있어서는 씨를 따를 사람이 없다"는 평가를 들었을 정도로 뛰어난 언론인이었다.[58] 그럼에도 설의식은 『새한민보』 폐간 이후 다시 언론계로 돌아오지 못했다. 부산 피난 시절에 『국제신보』에서 잠시 시평을 썼던 것이 마지막 언론 활동이었다.

화려했던 언론계 경력에 비해 그의 말년은 불우했다. 그가 중도파로서 언론 활동을 했고, 그의 주변 인물 중 일부가 월북했던 탓이 컸을 것이다. 주요한은 "소오는 6·25 전란으로 또 한 번 타격을 받았다. 그것은 적치하에서 늦게 피난을 간 때문이었을 것이다"라고 지적하기도 했다.[59]

설의식은 언론인으로서 일제강점기에는 일제에 비판적인 언론 활동을 펼쳤고, 광복 이후에는 좌우익 대립의 극복과 자주적 남북통일을 위한 언론 활동에 헌신했다. 언론인으로 활동할 수 없던 일제 말기에는 민족 전통을 살리기 위한 문화 활동을 했고, 1950년 이후에는 분단 현실에 대해 민중을 계몽하고자 시국 강연을 했다. 그는 당대의 다른 많은 언론인과는 달리 친일 행적을 남기지 않았고 정치권력과도 거리를 두었다.

설의식은 수복 후 피난지 부산에서 서울로 돌아왔다. 그는 심장

---

58) 슬포산인, 1949, 앞의 글, 174쪽.
59) 주요한, 1975, 앞의 글, 47쪽.

병으로 고생하다 1954년 7월 21일에 쓸쓸히 죽음을 맞이했다. 이은상은 설의식의 영결식에서 읽은 조시에서 "소오 갔네 그려/ 다 버리고 갔네 그려/ 국토 갈라지고/ 세상은 어지러워/ 쓸 말도 많다더니만/ 붓을 놓고 갔네 그려"라고 하며 슬퍼했다.[60] 오소백은 "노기자의 주검을 푸대접하는 것은 바로 신문인 자신들이 자기네들의 묘혈을 파는 것이나 다름없는 것이었다"고 비판했다.[61]

조선신문학원에서 설의식에게 배웠던 이우태는 한참 세월이 흐른 뒤에 "설의식 선생이 보여준 말과 행동은 언론인의 귀감이 되었다"고 평가했다.[62]

설의식은 한평생 독립과 통일을 위한 언론 활동에 헌신했던 '언론인의 귀감'이었다.

필자 **박용규**

서울대학교 언론정보학 박사
한국언론진흥재단 연구위원
상지대학교 미디어영상광고학과 교수
한국언론정보학회 회장
상지대학교 인문사회대 학장

60) https://search.i815.or.kr/contents/newsPaper/detail.
do?newsPaperId=GM1956021502-02
61) https://search.i815.or.kr/contents/newsPaper/detail.
do?newsPaperId=GM1956021502-02
62) 「잊을 수 없는 사람」, 『경향신문』 1990.9.18., 17면.

해박한 '글의 선비'
석천(昔泉) 오종식(吳宗植)

1906~1976년

샘물 같은 정론직필
'권력의 칼'을 펜으로 막아

글 : 맹태균(전 경향신문 편집위원)

<석천 오종식 약력>

경남 동래 출신

동래 공립보통학교(초등) 졸
동래 사립고등보통학교(중학) 졸
일본 동양대 전문학부 문화학과 졸업
성균관대 및 동국대 교수
민주일보 편집위원 겸 정치부장
민중일보 주필
경향신문 주필 겸 편집국장(세 차례 역임)
초대 사회부 차관
서울신문 전무 겸 주필
조선일보 논설위원, 평화신문 고문
한국일보 주필(부사장 겸 ; 두 차례 역임)
서울신문 사장·국제신보 사장
한국신문연구소장, 방송윤리위원장
대한공론사 이사장
한국공연윤리위원회 위원장

─ 거인의 여정(旅程) ─

1. 동서고금에 통달한 대표적 논객

붓 한 자루로 나라를 광복하고
붓 한 자루로 정의를 외쳤다.
滔滔 數千言의 명문장
우리들 젊은이의 가슴을 설레게 했다.
아아 한국 언론계의 휘황했던 明星이여

– 석천 묘비명의 앞 구절
지은이 月灘 박 종화

석천 오종식(昔泉 吳宗植 : 1906~1976년) 선생은 언론계의 거목으로 50년대를 누비면서 4·19 전사(前史)를 장식했다. 우리 언론사상 가장 다양하게 유수한 신문사의 주필과 편집국장직을 맡았던 광복 후의 대표적 논객이다.

당당한 정론(正論)을 폈던 오종식 선생은 어느 신문사든 마음에 맞지 않으면 언제든 미련 없이 떠났던 방랑의 무사(武士)가 아닌 '방랑의 문사(文士) 선비'였다.

선생에게 있어서는 한국의 언론 그 전체가 문제였지, 신문사 하나하나는 그다지 안중에 없었다. 어느 글에서 이런 말을 했었다.

"이태백의 인생은 백대(百代)의 과객(過客)이라 하였거니와
내 생각으로는 신문기자란 현대의 과객이라고 부르고 싶고
그렇게 자처하기도 한다."

그래서일까. '언론가의 과객' 석천 오종식 선생은 1946년 4월 민주일보 창간에 참여, 언론계에 첫발을 내디딘 후 1948년 8월 대한민국 정부의 초대 사회부 차관 생활 4개월을 빼고는 1947년 8월에 경향신문의 주필 겸 편집국장을 맡은 때로부터 경향신문 주필세 차례(1953, 1957년), 한국일보 부사장 겸 주필을 두 차례(1954, 1958년) 그리고 서울신문 전무 겸 주필(1949~1952년)을 지낸 대기록을 남겼다.

언론사 경영인으로서도 다양한 경력을 지녔다. 서울신문 사장(1960년), 국제신보사장(1962년), 대한공론사 이사장(1972년)을 역임했고, 한국신문연구소(현 한국언론연구원) 소장(1966년), 한국방송윤리위원회(1966년)와 한국공연윤리위원회 위원장(1976년)을 맡아 이 땅의 언론이 정착하는데 기여했다. 1964년에는 언론 창달에 이바지한 공으로 무궁화 훈장을 받기도 했다.

오종식 선생은 언론계에 몸담고 있으면서도 성균관대, 동국대 등에 출강하여 많은 제자들을 지니고 있었다.

신문에 날카로운 논설을 쓰는 외에 수필가로서의 필명을 날리기도 했다. 선생이 발표한 논평 「사회정책 소고(小考)」 「근대정신의 파탄」 외에 수필집 『원숭이와 문명』 『연북만필(硯北漫筆)』 『용용기(庸庸記)』 『혁명의 원근(遠近)』 등은 독특하면서도 시니컬한 작풍으로 유명하다.

항상 일선 기자들에게 기백과 신념이 가득 찬 지사 정신을 잃지 말 것을 강조한 오종식 선생의 30년 언론계 생활은 한마디로 외곬

인생이었다.

이원교(李元教) 전 중앙일보 편집국장은 이렇게 평가한다.

"석천 철학은 약자 편에 서서 싸운다는 것과 지위의 고하를 막론하고 법 앞에 평등하듯이 평등시 한다는 것, 그리고 달관(達觀)된 박식(博識)으로 사리를 판단하는 반골적(反骨的)이며 서민적인 저널리즘의 권화(權化)가 아닌가 생각된다."

석천 오종식 선생은 1906년 1월 11일 경남 동래군에서 7녀 1남 중 막내 독자로 태어났다. 음력으로는 을사년 12월 20일이었다. 그해 을사늑약(을사보호조약)이 체결되고 장지연(張志淵)은 황성신문(皇城新聞)에 저 유명한 '시일야방성대곡(是日也放聲大哭)을 발표해서 만인을 울렸고, 시종무관장 민영환(閔泳煥)이 망국의 한을 품고 자결하는 등 어수선하기 그지없었다.

연치 다섯에 정명의숙(正明義塾)에 들어가 한문을 수학하고 1918년에 동래보통공립학교(초등학교)를 졸업, 1922년에 동래사립고등보통학교(중학)를 거쳐 일본 도쿄로 유학, 도요대학(東洋大學) 전문부 문화학과에 입학했다. 철학을 전공하여 1926년에 졸업한다.

종심(從心 70세)의 연세에 세상을 뜰 때까지 굴곡이 심했던 선생의 인생역정 속에서 일관되게 그를 지탱해 주었던 학구심은 이때부터 싹트기 시작해 약관 20에 이미 『학지광(學之光)』이라는 조선 유학생 학우회 기관지에 「데카르트 소고(小考)」란 논문을 발표했다.

졸업 후 귀국하여 고향의 명정고보(明正高普)에서 4년 동안 교편 생활을 했으나 일본인 교사 배척사건으로 일경(日警)의 감시 대상이 되어 상업, 회사원, 법원 서기생활 등으로 전전했다. 이때 10여 년 동안의 생활 체험은 전공이 철학인 선생에게 뒷날 정치, 경제, 법률, 사회, 문화에 관한 논설을 쓰는데 결정적인 도움을 줬다고 한다.

광복을 맞아 호구지책으로서의 습복의 시기가 끝나고 끝없는 진리에의 탐구욕, 동서고금에 통달한 박학다식한 지식과 그의 온축이 현란한 빛을 내기 시작한다.

2. 학구와 저널리즘 사이에서

8.15광복이 왔다. 그때부터 석천 선생은 고기가 물을 만난 듯 잠재되어 있던 재능을 보여준다. 우선 선생은 좌 · 우로 온 사회가 분열되었을 때 우(右)쪽에 섰다. 좌익 측의 문학가동맹, 문화단체총연맹 등에 맞서기 위해 우익 지식인들이 '중앙문화협회(中央文化協會)'라는 문화단체를 만드는데 가담했다.

이때 함께 협회를 만드는데 참여한 사람으로는 양주동(梁柱東) 이헌구(李軒求) 유치진(柳致眞), 김광섭(金珖燮), 이하윤(異河潤), 함대훈(咸大勳), 김영랑(金永郎) 등이 있었는데 주로 문인들이었다.

모스크바 3상 결정 신탁통치안을 놓고 좌우익이 극단적으로 대립하게 되었을 때 이 협회는 기관지로 '중앙순보(中央旬報)'를 발행했다. 선생이 이 순보를 맡아 편집을 하면서 정치적 성명이나 사설에 준하는 글을 썼다. 이것이 문필가로서의 첫 출발점이 되었다. 선생의 글이 어찌나 논리정연하고 품격과 주장이 당당했던지 많은 사람의 주목을 받게 되었다고 한다.

석천 선생은 언론계에 몸담고 있으면서도 동국대 교수로 강단에 섰다. 김법린(金法麟) 등 불교계 인사들과의 오랜 교분 때문이라 하겠다. 6·25때 납북된 동국대(東國大) 초대 총장 허영호(許永鎬)와 더불어 혜화전문학교를 재건하여 동국대학 설립에 참여하기도 했다.

저널리즘보다는 오히려 학구생활에 욕구가 더욱 강했던 선생에게는 대학과 신문 사이의 편력은 어찌 할 수 없는 숙명이었고 그 후 돌아갈 때 까지 계속된다.

이 무렵 석천 선생은 저널리즘보다 학문에 더 관심이 있었던 것 같다. 그러나 시대는 선생에게 언론인으로서의 활동을 더 요구했다.

중앙문화협회를 만든 다음 해 1946년 6월, 선생은 김규식(金奎植)박사가 명예사장, 엄항섭(嚴恒燮)이 사장인 민주일보 편집위원 겸 정치부장을 맡았다가 경영진과의 갈등으로 같이 참여했던 중앙문화협회 멤버들과 일괄적으로 사퇴한다.

이에 앞선 4월에 석천 선생은 동국대학에 정식으로 교수로 취임하여 철학과 사회과학을 강의하고 있으니 학구에 대한 선생의 집념이랄까 욕심이 얼마나 강했는지는 짐작하고도 남는다. 그러면서도 신문에 대한 미련 역시 끊지 못하고 1947년 4월에는 윤보선(尹潽善)이 사장인 민중일보(民衆日報)의 주필로 취임한다.

이때쯤에 김규식박사를 둘러싼 소위 좌우합작측에 어떤 사건으로 말썽이 생겼었다. 이 분란으로 싫증을 느낀 선생은 취임 넉 달 만에 민중일보를 그만 둔다. 그러나 당시의 신문계는 선생 같은 걸출한 논객을 그냥 쉽게 하지는 않았다.

3. 대통령 분부 묵살한 배포

경향신문 편집국장 겸 주필로 일해 달라는 권유를 받게 된다. 경향신문은 창간 1주년을 앞두고 경영진의 경질과 더불어 편집진용도 개편하려던 때였다. 창간 주역이었던 소설가 염상섭(廉想涉), 시인 정지용(鄭芝溶), 영문학자 조용만(趙容萬) 등 당시로는 리버럴리스트인 분들이 내분으로 물러나면서 그 뒤를 잇게 된다.

석천 선생은 '가톨릭 측의 관리 감독 하에서 혼자 잘 해나갈 수 있을까?' 며칠 숙고 끝에 편집국 인사를 일임 시켜준다는 조건으로 수락했다고 한다. 그때 나절로(禹昇圭), 김동리(金東里) 등이 뒤따라 들어와 편집부국장, 문화부장으로 선생을 도왔다. 뒷날 역사적인 '평양탈환'을 특종했던 이혜복(李蕙馥) 기자도 함께 일하게 된다. 광복 후 혼란기에 좌우대립이 첨예한 공포분위기속에서 신문제작 책임자로서의 석천 선생은 담대했었다. 경향신문은 중립을 표방하여 좌우익 양쪽에서 협박과 공갈이 자주 들어오곤 하였다. 그러나 동요의 기색도 없이 자기 소견을 과감히 전개해 나갔다.

매일같이 논설도 써야 했던 선생은 타블로이드판 신문이라 지면 사정으로 단편소설작법과 비슷하게 썼다. 3~4장쯤 되는 글을 틈틈이 써서 기명(記名)게재 했다. 그 중에 가장 긴 것은 16회분이 되는 것으로 '3영수협의론(三領袖協議論)'이라고 회고했다. 석천 선생으로서는 국제정세가 38선 장벽을 굳히기만 했고 국내적으로는 좌익의 파괴 공작과 테러분자들이 날뛰는 정국인데 이승만(李承晩) 박사, 김구(金九) 선생, 김규식 박사 3영수 마저 틈이 나고 금이 가면 건국(建國)을 어떻게 한단 말이냐는 것이 주된 골자였다.

선생의 논설 에피소드는 이밖에도 초대 상공부장관에 임영신(任永信) 여사를 임명하자 이견(異見)을 사설로 실었던 일이다.

석천 선생의 이야기를 한번 들어보자.

"그 사설이 조간에 나가자 정오쯤 중앙청을 출입하던 기자가 헐레벌떡 찾아와 손에 든 원고를 전하며 하는 말이 '대통령께서 기자회견을 마치고 여기 경향신문 기자 나와 있느냐? 하면서 제게 이것을 주필에게 전하라고 하시더군요.'했어. 내용은 기억이 희미하나 임 여사 임명에 대한 이 박사 자신의 소신을 밝힌 것으로 그것을 다시 사설로 쓰라는 뜻인 것 같아요. 나는 곧 대통령을 만나 설득하려고 했으나 때마침 암살미수사건이 있어 만날 수가 없었습니다. 회사에 들어가선 대통령의 분부를 묵살해버렸습니다. 그분의 뜻에 맞추어 쓰면 신문 꼴이 말이 아닐 것 같아서 그럴 수밖에 없었습니다."

4. 공분과 오기… 공보처장의 분노

자유언론의 기수답게 당당한 석천 선생의 춘추필법은 이때부터 다져진 것 같다. 그런 선생을 이승만 대통령이 사회부차관으로 발탁한다. 선생은 언론계에서 닦은 비판정신으로 사회정책을 일신, 개혁 실천하는데 전력을 기울였다. 그러나 전진한(錢鎭漢) 장관이 사임하자 뒤따라 6개월 만에 관직에서 물러나 다시 언론계로 복귀했다.

석천 선생은 1949년 6월 문총(전국문화단체연합회)의 간부가 중심이 된 재건 서울신문의 전무 겸 주필로 다시 언론활동을 시작했으나, 1952년 5월 기사와 논설이 문제되어 책임을 지고 사퇴했다. 그 사연을 알아본다.

석천 연보 1952년 4월 초에 이런 게 있다.

'하순에 그전 2월에 있었던 기사와 논설이 관할 당국자 사사
(私事)에 관한 것으로 기휘(忌諱), 사표제출, 5월 상순에 사퇴'

　이 짤막한 문장만으로는 이게 도대체 무슨 사건이었는지 또 그
사건이 얼마나 대단했기에 사표를 제출하게 되었는지 선뜻 납득이
가지 않을 것이다. 1952년이면 전선에서는 아직도 포성이 격렬했고
정부는 환도하기 전이라 일부 신문만이 서울로 올라와서 가판(街販)
위주로 신문을 발행하고 있을 때였다. 서울신문도 그중 하나로서 전
무 겸 주필인 선생은 먼저 상경해서 서울판을 주재하고 있었다.
　사건이 터진 것은 이 무렵이었다. 작가 김광주(金光洲)가 『자유공
론(自由公論)』이란 잡지에 발표한 단편소설 「나는 너를 싫어한다」가
문제가 되어 공보처장(李哲源) 관사에 불러가서 처장 부인이 보는
앞에서 호위경관에게 폭행을 당한 것이다. 이유는 그 소설의 주인공
이 처장 부인을 모델로 했다는 것이다. 왜 그렇게 생각했느냐 하면
주인공의 남편을 '공보처장'이라고 했기 때문이란다.
　2월 17일 부산 취재팀에서 파우치를 부쳐왔는데 그 속에 이 사건
을 대서특필한 경향신문 사회면 대장이 들어 있었다. 그 대장에 "기
사는 사장(朴鍾和)의 만류로 못 보내고 경향신문 대장을 얻어 보내
니 참고하라"는 쪽지가 붙어 있었다. 선생은 책임을 자기에게 떠미
는 듯한 부산처사가 불쾌했지만 그것이 충분한 뉴스가치가 있다고
판단해서 경향에 실린 기사에서 사실만을 추려서 3단으로 내보내게
했다.

부산에서는 당황한 공보처가 손을 써서 경향의 보도를 막았고 서울에는 송고를 하지 않았다니 걱정할 것 없다고 안심하고 있었는데 다음날 서울신문에 폭로가 되었으니 난리가 났다. 더욱 난처한 것은 공보처장이 당시 서울신문 취체역 회장으로 되어 있었기 때문이다.

처장의 긴급 소집으로 사장, 처차장(이헌구) 공보국장(李健赫) 그리고 경무대 비서였던 김광섭까지 합석해 대책을 숙의 했으나 이미 엎질러진 물이라 속보만 안 나가게 하자는 선으로 의견이 모아졌다.

문제는 그다음 날 일어났다. 부산에서 기사 속보는 없고 우편으로 봉함 편지가 하나 왔는데 그 속에 공보처의 지시서가 들어 있었다. 적반하장격인 그 문면과 안목 없는 격식이 석천 선생의 비위를 거슬렀다.

선생은 주저하는 정치부장을 독려해서 이 공한을 엽서 크기만 한 동판으로 뜨고 그 바른 편 어깨에 공보처장 사진을 파 넣어서 싣도록 했고, 사설은 '인권옹호상 일대오점'이라는 제하에 "공사(公私)를 혼동하는 안목으로선 공보처를 감당하기 어려우니 공보처장은 물러감이 옳다"고 일격을 가했다.

이 신문이 나간 뒤 어떠한 소란이 일어났는가는 가히 짐작할만하다. 두 달 후 신문사 정기총회에서 선생은 홀연히 사표를 내던졌다.

석천 선생은 작고하기 전에 독서신문(1976년 1월 25일자)에 실린 「나의 참회록」이란 글에서 위의 사건을 다음과 같이 회고했다.

"그런데 사표를 냈다고 해서 그만은 아니다…. 간혹 틈틈이 그때 일을 생각하면 가슴이 아린다. 정치부장 말마따나 공한의 동판은 너무 컸고 처장의 사진동판을 따서 붙인 건 심했었다. 보도는 정확해야 하고 논평은 공정해야 한다는 원칙엔 변함이 없다. 그걸 지키다가 각박하고 냉혹해져서는 자체의 덕을 잃게 된다고 생각한다.

덕을 갖춘 정확과 공정이란 어떠한 것이어야 하는가. 그건 활인검(活人劍)같은 것이라야 하는가."

이런 참회를 하기까지 석천 선생은 24년이 걸렸다. 이 일에 관련됐던 박종화, 이헌구, 이건혁, 김광섭 그리고 이철원 조차 선생과의 교분은 그렇게 소원한 처지가 아니었다. 그런지라 선생의 처사는 지나쳤다는 비난을 면치 못했지만 세밀히 따져보면 그건 개인의 차원을 넘어서서 경우 없는 비리(非理)에 대한 공분(公憤)의 귀결이었고 선생의 또 하나의 특질인 오기(傲氣)의 소산이기도 했다.

선생은 이와 같은 활인검의 경지에 이르러 이렇게 부연하고도 있다.

"…공사 간에 당시에는 정당하다고 판단하고 그대로 처리한 일이 세월이 지나고 보면 도리어 후회가 생겨나는 경우가 없지 않다. 기자란 보도는 신속하면서 정확하게, 논평은 불편부당 · 공명정대하게 해야 한다는 것이 강령처럼 되어 있다. 그러한 관념이 습성이 되면 자기도 모르는 사이에 사람이 각

박해지고 냉혹해지기도 한다.

각박하고 냉혹해지고 보면 그 보도가 정확하고 논평이 올바른 논법으로 정당한 판단을 내렸다고 하더라도 보도와 논평의 대상에겐 명예상 또는 정신상으로 적지 않은 상처를 끼치는 경우도 또한 없지 않다.”

5. 국회의원들이 눈물 흘린 사설

서울신문에서 필화사건에 책임을 지고 사표를 낸 뒤, 잠시 조선일보 논설위원으로 활동했다. 조선일보는 방응모(方應謨) 사장이 6·25전쟁으로 납북되어, 1952년 5월 장기영(張基榮)이 경영을 위임받아 사장으로 있었다. 이 무렵 석천 선생이 논설위원으로 위촉되어, 넉 달 동안 재직하면서 명사설 「이 대통령께 건백(建白)하나이다」를 남겼다.

1952년 7월 3일 발췌개헌안 통과 전야였다. 이승만의 재집권을 위해 1951년 말 대통령 직선제 개헌안을 국회에 제출했던 정부는 야당의 강력한 반발에 부닥치자 본래 안과 국회의 내각책임제안을 발췌, 새로운 개헌안을 내놓았다. 이른바 '부산 정치파동'이었다.

「이 대통령께 건백(建白)하나이다」는 이 개헌안이 통과되기 직전, 대통령에게 주는 고언(苦言) 형식으로 그동안 정부 태도의 문제점을 조목조목 지적했다.

이 사설은 "우리 헌법에는 국회 해산권 조항이 없다"면서 국회를 해산시킨 후 개헌안을 통과시키려 한 정부와 대통령을 점잖게 꾸짖었다. 그리고 "헌법은 국가의 기본법이니 그 개정 여부는 궁극적으로 국민이 동의 찬성하여야 한다. 국회에서 의결해도 최후에는 국민투표에 부치는 국가도 있다."고 개헌안 통과가 얼마나 중대사인지 강조했다. 신문에 게재된 사설 일부이다.

"우리 민국헌법에는 대통령의 국회 해산권을 규정한 것은 없습니다. … 주권이 국민에게 있는 만큼 국민의 총의가 국회 해산을 요구할 경우에 입법권의 근원으로나 법리학적 해석으로 보아 법의 절차를 제정하지 않고라도, 국민의 총의를 관철할 수 있다고 하더라도 그런 경우부터 헌법에 규정되어 있어야 할 노릇입니다.

국민의 총의란 것도 그렇습니다. 국민의 의사가 어느 정도의 한계에 달해야만 총의라고 인정할 수 있느냐 하는 것도 중대한 문제라고 생각합니다. 지방의원들이 정부 개헌지지안을 의결하고 또는 일부 지방의원들이 의사당을 위요(圍繞; 주위를 둘러싸다)하고 국회 자진 해결 건의를 요청한다고 해서 이것을 곧 국민의 총의라고 보기에는 근대 대의정치학 이론과 상식으로서도 의심쩍을 뿐 아니라 … 그 정치적인 대표성에 한계가 있는 지방의원 각자는 지방자치법에 규정된 권리의 한계와 의무의 분야를 견지하여야만 민주주의의 본의를 발휘

할 수 있다는 견해에서는 국민 일반의 시인을 받을 수 있을까 의심스러운 것입니다."

(조선일보 1952년 7월 14일자)

완곡한 표현이었지만 그 내용은 간곡하고 준열했다. 당시 상황에서는 용기가 없으면 집필하기 어려운 것이었다. 석천 선생의 논리 정연한 논객으로서의 면모와 강직한 성품이 잘 드러나는 사설이었다. 신문의 기백을 보여준 이 사설은 명문으로 평가 되고 있다. 국회의 사당에서 신문을 받아 이 사설을 읽다 눈물을 흘린 의원도 많았다 한다.

그러나 그날 경찰과 군인이 국회의사당을 포위한 가운데 발췌개헌안이 통과됐고, 이승만 정권의 기반은 공고해졌다. 이후 조선일보와 이승만 정권의 갈등관계는 증폭돼 갔다.

"신문기자는 정치를 쳐다보면 안 된다. 기자란 정치를 내려다보아야 한다. 정치를 쳐다보게 되면 자연히 정치에 끌려가게 되는 것이니까 기자는 항상 정치를 내려다보고 정치를 다스려야 한다."

정치파동이 터질 때마다 선생이 강조하는 말이었지만 당시 언론의 갈 바를 개안해주는데 선생의 힘이 적지 않았다.

－유인호(劉麟鎬) 언론인.

6. 특무대도 두 손 든 직필

조선일보에서 오래 있지 못하고 그 후 평화신문(사장 洪燦)의 고문으로 추대되었다가 1953년 4월 경향신문 주필 겸 편집국장으로 컴백했다. 이 무렵 과거의 이승만 대통령에 대해 우호적이었던 경향신문은 자유당 정권의 독선과 부패에 맞서 정부 비판지로 바뀌게 된다.

석천 선생은 의기 넘치는 기개로 날카로운 필봉을 휘두르며 낙양(洛陽)의 지가(紙價)를 올렸다. 아호 석천(昔泉)처럼 마르지 않는 샘물 같은 글이 독자들의 마음의 갈증을 시원하게 풀어준 것 때문인가 싶다. 선생은 경향의 성가를 높이는 한편 일선 기자들에게는 기백과 신념이 가득 찬 지사(志士) 정신을 잃지 말 것을 강조했다.

"국민은 하늘이다. 신문기자가 국민을 배신하고 곡필아세(曲筆阿世)하면 하늘이 죽일 것이요. 신문기자가 국민의 편에 서서 파사현정(破邪顯正), 건필을 휘두르면 권력이 너를 죽이려 할 것이다. 그러니 신문기자는 이래도 죽고, 저래도 죽을 팔자다. 기왕에 죽을 바에야 국민의 편에 서서 죽는 것이 선비의 갈 길이 아니겠느냐."

이것이 석천 선생의 기자관(記者觀)이었다. 선생은 자신의 말처럼 선비로서 기자의 길을 몸소 실천했다. 1957년 세 번째 경향신문 편집국장 겸 주필 때 일이다.

'공군이 밀수에 가담했다'는 부산지사에서 올라온 기사였다. 취재원이 세관과 해상경찰이었고 사건의 규모도 큰 것이어서 톱기사로 실었다.

그 이튿날 공군 정훈감이 편집국에 들어와 '그거 오보'라면서 취소해 달라는 것이다. 반론은 실어도 취소할 수 없다고 하니까 '어디 봅시다. 하면서 돌아갔다. 4~5일 뒤 공군 특무대에서 소환장이 날아왔다. 당시 특무대가 어떤 곳인가.

아무리 치안국 특정과(特情課) 같은데서 출두하라 해서 여느 사람들처럼 어정어정 나가 본 일이 없는 배짱이라 해도, 불문곡직격의 특무대의 소환이고 보니 섬뜩해질 수밖에 없었다. 신문사가 벌컥 뒤집힌 듯 했다.

대책을 궁리했다. 법령집을 뒤져보니 군인의 범죄와 관련이 있는 민간이 아니면 소환장을 낼 수 없다고 규정되어 있었다. 그 조문을 박스로 1면 중앙에 싣고 사설로 소환장 발부의 위법성을 지적하고 그 권리남용을 지탄했다. 그 후 공군본부나 특무대에선 아무 소리도 없었다. 권력의 '칼'을 '펜'으로 막은 셈이다.

선생은 비록 신채호(申采浩)나 장지연 선생 같은 지사 언론인까지는 아니더라도 비교적 올바르게 살며 곧은 논지를 펴나가기 위해 애쓴 논객이라 할 수 있다.

7. 경향 한창우 사장과의 묘한 관계

자신을 논설기자라고 자부하는 석천 선생은 기자들에게 "기사는 발로 써라"고 곧잘 말했다. 확인하고 정확을 기하라는 뜻인데 기자가 출입처에서 취재 태만하여 해임시킨 일도 있었다. 그러나 특종을 캐낸 기자에겐 칭찬을 아끼지 않고 술값도 서슴지 않고 쥐어줬다.

편집국장이었든 주필이었든 어떠한 직위에 있어서도 늘 일선기자들과 가까이 지내고 호흡을 같이 했다. 보통 주필하면 주필실에 틀어박혀서 논설을 쓰는 것이지만 선생은 곧잘 편집국에 나타난다. 편집국에 쏟아져 들어오는 각종 사건의 냄새를 맡고 그 경위와 추세를 관찰하는 것이다. 그러한 연후에 사설을 쓰기 때문에 선생의 사설은 취재와 혼연일체가 되고 당시 야당지다운 경향신문의 명사설을 등장케 했던 것이다.

석천 선생의 언론철학은 약자 편에 서서 싸운다는 것과 지위고하를 막론하고 법 앞에 평등하다는 소신을 갖고 있다. 소신만큼 선생의 고집도 보통이 아니다. 경향신문이 가톨릭재단인데도 그는 이런 데에 구애받지를 않았다. 예를 들면 고정 칼럼 제목을 불교용어로 '유상무상(有象無象)'이라고 붙이고 경영인을 공박하는 글도 실었다. 이러면 충돌이 생기기 마련인데 선생은 주장을 관철하고야 만다. 일종의 자신감이라고 하겠으나 옹고집으로 비치기도 했다.

경향신문 한창우(韓昌愚) 사장과는 세 차례나 상봉 하였으니 석천의 고집과 한 사장의 심지(心志)는 상충하면서도 상조하는, 석천의

언론철학과 한 사장의 경영방침 사이에는 일맥상통하는 관용이랄
까 그 무엇이 있지 않나 생각된다.

가톨릭계 신문인 경향에 몸담은 불교도 석천 선생의 종교관은 과
연 무엇일까?

윤성범(尹聖範) 전 감리교신학대 학장은 이렇게 해석했다.

"나는 그가 종교인인 줄은 알지만 불교도(佛敎徒)인지 유
교도(儒敎徒)인지는 잘 구별을 못하고 있다. 왜냐하면 양쪽에
다 깊은 귀의심(歸依心)을 가지고 있는 것 같이 느껴졌기 때
문이다. 유교에 관한 강의를 들으면 유교인 같고, 불교의 사
상을 논할 때는 불교인 같고, 그래서 나는 양쪽 다 믿는 말하
자면 종교사학적인 인물로 보고 싶은 것이다. 아닌 게 아니라
그가 세상을 떠날 때 까지도 성균관의 고문으로 추대를 받고
있었던 것이 아닌가.

그만큼 그는 폭이 넓은 분이라고 생각된다. 아니 그뿐 아
니라 그의 기독교 이해도 보통이 아니다. 그는 예수의 교훈을
들어 이야기하면서 감격하여 눈물을 머금고 토로하는 것을
들은 적이 있다. 그러고 보면 그는 예수 그리스도를 가장 높
이 숭앙하고 있는 것 같이 느껴지기도 하였다."

8. 百想 장기영의 회고담

석천 선생은 1954년 6월 한국일보(사장 장기영) 창간과 함께 주필로 옹립됐다. 한국일보 생활도 2년이 못가고 경향신문으로 주필 겸 부사장으로 옮겼다가 다음해 다시 한국일보 주필 겸 부사장으로 취임했다. 발행인과 뜻이 엇갈렸을 때 홀연히 떠났다가 다시 부르면 잊은 듯이 만나는 그런 편력은 강한 개성과 넘치는 활력의 탓으로 볼 수 있을 것이다.

한국일보 주필을 두 차례 지낸 석천 선생과 백상(百想) 장기영 한국일보 사주와는 남다른 인연과 신뢰를 엿볼 수 있다. 두 분은 소싯적부터 집안끼리 아는 사이였다.

그래서인지 초창기 서울신문에 있던 선생이 당시 조선은행 조사부 차장 백상을 이끌어 주었다. 백상이 그 뛰어난 식견으로 은행 내외서 각광을 받기 시작하면서 서울신문에 경제 논설을 기고하는 한편, 「조선은행 조사월보」「경제연감」 등을 엮어 내는 등 전력을 다하는데 도움을 준 것이다. 백상 특유의 도전적인 열정은 이후 두각을 나타내게 되었다. 백상 장기영의 회고담이다.

> "회고할 자료가 얼마든지 있지만 내 머리에서 늘 떠나지 않는 석천의 이미지는 역시 박식(博識)한 풍미(風味)의 문장과 아름답게 흐르는 휘감는 듯한 그 필적이다. … 석천이 한국일보 시절에 내게 하던 말이 생각난다.

'사장이 혹 혼자 있다는 것을 알고 사장실로 내려가면 항상 의자에 앉아 졸고 있어서 이야기를 할 수 없다'고 불평을 하길래, 그때 나는 '내가 혹 오 주필을 만나려고 하면 당신은 항상 취해 있었기 때문에 이야기할 수 없다'고 응수한 일이다.

이제는 취기가 있는 석천의 표정조차 영영 못 보게 됐지만 그 체취는 항상 내 코끝에서 맴돌고 있다. 사실 그때 나는 틈만 있으면 수면을 저축하기 위해 자 두었고 석천은 틈만 나면 후배들과 같이 신문사 근처의 중류정도의 주점에서 대작(對酌)을 즐겼다.…화가 날 때는 나는 항상 부족한 수면을 보충하기 위해 아예 졸아버리고 석천은 좋아하는 술잔 속에 화나는 일들을 풀어버리는 것 같았다.

석천의 한국일보에 대한 공헌은 그야말로 필설(筆舌)로 헤아릴 수 없다. 한국일보 창간 당시 석천이 주필로 온다는 소문만 듣고도 많은 독자가 따라와서 매일 부수가 늘어났다. 석천은 고정 독자를 가지고 있었다. 한국일보 자신은 특히 어렸을 때 그의 필력(筆力)과 필치(筆致)의 채찍을 맞고 자랐다. 후배들은 항상 석천을 두려워했다."

"내가 가는 신문은 부수가 는다."
'언론가의 과객' 석천 선생이 한잔하고서 기분이 좋을 때 늘 자랑삼아 하는 말이다. 사실 선생이 가는 신문사마다 틀림없이 부수가 늘었다. 물론 선생의 과감하고 예리한 필봉이 그만큼 독자를 매혹케한 것은 당연하지만 당시 선생의 신문제작방향이 독자들의 심금을 찌르게 했고, 무엇보다도 선생의 구수한 서민적인 매력이 기자들에게 큰 인기여서 기자들을 분발케 했던 것이 아닐까.

> "오종식 선생이 걸물이었다. 그는 문학. 철학. 한학 분야에서 박식하기 이를 데 없다. 저녁마다 인사동에 있는 중국집 '동해루'나 적선동의 '대머리집'으로 나를 데리고 가서는 시국이나 철학을 화제로 많은 이야기를 들려주셨다. 그것이 그렇게 영양분이 됐다."
>
> – 한운사(韓雲史) 극작가.

9. '經世鐘聲' 4·19의거 전야

석천 선생과 함께 한국일보 창간에 관여했던 주효민(朱孝敏) 전 한국일보 논설고문에 의하면 석천 선생은 '어물어물하고 두루뭉술한' 것을 가장 싫어했다. 흑(黑)이면 흑, 백(白)이면 백이지 이것도 아니고 저것도 아닌 것을 아주 미워했다. 주필 때 논설위원들이 사설을 써 읽어 봐 줄 것을 청하면 "소신껏 썼으면 그만이지 볼 것이 뭐 있어" 하며 법적인 문제가 발생하면 주필이 책임지겠다며 쓸 것은 소신껏 쓰라고 격려했다.

석천 선생은 통산 6년간에 걸친 한국일보 재직기간 중 겸직이기는 했지만 부사장·주필·편집국장 등 사내 요직을 고루 역임 했다. 선생은 남달리 자유를 사랑하고 불의를 미워하였기 때문에 평소에도 투철한 시국관에 입각하여 엄밀한 사고, 빈틈없는 논리의 전개, 명확한 용어로 소신을 피력함으로써 다수독자의 공감을 얻었었다.

특히 「대한민국은 누구의 것이냐」 등 우리나라의 국기(國基)가 흔들리고 사회가 혼란에 빠졌던 4·19의거 전야에 오종식 주필이 집필한 논설은 나라와 겨레의 앞날을 걱정하는 경세종성(經世鐘聲)으로서 흠잡을 수 없는 명논설이요, 기개 있는 지성을 듬뿍 담은 대논설이었다고 하겠다.

석천 선생은 비단 용기가 넘치는 장엄한 정치논평 뿐만이 아니라 문제의 핵심을 찌르는 사회적 비평이나 때로는 잔잔한 수필, 재치 있는 칼럼 등으로 많은 사람들의 가슴을 눈물로 적셔 주기도 했다.

당시 한국일보에는 오종식 주필과 더불어 천관우(千寬宇, 한국일보 논설위원과 동아일보 편집국장·주필을 역임) 선생이 '천자춘추'를 집필했고, 홍승면(洪承勉, 한국일보 편집국장과 동아일보 편집국장을 역임) 선생이 '메아리'를 써서 명성을 떨쳤다. 두 분은 석천 선생이 그 장래를 촉망한 후진이었다.

10. 왜 신문경영에 실패 했었던가

석천 선생이 실질적인 신문경영을 맡은 것은 1960년 7월 27일 서울신문 사장에 취임한 것이 처음이었다. 그전까지는 편집국장, 주필을 맡아 자유분방한 편집인· 논객으로 활약해 오다가 하루아침에 신문경영의 큰 짐을 맡은 것이었다. (그동안 서울신문 전무, 한국일보 부사장도 지냈으나 이는 경영실무보다는 예우에 가까운 편이었다.)

서울신문 사장. 그러나 4·19의 혼란이 채 가시지 않은 시기인데다가 과도정부, 민주당 정권의 기반이 잡히지 않은 상황 속에서 서울신문의 바탕도 튼튼할 수가 없었다. 석천 선생의 지사정신(志士精神), 시국관(時局觀), 비평안(批評眼)으로 빛나는 신문을 제작하기에는 너무도 뒷받침이 빈약했다. 제2의 창간의 법열(法悅)을 누리기에 앞서 재정핍박이란 중압에 짓눌려야만 했다. 결국 막심한 자금난으로 지탱을 못하고 우여곡절 끝에 1962년 7월 사장직에서 물러난다.

언론인 석천, 논객 석천, 동양철학가 석천, 문명비평가 석천은, 그러나 신문경영자로서는 합격점을 따지 못한 셈이다. 신문경영자로서의 석천 선생은 왜 신문경영에 실패했었던가.

'과객'으로 자처하면서 '주인'으로서 가져야 할 집착이 모자랐다는 것이다. 박현태 (朴鉉兌) 전 KBS 사장은 스스로 원하기보다는 주어졌던 경영자로서의 위치에 대해 선생은 맡은 일을 성실히 해보겠다는 의욕은 있었지만. 그것을 꿋꿋하게 밀고 나가는 집착이 없었다고 아쉬움을 표현했다. 하지만 한 인간이 모든 능력을 다 갖추는 것은 불가능하다. 석천 선생의 한계는 인정하더라도 선생이 뛰어났던 점에 주목해서 평가할 필요가 있다.

> *(신문경영 실패) 그것은 조금도 선생의 평가에 있어서 흠이 되는 것은 아니다. 어쩌면 그것은 인간 석천의 진면목을 약여(躍如)케 하는 것인지 모른다. 인상비평의 탈이 있을는지 모르나 신문경영에 비상한 수완을 보이고 수지도 맞는 신문사의 넓은 사장실에 앉아 자족한 표정을 짓고 있는 선생을 상상하기란 매우 힘들다.*

–선우휘(鮮于煇) 전 조선일보 주필

11. 칼럼니스트 석천의 문장론

석천 선생은 광복 후 우리 언론 제1세대 중에서 가장 해박한 지식을 갖고 논설을 써온 상징적 인물로 존경을 받았다. 선생의 글을 가리켜 "동서고금에 통달한 박식과, 기백과 신념을 바탕으로 하여 쓴 진지한 평필"이라는 평가와 함께 "그가 쓰는 글은 엄밀한 사고(思考), 견고한 구성, 명확한 용어, 단정한 기법, 건축적 조화로 이루어진다."는 찬사를 받기도 했다.

선생의 문장에는 질타와 호령의 가락은 거의 없고 간곡한 설득의 논리가 충만했고 균형과 조화가 견지되는 높은 품격이 늘 있었다. 석천의 글이 이런 스타일이기 때문에 그분의 본령이 유감없이 발휘되는 곳은 역시 칼럼이었다.

선생은 서울신문에 「혁명의 원근(遠近)」, 한국일보에 「연북만필(硏北漫筆)」 「용용기(庸庸記)」, 경향신문에 「유상무상(有象無象)」, 신아일보에 「석천객담(昔泉客談)」, 일간스포츠에 「계절의 창(窓)」이라는 타이틀로 기명 칼럼을 연재했고 신문뿐 아니라 『현대문학』에는 「술의 의미」, 『수필문학』에는 「공기와 문명」이라는 이름의 칼럼을 줄곧 썼다. 선생은 이렇게 많은 글을 쓴 왕성한 대논객이었고 온갖 지식을 샘솟게 하는 해박한 지성인이었다.

선생의 칼럼에는 동서고금의 고전을 종횡으로 인용한 폭 넓은 지식이 넘쳐났고 우리 현실을 꼬집는 날카로운 해학과 풍자, 그러면서도 삶의 모습을 훈훈하게 그리는 인간에 대한 애정이 넘쳐났다. 또 압축 표현에 능숙한 그 재치 있는 문장공법은 누구도 흉내 내기 어려운 비경(祕境)이라 할만 했다.

석천 선생이 우리 언론에 이러한 신경지를 열어놓자 그를 정점으로 선우휘, 천관우, 홍승면 등 문(文)·사(史)·철(哲)에 능한 당대의 대가들이 포진하게 되었다. 이런 점에 있어서도 선생은 우리 언론계를 대표할 만한 대논객의 보스라 할만 했다.

전국 유수한 신문사의 편집국장, 논설위원, 주필 등을 역임하면서 석천 선생은 우리나라 신문사상에 길이 남을 만한 명문장(名文章)으로 당당한 정론을 폈던 분이다. 선생은 감히 남이 다루지 못하는 소재를 다루고 남이 말하기를 꺼려하는 말을 구애 없이 쓰면서 때로는 열화 같은 필봉을 휘둘렀고 때로는 '가히 신문기자 문장의 교본'이 됨직한 명문장을 남긴 분임에 틀림없다.

선생은 이렇게 말했다.

"글이라는 것은 글자(단어와 어휘)를 원료로 해 만드는 건축물 또는 조각품이다. 따라서 원료가 불량품이거나 신통치 않으면 그 건축물은 보잘 것 없는 졸품이 되고 만다. 그렇기 때문에 훌륭한 건축물을 만들려면 정확하고 알맞은 원료를 찾아 써야 한다."

항상 좌우에 대사전(大辭典)들을 두고 글을 써온 선생은 낱말 하나하나에 여간 마음을 쓰지 않았고 신문기사나 제목에 나오는 잘못

된 한자(漢字), 일본식 낱말 추방에도 앞장섰다. 석천 선생의 이러한 우리 문자에 대한 집착은 서울신문 사장 재직 중에 문화면에 낱말풀이를 집필· 연재하는 노력으로 나타났다.

또 선생은 후배 언론인들이 동양고전에 너무 무식한 것을 늘 탄식했다. 대한공론사(현 코리아헤

럴드신문) 이사장으로 있을 때 논설위원들에게 점심 후 한 시간씩 동양고전을 가르쳤다고 한다.

당시 주필로 있던 계광길(桂光吉)씨 말에 의하면 선생은 "영어에 능통하답시고 서양문물을 좀 씹어 보았을 테니 그것을 바탕으로 동양을 들여다보면 더욱 풍성한 지식을 얻을 수 있을 것"이라고 하면서 손수 교재를 만들어 강의를 했다는 것이다. 그때 사용된 교재는 한무제(漢武帝)의 「추풍사(秋風辭)」, 유백윤(劉伯倫)의 「주덕송(酒德頌)」, 왕일소(王逸少)의 「난정기(蘭亭記)」, 도연명(陶淵明)의 「귀거래사(歸去來辭)」 등이었다고 한다.

12. 학자풍 언론인 '박식의 변'

논설위원들에게 고문(古文)을 가르치시던 선생은 또 스스로는 영어공부에 열을 올리기도 했다는 것이다. 선생의 영어 해독력은 일반이 생각했던 것보다는 훨씬 깊은 것이었다고 본다.

동양철학사상에 대한 깊은 조예를 갖고 있는 석천 선생은 프랑스의 알랭을 사숙하기도 하여, 새 시대의 세계적 맥박과 상통되는 바 있었다.

말년에 강단으로 돌아가 비교철학을 강의했던 선생은 동양과 서양문명을 절충하여 어떤 라이프워크를 낳을 꿈을 꾸면서 한편으로는 새삼 '사실이 무어냐?' '진실이 무어냐?'고 본질적 파악을 시도하고 있었다.

이와 같이 석천 선생은 지식과 논리를 갖춘 논객이었고, 신문이론에 대해서도 고민하고, 연구한 학자풍의 언론인이었다. 선생 스스로 "학문을 무시하는 신문이 옳은 것이 아니라면 신문을 무시하는 학문도 제 구실을 다한다고 할 수 있을 것인가. 신문기자는 거리에 나타난 학자요, 학자는 연구실에 들어앉은 신문기자라야 할 것 같다."고 말했다. 바로 선생의 모습을 말한 것 같기도 하다.

그런 점에서 "선생은 동서고금에 통달한 지식의 소유자일 뿐 아니라 신문인이요, 대논객이요, 문필가였지만 그 이전에 타고난 학자요, 사상가요, 휴머니스트였다."고 김용구(金容九) 전 한국일보 논설위원은 높이 평가했다.

석천 선생은 생전에 여러 권의 책을 냈다. 그 중에는 1955년 6월 수필과 평론을 엮어 『원숭이와 文明』(진문사)을 간행했다. 1960년 7월에도 수필과 평론으로 『硯北漫筆』(민중서관)을 간행했다. 1977년 11월에는 유고집으로 『未醒記』(민중서관)가 간행됐다. 이밖에 석천 오종식 선생 회갑기념 문집으로 『思想과 社會』(춘추사, 1967년)가 간행되고, 그의 별세 1주기를 기념하여 『昔泉 吳宗植 先生 追慕文集』(서울신문사, 1977년)이 간행됐다. 틈틈이 그가 모아 남긴 장서 8,000여권은 후손이 인하대 중앙도서관에 기증했다. 인하대 중앙도서관은 기증된 서적을 정리하여 1982년 『석천문고목록』을 펴냈다.

석천 선생은 생전에 다른 사람들로부터 박식하다는 말을 자주 들었다. '박식의 변'이란 한 글에서 그는 다른 사람들한테 박식하다는 말을 들으면 어깨가 으쓱하기는커녕 도리어 불쾌한 생각을 갖는다고 했다. 한 가지에 깊이 파고들지 못하는 역량과 형편을 자책하고 한탄하는 터에 그런 말을 들으면 반사적으로 그 상처를 건드린 것 같다는 것이다. 그러면서 자신이 박식하다는 말을 듣게 된 이유를 진솔하게 밝힌 바 있다.

선생의 동경 유학 시절엔 국내와 일본에서 마르크스주의, 레닌주의가 크게 유행했다. 시대 유행에 뒤떨어지지 않기 위해 관련 서적을 읽으면서 경제학에 대한 상식을 얻었고, 철학이 전공이어서 고전과 근대철학은 물론 당시 서구에서 새롭게 대두된 현상학, 실존철학 등 현대철학도 접할 수 있었다.

귀국 후 교사로 근무하다가 운전사 시험 준비를 하면서 기술, 기관에 대한 감각을 갖게 됐다. 그 후 1년간 낭인생활을 하면서 선배의 권유로 한방의학을 공부했다. 서울지방법원 서기로 3년 근무하는 동안에는 법률에 대한 기본지식을 갖추게 됐다. 서기생활 이후 토건회사 지배인을 10여 년간 한 것은 회계실무에 대한 지식을 쌓는 기회였다.

이와 같이 학교에 다니고 몇몇 직업에 종사하면서 필요에 의해 쌓은 지식이 선생을 박식하게 만들었다는 것이다. 그러나 그런 경험을 통해 얻은 지식을 체계적으로 소화하여 다양한 평론과 수필로 표현할 수 있었던 것은 선생이 단편적인 지식만이 아니라 자신이 맡은 일에 대해 끊임없이 공부하고 실력을 갖췄기 때문이다.

자신의 박식을 변명하면서도 선생은 신문기자는 문제를 파악하고 진상을 구명하기 위해 "신문기자는 상식이 풍부해야 하며 박식할수록 좋다"고 설명했다.

> "이미 60을 넘은 분인데도 책방 순방을 그치지 않고 서구의 새 사조에 언제나 깊은 관심을 보이시고 가끔 쓰시는 수상문엔 실존철학이 언급되고 이름 있는 작품이 거론되는 것을 보면 한의학에다 관상, 풍수설에 조예가 깊은 분 치고는 놀라운 박학이요 다방면에 관심이 깊은 분이란 것을 알게 된다."
>
> – 송건호(宋建鎬) 전 한겨레신문 사장

■ 애주가 석천 선생의 술

석천 선생은 술을 좋아하기로 소문난 분이다. 술 마시는 법도와 분위기가 하도 훌륭해 주선(酒仙)으로 불리기도 했다. 책이 한권 될 만큼 에피소드가 많다.

아마 방랑선비의 외로움에서였을까. 애주가인 선생은 청탁(淸濁)을 가리지 않고 청담(淸談)을 즐기면서 기자들과 함께 술을 마시기를 좋아했다. 불쑥 편집국에 나타나서 "가자"고 하면 말없이 석천의 뒤를 따르기로 돼 있었다. 물론 술집으로 가자는 것이었다. 소탈한 그분의 성격대로 요정 같은 곳은 별로 좋아하지 않고 목로집으로 가게 마련이었다. 술자리에서 선생은 요설(饒舌)에 가까웠고 화제도 풍부했다.

일본에서 있은 일을 하나 옮기겠다.

석천 선생이 동경에 여행을 갔을 때 한국 특파원들이 요쓰야(四谷)에 있는 '야마토(大和)'라는 됫박술집으로 안내했다. 삼나무 됫박에 큰 삼나무 나무통에 든 청주를 따라 마시는데 삼나무 향기가 섞여 향기롭다. 단골에게는 고유 됫박에 붓으로 이름을 써놓으면 다음에 다시 올 때 그 술잔으로 술을 마실 수 있도록 되어 있다. 초행이지만 석천에게도 됫박 하나가 지정되었다.

석천 선생, 주인에게 붓과 먹물을 부탁하더니 그 하얀 됫박에 일필휘지(一筆揮之) 하는 게 아닌가. "말랐어도 다시 샘솟는 석천이런가." 옛 샘이라는 석천 아호의 일본 하이꾸(俳句)를 본뜬 풀이인 것이다. 일본어로는 참 멋이 있는 시구이다.

술집 주인 뿐 아니라 자리를 같이 했던 모든 특파원들이 자기 호를 풀이한 그 재치와 멋에 박수를 쳤다.

석천 선생의 시구가 적힌 이 됫박 술잔은 선생이 타계하자 그 아호를 물려받은 남재희(南載熙) 전 장관이 일본에 가서 찾아와 1주기 제사 때 묘소에서 헌작하는데 사용했다고 한다.

■ 신문기자가 된 동기

만년의 석천 선생은 흔히 후배들에게 소원이 학구에 있었던 자신이 신문기자가 된 동기에 대해 이렇게 말해 왔다고 한다.

"외적으로는 평소에 존경하던 의형(義兄) 김범부(金凡父)씨로부터 급박하게 정세가 위국(危局)에 처해 있는데 우선 발등의 불부터 꺼야 하지 않겠느냐는 충고를 받았으며, 내적으로는 사주·관상이 화국(火局)인데다가 상관격(傷官格)으로 교육가적 혁명가적 기질이 내 성격 안에 있다고 생각되어 평생 글을 쓰기로 했다"고.

혁명가적 그 타오르는 열정을 선생은 예리한 필봉으로 사그라트린 것 같다. 근데, 심심풀이로 사주나 관상을 보는 수는 있었겠지만 이즈음 사람치고 자기의 사주·관상에 이토록 깊은 확신을 가지고 인생의 지침으로 삼아 나가는 사람이 얼마나 될지 의심스럽다. 그러므로 이것은 경학(經學)에 정통했던 선생이 아니고는 할 수 없는 일이라고 생각되는 것이다.

41세의 이미 장년으로 해방을 맞은 선생이 곧 언론계에 투신하게 된 것은 이헌구 김광섭 안석주(安碩柱) 박종화 등 여러 문우(文友)들의 권유에 의한 것이며 특히 언론계에 첫발을 들여 놓은 민주일보 입사는 김광주(金光洲)의 권유였다.

이러한 경로를 살펴보건대 선생이 언론계에 들어오게 된 것은 선생의 성격과 취향 때문이라 할 수가 있다.

■ 과객의 풍정이 묻어나는 삽화

언론인으로서 석천 선생은 당장의 역사적 풍파에 휘말려 있으면서도 시대의 요구에 부응하여 역사를 움직이는 지성의 지평을 개척하고 확대하는데 굵직한 발자국을 남긴 우뚝한 기수였다. 해방부터 세상을 떠날 때까지 파란만장의 한 세대에 걸쳐 선생은 '사회의 일기'를 쓰는 신문을 주재하고 '역사비평'에 주력했다.

현대 한국 언론사에 빛나는 큰 별이며 대 논객 석천 선생 한 테서는 과객의 풍정이 묻어난다. 선생은 스스로 '신문기자란 과객'이라 부르고 그렇게 자처하셨다. 선생의 천직에서 뿐 아니라 인간 석천으로서도 선생은 나그네였다.

후배들과 어울리기를 좋아했던 할아버지. 선생의 말년의 모습은 어땠을까. 과객의 풍정이 묻어나는 삽화를 찾아봤다.

"선생은 스스로를 고적(孤寂)한 인간으로 규정짓고 계셨다. 언젠가, '누군가가 그러는데, 내 뒷모습이 아주 고적해 보인다는 군. 사주팔자도 별로 남의 도움을 못 받을 거라는 거야.' 하시면서 몹시 쓸쓸한 표정을 지어 보였으나 얼른 또 그 특유의 웃음을 웃어 보였을 때, 나는 선생의 또 다른 일면을 발견한 듯싶었다.

선생이 늘 사람을 그리워한 것은 어쩌면 선생이 고적(孤寂)의 선비인데 그 까닭이 있었는지도 모른다…. 멍하니 버티고

서서 선생의 뒷모습을 바라볼 수밖에 없었던 나는 그때, 분명히 그 뒷모습에 자욱하게 서린 고적의 아지랑이를 보았다."

−선우휘 '하얀 눈밭을 맨발로', 석천 오종식 선생 추모문집

　"얼마 전 북악산 동녘 기슭으로 석천 선생을 찾아뵈었을 적이다. 노경의 선생은 보시삼아 '반야심경(般若心經)'을 쓰고 계셨다며 붓을 놓고 맞아 주신다. 추사(秋史)도 말년에 그것을 썼고, 뒷사람들은 그의 필치에 이끌려 이 지혜의 말씀을 읽게 된다. 선생은 빙그레 웃으시며 하시는 말이−. '내가 군을 위해 써볼 양으로 생각해 둔 글귀가 있지. '詩思無邪야.' 이제 와서 생각하면, 선생께서는 '죽음과의 약속시간'(리프먼의 말)을 내다보시고 미리 준비라도 하신 것일까."

−김용구 '우뚝한 지성(知性)의 기수(旗手)', 석천 오종식 선생 추모문집

　한데 만년(晩年)의 이 고독은 어디서 연유된 것인가?

　끝으로 "기식(寄食)은 해도 걸식(乞食)이 아닌 것으로 상노의 눈꼴, 개 짖는 소리에서까지 주인의 대접이 어떠하리라는 것을 알아차리고 왕래거취(往來去就)에는 미련과 집착 없이 홀연히 왔는가하면, 표연히 떠나버리는 것이 과객의 본색"이라고 풀이한 글을 다시 읽어보면서 일생을 그렇게 살다가 홀연히 떠나신 '멋들어진 과객!' 석천 선생의 풍모를 다시 흠모하게 된다.

　선생은 1976년 10월, 71세로 영면했다.

님이 홀연 가시니

靑立의 언론은 빛을 잃고

삼천리강산은 적막하고나

푸른 대 같았던 님의 뜻 받들어

우리들 길이길이

이 나라 언론을 지키오리라.

석천 무덤 앞에 세워진 묘비문의 뒤 구절이다.

※ 참고 자료

석천 오종식 선생 추모문집. 1977

한국언론인물사화(8·15 후편-하). 1993

조선일보 사람들. 2004

김영희, 박영규, 『한국 현대 언론인 열전』. 2011

남재희 회고록 文酒 40년. 2002

최서영, 내가 본 현장 여울목 풍경: 한 언론인의 비망록. 2013

한운사, 한국적 최강 CEO 장기영 뛰면서 생각하라. 2006

필자 **맹태균**

前 조선일보 편집부 차장
前 경향신문 편집부장·편집위원
前 한국편집기자협회 회장
前 충북일보 편집인
前 청주대학교 겸임교수

기자양성과 언론학 연구의 선구자
우당(牛堂) 곽복산(郭福山)

1911~1970년

신문학원·신문학회 창설 이끈
언론학자이자 신문인

글 ; 정진석(한국외국어대학교 명예교수, 런던대 정경대학(LSE) 박사)

〈우당 곽복산 약력〉

전북 김제 출신

일본 와세다대학(1932년)

조지대학 신문학과 졸(1935년)

동아일보 평양지국 기자

매일신보 사회부 기자

동아일보 사회부장

조선신문학원 원장

동아일보 편집국장 겸 논설위원

중앙일보 취체역 주간

홍익대학 신문학과 주임교수

중앙대학 신문학과 주임교수

한국신문학회 초대 회장

한국일보 논설위원

한국신문연구소 이사

중앙대학 신문방송연구소 소장

─ 거인의 여정(旅程) ─

I. 신문학원 설립 이전의 곽복산

1. 언론학자, 신문인, 조선신문학원 운영

우당 곽복산(牛堂 郭福山, 1911.1.30~70.12.24) 선생은 언론학을 독립된 학문으로 정착시킨 인물이다. 언론 현업에 종사했던 언론인이면서 조선신문학원에서 기자를 양성하고 언론학을 대학의 정규과정으로 자리 잡도록 만든 개척자였다. 그는 국내 신문학 교수 제1호였고 오늘의 언론학회 창설자이자 초대 학회장이었다.

오늘날은 100여개 이상의 언론관련 학과가 국내 각 대학에 개설되어 있고, 회원이 1천명을 넘는 거대 학문집단으로 성장하였는데 현재 명칭 한국언론학회의 '씨를 뿌린' 인물이 곽복산이었다. 국내 최초로 개설된 홍익대학 신문학과에 이어 중앙대학 교수로 재직하면서 언론학의 이론정립을 선도하고 광복 직후 급작스럽게 늘어난 신문 잡지에 종사할 기자를 길러내는 사업을 병행했다.

언론인 양성 교육은 곽복산의 조선신문학원에서 본격적으로 시작되었다. 광복 직후 갑자기 많은 종류의 일간신문과 주간, 월간 등의 간행물이 쏟아져 나왔지만 신문을 제작할 수 있는 경험을 지닌 사람들은 한정되어 있었다. 그래서 늘어난 언론인 수요를 충당할 교육기관의 운영과 언론학을 학문적 수준에서 연구해야할 필요성이 제기되었다.

일제 강점기의 기자는 이론적인 뒷받침 없이 선배로부터 도제식으로 실무를 익히면서 취재와 제작 기술을 배우는 관행이었으나 조선신문학원은 광복 이후의 혼란기에 체계적인 교육을 통해 언론인을 양성하고 언론현상을 학문적인 수준에서 연구한다는 목적으로 설립되었다.

좌우익이 대립하는 가운데 사회적, 경제적으로 수용할 수 없을 정도로 많은 신문이 나타나게 되자 오히려 역기능적인 부작용도 나타나게 되었다. 사회의 혼란, 영세한 언론사의 경영 부실상태, 급조 양산된 언론인들의 미흡한 자질, 그리고 언론 자체가 지닌 부정적인 체질 등이 복합적으로 작용하여 언론발전을 저해하는 경우도 있었다. 조선신문학원은 이러한 시대적, 사회적인 배경에서 설립되었다.

조선신문학원은 수강생들을 신문과 통신사에 배치하여 실무훈련을 쌓도록 하였으며, 소정의 과정을 수료한 다음에는 대부분 기자로 채용되었다. 신문학원은 1947년에 창립되어 1961년까지 15년여 기간 동안 많은 언론인을 양성하여 현업에 배출하였을 뿐만 아니라 언론학이 4년제 대학의 정규과정으로 정착 발전하는 토대를 마련해 주었다.

2. 곽복산의 언론학 연구

곽복산은 전라북도 김제에서 태어났다. 1927년 11월 20일자 동아일보에는 곽복산이 김제(金堤)소년회 집행위원장에 선출되었다는 기사가 있고, 이듬해 4월 21일자에는 곽복산이 투고한 '피리 부

는 불구 소년'이라는 글이 '선외(選外)'로 실려 있다. 김제 소년동
맹 주최 소년축구대회 의연금 관계로 곽복산이 경찰에 소환된 일
도 있었다.(동아일보, 1928.8.8.) 또한 '김제소년동맹 일절 집회금
지'(1929.1.29)라는 기사에도 곽복산이 나온다. 그밖에도 20세 이
전 곽복산의 이름은 신문지면에서 더러 나오고 있다.('새파란 안경',
1929.3.2.)

　곽복산이 일본 유학을 떠난 시기는 1930년 무렵으로 추정된다.
와세다대학 예과를 수료한 후 1932년에는 조지대학(上智大學) 전문
부에 설립된 신문학과 제 1기생으로 입학했다. 이때부터 곽복산은
본격적으로 신문학 연구에 몰두했다. '일본 잡지계 전망'이라는 글
을 동아일보에 4회(1934.2.6.~9)에 기고했고, 이어서 '신문의 과학
적 연구에 대하야'를 3회(1934.2.9.~16)로 나누어 실었다. 이 글에
서 곽복산은 매스미디어의 사회적 영향이 막중하다는 사실을 강조
하고 있다. 필자 이름 앞에 '在 동경 곽복산'으로 명시하여 도쿄에서
보냈음을 밝힌 글의 서두는 이렇게 시작한다.

　"신문의 학적(學的) 연구는 선인들의 손으로 시작된 지 비
록 그 역사가 짧으나 세계 각국의 신문연구 현상을 본다면 실
로 놀랠만치 성행하고 잇다. 이것은 결코 우연히 생기는 현상
이라고 볼 수 없으니 신문의 사회적 위력 혹은 사회적 기능을
인식하는 현대사회의 당연한 소행이라 할 것이다. 실로 현대
사회에서 신문 없이는 문화의 완전한 진전을 바랄 수 없다. 오

늘의 정치와 경제가 그렇고 예술이며 과학, 철학은 물론이요 오락, 운동경기에 이르기까지 제(諸) 문화형태의 전면적 방향을 결정하고 또한 이에 일대 동력(動力)을 부어주는 것은 신문이라 할 것이다.”

이어서 현대사회에서 신문의 중요성과 학문적 연구의 필요성, 그리고 세계 저명 대학에는 이미 신문학과 또는 연구기관이 설립되어 있다는 사실을 강조한다.

“최근 신문의 과학적 인식의 기도와 촉진은 오로지 이에 자극을 받음에 잇다. 그리하야 신문의 과학적 연구의 수립으로 신문학이란 한 새로운 학문의 성립을 보게 되엇으니 이에 대하여서는 아즉도 학자 간에 의론이 분분하나 세계 각국에는 신문 연구기관이 모두 잇어 연구를 게을리 하지 안코 잇으며 저명한 대학에는 신문학부, 혹은 신문학과가 독립되어 잇는 현상이다.”

조지대학 전문부 신문학과 3년 과정을 마친 곽복산은 1935년에 졸업했다. 뒤를 이어 후에 언론계와 학계에서 활약하는 졸업생들이 나왔다. 한경수(韓慶洙·1939 졸업: 비판신문 사장), 이용악(李庸岳·1939: 시인, 1947년에 창간된 문화일보 편집국장, 6·25후 월북), 조원환(曺元煥·1940: 공보처 공보국장, 문교부 문화국장, 한국국정교과서 사장), 이해창(李海暢·1941: 이화여대 교수), 윤석중(尹石重·1941: 아동문학가, 방송위원회 초대 위원장), 강봉수(姜鳳秀·1942: 민간방송협회 이사), 박유봉(朴有鳳·1943: 서울대 교수), 김용민(金容民·1943: 건국대 교수)이 조지대학 졸업생들이다.[1]

조지대학 졸업을 앞둔 1935년 2월 곽복산은 도쿄에서 '어린이를 학대 말고 보호합시다'(1935.2.9.~15, 4회 연재)를 기고한 뒤, 귀국하여 4월부터 동아일보 평양지국에서 기자생활을 시작했다. 이해 11월 '평양특파원 곽복산'의 이름으로 평양의 전기 공급 문제를 파헤치는 기사를 보도했고('평양 府電문제', 1935.11.23.~27), 본사 사회부로 오기 전인 1937년 6월에도 이 문제를 기사로 다루었다.('平壤 府電문제', 1937.6.4.~8)

1938년 무렵부터 곽복산은 본사 사회부에서 근무했다. 그는 '특파원'이라는 직책을 지니고 문제 있는 지역을 찾아가는 경우가 많았다. '매연(煤煙)의 뇌옥(牢獄, 죄인을 가두는 옥)/ 봉산 마동 답사기'(1938.5.23.)는 곽복산이 동아일보 본사 '특파원' 자격으로 취재한 기사였다. 1939년 6월 30일에는 일본 나고야에 특파되어 80만 조선동포가 현해탄을 건너가서 일본의 생산력 확충에 동원되고 있는 실정을 보도했고, 1940년 7월과 8월에는 '만주 개척동포들의 생활상'을 현지답사 하여 6회에 걸쳐 심층 보도했다. 그는 언론 이론으로 무장하여 문제점을 찾아내고 이를 깊이 있게 취재하는 실력을

---

1) 『上智大學 同窓會名簿』, 1980년.

지닌 대기자였던 것이다.

1940년 8월 동아일보가 강제폐간 되자 곽복산은 매일신보로 옮겨 사회부에 근무하는 동안 중국 특파원으로 취재한 경우도 있었다.(1943월 6월) 광복 후에는 1945년 12월 동아일보 복간과 함께 재입사하여 사회부장을 맡았다가 1947년 2월에 퇴사했다. 우리나라 첫 신문기자 양성기관인 조선신문학원을 운영하기 위해서였다.

3. 신문연구소와 신문과학연구소

광복 직후 미군정 초기에는 여러 신문과 잡지사가 난립하여 1945년 말까지 전국적으로는 적어도 40종을 넘는 신문들이 새로 창간되었다.[2] 1946년 1월 서울에서 발행되는 일간지는 약 20여종이었다.[3] 같은 해 5월에는 자유신문, 서울신문, 조선일보, 동아일보, 독립신보, 대동신문, 세계일보, 조선중앙일보, 한성일보, 민주일보, 경향신문, 현대일보, 중앙신문, 서울 타임스, 유니온 데모크라트 등의 15개 일간지가 발행되고 있었다.

통신사도 여러 개가 있었지만 합동통신(미국의 AP, INS, 영국의 로이터와 특약 제휴), 고려통신(전 조선통신=미국 UP, 중국의 중앙통신사와 특약), 공립통신, 중앙통신의 4개가 대표적이었다.[4] 신문

---

2) 『조선연감』 1947년판, 조선통신사, 1946.12, p.279.
3) 1946년에 발행되고 있던 일간신문, 통신, 주간신문의 명단은 『조선연감』 1947년판, 조선통신사, pp.281~286 참조.
4) 최준, 『한국신문사』, 일조각, 1990, p.344.

이 나타나고 사라지는 상황이 계속되어 신문사 숫자가 일정하지 않은 가운데 1947년 11월에 남한에서 발행되는 일간지는 서울에서만 20개, 일간통신이 8개였다. 지방에서도 일간지 28개가 발행되고 있었다.[5] 이밖에 수많은 주간지가 있어서 조선신문기자협회와 조선신문기자회 2개 단체에 소속된 회원을 합하면 971명에 달했다.[6]

곽복산을 비롯한 11명은 1946년 1월 초순에 저널리즘 연구와 언론인 양성을 목적으로 조선신문연구소를 창립하였다. 장차 조선신문학원으로 개편되는 모체의 탄생이었다. 조선신문연구소는 『비판신문』(편집주간 韓敬昌)이라는 주간신문을 발행할 계획도 가지고 있었다.[7] 그러나 연구소는 거의 1년 동안 실질적인 활동을 벌이지 못하다가 이해 12월 25일 서울 아서원에서 창립발기회를 열고 '신문과학연구소'를 정식으로 발족하였다.

신문과학연구소는 서울 남대문로 2가 135번지 한남빌딩(당시 국립중앙도서관 옆: 현 롯데백화점 자리)에 있었고, 연희대학 안에 신문연구실을 두었는데 주요 신문·통신사의 간부를 중심으로 대학과의 연계 밑에 신문을 비롯하여 라디오, 영화, 보도부문까지 조사·연구를 병행하면서 신문기자 양성에 주력한다는 사업계획을 수립했다. 소장은 연희대학 총장 백낙준이었고, 서울대와 고려대의 총장이 참여하여 사회과학 분야에서는 가장 권위 있고, 높은 수준의 연구

---

5) 史林 편, 『신문기자 수첩』, p.13.
6) 史林, 「서울시내 신문기자」, 위의 책, p.11.
7) 조선일보, 자유신문, 1946.1.7.

소라는 형식을 갖추었다. 연구소는 이사회 아래 3개 부를 두었는데 기구와 임원진 및 사업계획도 마련했다.[8]

신문과학연구소는 발족 약 2개월 뒤인 1947년 2월 18일 군정청 학무국(學務局)으로부터 '조선신문학원'의 설립을 인가 받았다. 설립 대표자는 김연만이지만 실질적 운영은 교무주임 곽복산이 맡아 본격적인 언론학 교육 사업을 벌이기 시작했다.

II. 조선신문학원 설립과 운영

1. 전수과 6개월 과정

조선신문학원은 1947년 3월에 처음으로 6개월 과정의 '전수과' 학생을 모집하였다.[9] 입학자격은 대학 졸업자 또는 졸업 예정자로 정원은 50명이었다. 입학 자격이 졸업자였으므로 신문학원을 '신문대학원'으로 부르기도 했다. 3월 12일까지 마감한 지원자 306명 가운데는 일류대학 재학자 또는 출신자들이 대부분이었다. 서울대학교에서 문리대 22, 법대 25, 상대 14, 사범과 13 명이 응시했고, 연희대 28, 고려대 13, 동국대 17, 국학대 12, 성균관대 5, 기타 학교

---

8) 동아일보, 1946.12.23; 한성일보, 조선일보, 서울신문, 경향신문, 12.26; 史林, 위의 책.
9) 동아일보, 1947.2.28, 「건실한 쩌-내리스트 양성, 조선신문학원 발족, 4월 1일 개원」

32, 일본의 대학 56, 중국의 대학 출신 9명이었다. 그밖에도 신문통신사에 재직 중인 사람 18, 여자 4, 일반인 38명이 응시하였다.[10]

당시는 정규대학의 입시도 오늘날처럼 경쟁률이 치열하지 않았던 시기였기에 신문학원 입시는 대단한 호응이었다. 당초 모집광고에는 50명이 정원이었으나 인원을 늘려 제 1기생 60여명을 선발하였다.

이리하여 4월 5일 YMCA에서 열린 개원식에는 미 군정장관 러치를 대리하여 브라운 소장의 축사가 있었고, 공보부장 이철원을 비롯하여 신문통신사의 내빈이 다수 참석하여 학원의 출발을 축하했다. 백낙준은 새로운 학문으로서의 신문학의 중요성을 강조하면서 "이 조그마한 학원은 지금 황야에 씨앗을 뿌리기 시작하였다. 이 훗날에 커다란 수확을 거두게 될 것이다"라는 격려사를 하였다.[11] 오후에는 김동성(합동통신 사장)과 신남철(사범대학 교수)의 특별강연이 있었다.[12]

4월 5일의 개원식에 이어 7일부터 서울 견지동의 중앙여자중학교 임시교실에서 우리나라 최초의 체계적인 신문학 교육이 시작되었다.[13] 중앙여중 교장 황신덕(黃信德)은 1926년 시대일보 기자로 출발하여 중외일보에 근무하다가 동아일보에서 『신동아』와 『신가정』 기자로 활약했던 여기자 출신이다. 개강일은 독립신문이 창간된 날이었고 10년 후부터 '신문의 날'로 정하게 되는 바로 그 날이었다.

---

10) 자유신문, 1947.3.13.
11) 곽복산 편, 『언론학 개론』, 일조각, 1971, p.40.
12) 동아일보, 1947.4.6, 「신문학원 개원식 성황」
13) 곽복산, 앞의 책, p.38 이하.

강의는 오후 5시 30분부터 9시 30분까지 매일 4시간씩 4개월 간 진행되었다. 내용은 신문학 관계가 50%이고 나머지는 시사영어, 보도 및 논평의 소재를 이해하고 판단할 수 있는 인문과학 및 사회과학 등의 폭 넓은 특별강의로 짜였다. 곽복산은 조선신문학원 창설 당시의 사정을 이렇게 말한다.[14)]

어린 여학생들의 조그마한 의자만이 있는 이 교실이야말로 우리나라 신문학의 산실이요 병아리기자의 요람이었다(이 사업을 깊이 이해하고 교실사용을 쾌히 응락해 준 황신덕 여사에게 초기의 신문학도들은 영구히 감사할 것으로 믿는다).

2. 교과목과 강사진

신문학원은 제2기생부터는 사무국을 지금의 프레스센터 자리에 있던 서울공인사(일제시대의 경성일보사로 후에 코리아 헤럴드 건물) 빌딩으로 옮기고 이해 10월에는 제2기생으로 1년 교육과정의 본과생을 모집하였다.

신문광고는 "신문기자·정치가, 외교사절을 희망하는 청년학도를 위한 시설"이라고 선전하고 "새 조선의 최고학부"임을 내세웠다. 교수과목은 다음과 같이 다양했다.

---

14) 「신문교육」, 『한국신문연감 1968』, 한국신문협회, 1968, p.139.

조선신문학원에서 발행한 주간신문 만세보 창간호. 편집 겸 발행인은 곽복산이었다.
1947년 4월 20일.

△신문학이론 △신문사(조선신문사·구미신문사) △비교신문학 △외국신문개설(미·소·불·독·일) △편집총론 △신문경영론 △신문학연습(취재법, 기사작법, 논설작법, 편집정리법, 신문비교연구) △보도유형연구(라디오·영화·잡지 등) △신문문장론 △국어국문학 △근세조선사회경제사 △근세조선정치외교사 △근세구미외교사 △극동외교사 △근대철학사 △민주주의론특별강좌 △비교헌법 △정당론 △노동조합론 △여성문제 △미소정치 △경제조직 △영어 △소련어 △중국어.

커리큘럼은 곽복산이 공부한 조지대학의 영향을 받은 것이다. 조선신문학원의 '본과생', '별과생', '청강생' 제도도 조지대학과 같았으며 강의과목도 비슷한 것이 많았다.[15] 조지대학의 초기 커리큘럼은 기자양성을 제1의 목적으로 삼았으므로 정치학, 경제학, 사회학, 문학, 역사와 같은 신문기자에게 필요한 전문지식을 함양하도록 교과목이 짜여 있었다.[16] 강사진은 아래와 같이 언론사 편집국장 또는 주필급과 대학교수들로서 우리나라 최초의 언론학 교수들이었다.[17]

김동성(합동통신 사장)	설의식(새한민보 사장)
백남진(합동통신 외신국장)	양재하(한성일보 편집국장)
이갑섭(전 조선일보 주필)	서영해(파리통신 사장)
고재욱(동아일보 주필)	홍종인(전 조선일보 편집국장)
홍기문(서울신문 총무국장)	이정순(자유신문 편집국장)
전홍진(합동통신 편집국장)	장현칠(조선통신 편집국장)
김기림(공립통신 편집국장)	곽복산(신문과학연구소 이사)
최원열(조선통신 외신국장)	배성룡(세계일보 주필)
고경흠(독립신보 주필)	이병기(서울대 교수)
양주동(동국대 교수)	백낙준(연희대 총장)
이순탁(연희대 교수)	신남철(사범대 교수)
김상기(서울대 교수)	정석해(연희대 교수)

---

15) 『上智大學五十年の記錄』, 東京: 上智大學 文學部 新聞學科, 1981, pp.68~69.
16) 川中康弘, 「四十年のあゆみ」, 『上智大學五十年の記錄』, p.9.
17) 경향신문, 1947.10.2; 자유신문, 10.6;한성일보, 10.8. 광고.

정진석(연희대 강사)   정래동(서울대 강사)

오기영   함대훈(미 군정청 공보국장)

설정식   김양천

송석하(민족박물관장)   강한인

명단에서 보듯이 강사진은 일류 중진급 언론인과 대학에 재직 중인 각 분야의 전문 교수들이었다. 이순탁, 홍기문, 김기림, 오기영, 설정식은 후에 월북하는 사람들이었으나 신문학원은 이데올로기에 의한 좌우익의 구분 없이 강사진을 편성했던 것이다. 강사들은 보수를 염두에 두지 않고 자진해서 맡아주었다.[18]

3. 본과 1년 과정, 보도사진과

1년 과정 본과생 입학시험은 1947년 10월 12일에 실시되었는데 60명 모집에 응시자는 260여명으로 5대 1의 경쟁률이었다.[19] 입학 자격은 전수과와 마찬가지로 대학 또는 전문학교 졸업자였고 정원은 60명이었다. 시험과목은 논문, 외국어, 구두시문이었는데 35명(여자 7명)이 합격했다.[20]

---

18) 곽복산, 앞의 책.
19) 동아일보, 1947.10.15, 「5대 1의 좁은 문, 신문학원 시험」
20) 史林 편, 「신문과학의 전당 조선신문학원의 전모」, 『신문기자 수첩』, pp.17~19.

신문학원 10주년 기념. 중앙에 백낙준, 오른쪽 끝 곽복산, 왼쪽 끝은 최준

1948년 7월 신문학원은 장차 정규 대학으로 발전할 목표로 원래 1년제였던 본과를 2년제로 확대하고 대학 2년 수료정도의 학력을 가진 자를 입학시켜 우수한 신문기자를 양성한다는 계획을 세웠다. 이와 함께 단기 1년의 전수과(專修科)를 두기로 하였다.[21] 이때의 교사는 을지로 2가에 있던 수산경제신문사(1946.6.10., 유용대가 창간한 신문)였다.

지원 자격은 ① 본과 제 1학년은 대학 2년 수료자, 또는 이와 동등한 자격자. ② 본과 제 2학년은 대학 3년 수료자(대학 2년 수료자는 본과 1학년에 입학하고 대학 3년을 수료한 사람은 2학년에 입

---

21) 동아일보, 1948.7.3, 「조선신문학원 확충」

곽복산 저 '신문학개론', 1955년 서울신문학원 출판부 발행.

곽복산의 친필. 저서 '신문학개론'을 최준 교수에게 기증했다. 왼쪽 페이지 중앙에는 신문학원 마크가 들어 있다.

학). ③ 전수과는 대학졸업자 또는 다음해 졸업예정자. 요약하면 대학 2년 수료자는 본과 1학년, 3년 수료자는 본과 2년, 대학 졸업자 또는 졸업 예정자는 전수과에 입학할 수 있도록 하여 1년 내지 2년에 걸친 본과와 전수과의 교육과정을 수료한 자는 자연히 일반대학 4학년 수료와 동등한 학력이 되도록 하였다. 단기 2개월 과정은 현업에서 일하고 있는 지방기자와 잡지, 방송기자 등을 위한 일종의 재교육 과정이었다. 그러나 2년제 본과 과정은 실현되지 않았고 1년 과정으로 모집한 전수과를 본과로 불렀다.

1947년 4월부터 수업을 받은 제1기생은 1일 3시간 수업으로 6개월 과정의 전수과였으나 제2기생부터는 1년 과정의 본과생을 모집하였는데, 1948년 9월초에 학제를 개혁하여 '본과' 2년 과정, '전수

조선신문학원 졸업증서. 1949년 9월 10일

과' 1년 과정으로 수업기간을 연장하고 수업시간도 하루 5시간으로 본격적인 신문학 교육을 실시하였다.

1948년 4월 5일에 열린 개원 1주년 기념식에는 미군정청 고문관으로 한국에 와 있던 서재필도 참석했다. 6·25전쟁 발발 직전인 1950년 4월에 모집한 제5기부터는 주간 1년 과정의 '신문전수과'와 '보도사진과'를 신설하였다. 학생모집 광고에는 이 학원이 "새 시대의 신문기자 보도 사진반을 뜻하는 청년 학도를 위한 최고학부"라고 말하고 "정치 외교 경제 문예평론가와 문화 선전방면에 또는 방송 잡지 출판 사업 등에 뜻하는 청년학도를 위한 유일한 시설"임을 선전하고 있다. 신설된 보도사진과는 지금의 고등학교에 해당하는 중학교(6년제) 졸업 또는 졸업 예정자로 하였다.

Ⅲ. 6·25전쟁 후의 서울신문학원

1. 부산서 개원 서울 환도

6·25전쟁이 터진 후 신문학원은 수업을 계속할 수 없었지만 1952년 4월 피난수도 부산시 남항동(南港洞) 2가 1279번지 영도 종점에 있는 부산무선기술학교 교사를 빌려 명칭을 서울신문학원으로 바꾸고 다시 문을 열었다. 전시였으므로 수업기간은 야간 6개월로 축소하고 정원은 50명이었다.

곽복산은 전쟁 후 제주신문의 주필로 부임하였으나 군납 부조리를 폭로한 이른바 '국민방위군 사건'으로 한 달 동안의 옥고를 치른 후 1952년 3월에는 동아일보로 돌아가 이듬해 4월까지 편집국장 겸 논설위원을 맡았다. 그는 동아일보로 복귀한 직후에 학원의 문을 연 것이다. 곽복산은 이때부터 신문학원을 사단법인체로 만들 것을 추진하였다.

1952년 11월 8일에는 제5기 전수과 졸업식을 가졌다. 부산에서 졸업생을 처음으로 배출한 날인데 서울에서 수업을 받다가 6·25전쟁으로 중단되었던 제4기 본과생의 졸업식도 겸하기로 하고 졸업 해당자는 학원에 재등록하도록 하였다.[22] 이듬해인 1953년 4월 5일에는 임시교사인 영도 무선학교에서 제6기 졸업식과 함께 창립 6주

---

22) 동아일보, 1952.11.1, 「신문학원 제 5기생 來 8일에 졸업식」; 11.11, 「신문학원 졸업식」

년 기념식을 가졌다.[23) 졸업식에는 국회의장 신익희(申翼熙), 동아일보 사장 최두선, 신문학원 창립 때부터 참여했던 설의식 등이 참석하였다.[24)

신문학원은 휴전 직후인 1953년 8월 초순 피난생활을 청산하고 서울로 올라왔다. 피난수도 부산에서 발행되던 신문과 통신사들도 서울로 돌아오던 무렵이었다. 신문학원이 서울로 환도하기 전까지 배출한 졸업생은 제7기였는데 개원 이후 그때까지 전체 졸업생은 190여명으로 신문 통신사의 부장급을 비롯하여 잡지사와 정훈기관에서 활동하고 있었다.[25)

환도 후에는 태양신문 사장 노태준(盧泰俊)의 협조로[26) 을지로 5가 77번지 당시 서울사범대학 정문 앞에 있는 2층짜리 적산 건물(경기화물주식회사)을 교사로 빌렸으나 의자와 책상을 구하지 못해서 애로를 겪다가, 이듬해 3월에 유지들의 원조로 개강하였다.[27)

서울에서 입학한 제8기생은 신문전수과 22명, 신문영어과 33명으로 모두 55명이었다. 학생 가운데는 현역군인도 있었고 전공이 전혀 다른 의과계 학생과 기자를 지망하는 여학교 선생 등으로 다양했다. 교과목은 20여 개였고 수업은 오후 3시 40분에 시작하여 저

23) 동아일보, 1953.4.3, 「신문학원 6기생 내 6일 졸업식」
24) S기자, 「특수학원 탐방기, 서울신문학원 편」, 월간 『희망』, 1954.7, pp.116~117.
25) S기자, 「특수학원 탐방기, 서울신문학원 편」
26) 동아일보, 1954.2.30, 「책상이 없어 개교를 못해, 신문학원 위기에」
27) 동아일보, 1954.2.26, 「신문학원 개강」 : 곽복산, 앞의 책, p.41.

녁 8시 반까지 강사 15명이 강의를 맡았다.[28]

신문학원 개강과 함께 1954년 3월에는 공보처의 후원으로 신문학원과 대한신문기자협회가 공동으로 1개월 과정의 '신문기자 아카데미/ 제1회 연구강좌'를 실시하였다. 이 제1회 신문기자 아카데미 강좌에는 일간신문 17개사와 통신사 7개사에서 현역기자 65명이 참석하였고 정훈 공보관계 종사자를 합쳐 80여명이 수강하였다.[29] 신문기자 아카데미는 이해 10월 1일부터 1개월 간 제2회 연구강좌를 개최하였다.

신문학원은 이 강좌를 연수한 지방 수강자 가운데 성적 우수자는 서울시내 주요 신문 통신사에서 약 1주일간 실무를 연수케 하였으며, 지방 수강생을 위한 실비합숙 설비도 마련했다. 1개월 과정을 마친 10월 30일에는 제 2회 수료식이 있었는데 서울시내 일간신문 17사에서 31명, 지방 일간신문 5사에서 5명, 주간 신문 9사에서 13명, 기타 잡지사에서 14명을 합쳐서 63명이었다.

2. 신문대학 설립 추진

1956년 3월에는 신문학원의 일대 확충계획을 세우면서 1년제의 신문보도과(35명), 영어신문과(25명), 보도사진과(20명)를 두고 이 과정보다 한 급 높은 연구과(1년 과정)를 새로 설치하였다. 연구과

---

28) S기자, 「특수학원 탐방기, 서울신문학원 편」
29) S기자, 「특수학원 탐방기, 서울신문학원 편」

는 신문학원 졸업자나 또는 신문 통신사에 재직하는 현역 기자가 대상이었다. 또한 설립 이래 10년 야간 수업만 해왔으나 신학기부터는 실습을 위주로 하면서 주간과 야간수업으로 전환하기로 하였지만[30] 주간수업은 실시되지 않은 것 같다. 현직 언론인을 위한 1개월 과정의 '신문기자 아카데미'도 4월 11일에 시작하는 제3회 연구강좌부터는 6개월 과정으로 확대하였다.[31]

이와 함께 1956년 4월에는 신문대학을 목표로 곽복산이 문교부로부터 사단법인체의 허가를 얻고[32] 하왕십리동 무학여고 위에 있는 안정사 앞에 7천여 평의 학교 부지까지 물색해 두었다. 학교부지는 서울시장 김태선의 주선으로 시유지 땅을 불하받아 학교 건물을 지을 계획으로 4월 21일 오후 3시 반에 사단법인 설립총회까지 열었지만 실현되지 않았다.

신문학원은 사단법인 허가는 받았으나 대학으로 발전하지는 못한 채 1957년 3월에도 1년 과정의 신문보도과(35명), 신문영어과(25명), 보도사진과(20명)의 학생을 모집했다.[33] 1958년에는 신문영어과는 폐지하고 신문보도과와 보도사진과만 모집하였는데 신문보도과는 정규생(대학졸업자 또는 대학 4년 재학자)과 별규생(대학 2년

---

30) 동아일보, 1956.3.2, 「신문학원을 확충, 제 10기생 수용계획」
31) 동아일보, 1956.3.2, 「6개월 연구제, 신문기자 아카데미」: 동아일보, 3.12, 광고 참조.
32) 조선일보, 1956.4.16, 「신문대학을 목표, 서울신문학원 사단법인체로」: 동아일보, 1956.7.22, 「사단법인으로 발족, 신문학원 대학을 期成」
33) 동아일보, 1957.3.13, 광고.

수료자)으로 구분하였다.

1959년부터는 대학 재학생을 위한 청강생 제도를 신설하였다.[34] 이때는 홍익대학과 중앙대학에 정규 신문학과가 설치되어 있었으며 각 신문사의 견습기자제도가 정착되기 시작하였으므로 신문학원은 이전에 비해 인기가 떨어지게 되었다. 초창기에는 신문학원 출신의 언론계 진출이 용이하였으나 이제는 각 신문사의 치열한 경쟁률을 뚫고 견습기자 시험에 합격해야 할 형편이었고 신문학원 출신에게 특혜는 없었다. 대학교육이 정상화되면서 정규 학위과정이 아닌 신문학원의 위상도 하락했기 때문에 '별규생' 또는 '청강생' 제도가 도입된 것이다.

3. 신문학회 창설과 초대 회장

6·25전쟁 후 매스커뮤니케이션의 영향에 관한 관심은 더욱 높아졌다. 전쟁을 전후해서 몇 개 대학에 신문학 강좌도 개설되기 시작했다. 서울대학교 문리과대학은 1949년 4월 처음으로 신문학 강좌를 개설하여 곽복산이 담당하였는데 6·25전쟁으로 강좌기 중단되었으나 서울이 수복되면서 다시 계속되어 곽복산, 이해창, 천관우, 박권상, 김규환, 이상희 등이 이를 맡았다.

서울대학교의 뒤를 이어 연희대학교 문과대학에서도 부산 피난

---

34) 동아일보, 1958.3.10: 1959.3.13, 광고.

시절 1953년 4월부터 신문학강좌를 개설하여 역시 곽복산이 담당하였다. 이 대학에서도 그 뒤 잠시 중단되었다가 곧 계속되면서부터 고제경(전 동화통신 부사장)이 맡았다. 서울 수복 이후로는 고려대학교 정경대학(오주환), 이화여대 문리대(최완복), 중앙대학교 법정대학(곽복산) 등 여러 대학에서 신문학강좌를 개설하기에 이르렀다.

마침내 1954년 3월 9일에 한국 최초로 홍익대학에 정규 신문학과가 설립되었다. 곽복산이 초대 주임교수로 취임하였고 교수진으로는 최준, 임근수, 김광섭이 전임이었다. 1957년에는 박동운도 전임이 되었다. 이들은 우리나라 최초의 신문학 교수들이었다. 김광섭과 박동운은 언론 현업에 종사하면서 교수직을 겸하고 있었다.[35] 언제부터인지 백대진도 홍익대 신문학과의 전임이 되었다.[36]

1958년에는 홍익대학 신문학과 제1회(전체 홍익대 제8회) 졸업생 20명이 배출되었고, 이듬해에는 제2회(홍익대 9회) 졸업생 4명, 1960년 제3회(홍익대 10회) 10명, 1961년(11회)에 10명, 1962년(12회)에 7명이 졸업했다. 그러나 이 최초의 신문학과는 5·16 후 문교부의 대학설치기준령 미달로 학과가 폐지되어 중앙대학교 신문학과에 통합되었다.

곽복산은 한국신문학회 창립을 주도하고 초대 회장에 선출되었다. 1959년 6월 30일 오후 3시에 서울 소공동 중앙공보관에서 창립총회를 갖고 회장에 곽복산을 선출하였다. 창립 당시의 신문학회

---

35) 김광섭,『고백과 증언』, 정우사, 1988, p.311 이하.
36) 『현대신문전서』, 학원사, 1959, p.58.

는 학계와 언론계가 함께 협의 노력하여 만든 산학협동의 장이었다. 학계의 인적자원이 워낙 빈약했기 때문에 언론계와 협동하지 않을 수 없었던 불가피한 측면도 있었다. 신문사에 근무 중인 현업 출신 연구자들도 많이 입회하였으나 점차 학계 중심으로 개편되면서 현직 언론인들의 비중은 줄었다.[37]

1970년대부터 한국신문학회는 매스 미디어만이 아니라 대인커뮤니케이션을 포함하여 신문, 방송, 출판, 광고, 언론학 이론 등의 다양한 연구 분야를 포괄하게 되면서 이를 포괄하는 학회의 명칭을 모색하다가 결국 1985년 4월 27일 '한국언론학회'로 명칭을 개정했는데 곽복산은 앞서 1971년에 그의 저서 『언론학 개론』에서 '언론학'이라는 용어를 사용하였다. 신문학회는 창립총회를 가진 후 별다른 활동이 없었지만 회장 곽복산은 창립 이후 1969년 5월까지 10년간 재임했다.

한편 활동이 위축되고 있던 신문학원은 1962년 여름 건물주가 일방적으로 교단, 의자, 흑판, 사무실의 비품 모두를 광장에 방치하고, 학원 간판도 떼어냈다. 이래서 15년에 걸친 신문학원의 교육사업은 중단되고 말았다. 그러나 곽복산은 청량리 홍릉에 있는 자택에 '사단법인 서울신문학원 사무국'이라는 조그마한 간판을 걸고 학원의 재건을 꿈꾸면서 신문주간에는 학원 명의의 행사를 가졌다.

단기의 신문학 강좌, 신문사나 방송국 등의 요청에 의한 출장강

---

37) 임근수, 「한국신문학사 서설」, 『신문학보』, 제6호, 1973. 이 글은 『언론과 역사』(정음사, 1984)에 다시 수록되었다.

의, 그리고 몇몇의 연구생을 지도하면서 창립 20주년까지 혼자 버티었다. 1967년 4월 3일에는 서울신문학원 20주년 기념식과 「우리나라 언론선구자 추모강연회」를 신문회관에서 개최하였다. 기념식에는 공보부장관 홍종철을 비롯하여 언론계 인사 여러 명이 참석했는데 대한교육연합회 회장 임영신(중앙대 총장)이 곽복산에게 공로표창장을 수여했다.[38] 신문학원은 이 행사를 마지막으로 활동이 중단되었다.

Ⅳ. 중앙대학교 신문학과에 흡수

1969년 11월 중앙대학교에 신문방송연구소가 설립되면서 신문학원은 이 연구소에 정식으로 흡수되었고, 신문학원 출신은 중앙대학교 신문방송연구소가 발급하는 졸업증명서를 받을 수 있도록 되었다. 곽복산은 이 때 중앙대학교 신문방송학과 교수로 재직 중이었고 새로 설립된 신문방송연구소의 소장이었으므로 총장 임영신의 승낙을 받아 신문학원 졸업생은 중앙대학교 신문방송연구소에서 졸업증명서를 발급할 수 있도록 신문연구소의 규정에 명시한 것이다.

---

38) 동아일보, 1967.4.4, 「신문학원 창립 20년, 곽복산씨에 표창장」

신문학원을 흡수하여 발족한 신문방송연구소의 발족기념과 중대신문 500호 기념 자축파티는 1969년 12월 5일 오후 6시 신문회관 3층 강당에서 개최되었다. 그러나 곽복산은 1년 후에 세상을 떠나고 말았다.

광복 후 어려운 여건에서 시작된 언론학 연구와 교육의 터전을 마련한 조선신문학원은 1947년에 설립되어 1962년까지 15년여년 동안에 언론인 양성과 언론학 연구의 기틀을 잡았고, 4년제 대학의 정규과정으로 언론학이 정착 발전하도록 하였다. 그 주인공이 곽복산이었다. 신문학원 강사진은 언론학 교육의 씨앗을 뿌린 사람들이었다. 신문윤리, 신문의 명예훼손, 편집권 문제와 같은 제작 실무에 관련된 과목과 함께 정치, 경제, 법률, 역사, 철학, 노동문제 등에 이르기까지 광범한 인문·사회과학 분야를 포괄한 내용의 강의를 진행하여 언론의 질적 수준을 높이는 역할을 수행했다.

언론인 양성을 위한 정규 프로그램 외에도 현역 언론인의 재교육 프로그램인 신문기자 아카데미 강좌, 전국 지방기자 강좌, 학교신문 편집강좌, 방송연구강좌, 시민을 위한 신문학술 강연, 언론관계 세미나 등도 개최하여[39] 언론에 대한 일반인들의 이해를 돕는 동시에 언론인들의 자질향상에 이바지했다. 곽복산은 말한다.[40]

---

39) 곽복산, 『언론학개론』, p.41.
40) 곽복산, 위의 책, pp.41~42.

그러나 이 땅에 뿌려진 신문학의 씨앗은 결코 헛되지 않았다. 15회에 걸쳐 배출된 그 수많은 신문연구의 젊은 동지들은 각 방면에서 활약하고 있다. 특히 초기의 졸업생들 대부분은 지금 어느 신문, 통신, 방송국의 국장, 논설위원, 그리고 대학의 신문학 교수 혹은 강사의 자리에서 성실하게 자기의 소임을 다하고 있는 것이 엄연한 사실이다.

신문학원이 50년대 후반부터 점차 쇠퇴하게 된 것은 대학에 정규 신문학과가 설치되면서 학위가 주어지지 않는 학원은 설자리가 없어진 것이 중요한 원인이었다. 광복 직후와 전쟁 중에는 정규대학을 크게 중요시하지 않았으나 사회가 안정되고 대학교육이 궤도에 올라서면서 학원은 인기가 떨어진 것이다.

두 번째로는 신문사의 기자 채용제도와 수습제도가 정착된 것도 중요한 원인이었다. 1950년대 이전까지는 신문학원 출신들에게 기자채용의 기회가 많이 주어졌지만 기자의 공채제도가 확립되면서부터는 신문학원 출신이라는 혜택이 없어졌다. 입사시험에 좋은 성적을 올리는 것은 반드시 신문학원 출신이 아니라도 일류대학에서 정규교육을 받은 사람이 더 유리할 수도 있기 때문이었다. 초창기 신문학원에는 일류대학에 재학 중인 학생들이 많이 다녔지만 이제는 학원보다는 정규 대학의 공부에 더 비중이 주어졌던 것이다.

곽복산은 "신문인 양성에 끼친 현저한 공로"를 인정받아 1962년 12월 제11회 서울시 문화상 언론부문상을 수상하였다. 저서 『신문학 개론』(서울신문학원 출판부, 1955)와 편저 『언론학 개론, 매스미디어의 종합연구』(일조각, 1971)가 있다.

필자 **정진석**

前 한국기자협회 편집실장
前 관훈클럽 초대 사무국장
前 한국외대 사회과학대학장
한국외대 명예교수
런던대학 정경대학(LSE) 박사

〈우인 송지영 약력〉

평북 박천 동남면 출신

중국 남경중앙대학 수학
조선일보 논설위원
한국번역가협회 회장
국제펜클럽 한국본부 고문
한국문화예술진흥원 원장
국토통일원 고문
숙명학원 이사
민족문화추진위원회 이사

국가보위입법회의 입법의원
제11대 국회의원 (민주정의당)
한국방송공사 이사장

〈상훈〉

대한민국 건국공로 포장
대한민국 은관문화 훈장
프랑스 정부 문화기사 훈장
중화민국 정부 경성대수 훈장

― 거인의 여정(旅程) ―

1. 雨人 송지영(宋志泳) 씨 이야기

■ 5·16 사형수에서 11대 국회의원으로

송지영은 중국서 독립운동가로 활동하였다. 일본 나가사키 형무소에 수감 중 원폭에 살아남았다.

대학 졸업을 앞두고 진로를 고민하다가 신문기자가 되기로 마음먹고 청주중학의 9년 선배인 천관우 조선일보 논설위원을 찾아갔다. 태평로에 있는 현재의 코리아나호텔 자리에 있던 조선일보 사옥 2층에 있는 논설위원실은 좁은 편이었다. 내가 들어가니 천 선배와 또 한 사람의 체구가 작은 논설위원, 두 사람이 있었다. 나는 이기붕 국회의장의 아들이며 이승만 대통령의 양자인 이강석 군이 육군사관학교를 다니다가 서울대 법대로 부정 편입학을 하였을 때 학생총회 의장으로 동맹휴학을 주도하였기에 졸업 후 신문사 말고는 다른 직업을 선택할 처지가 못 되었다. 천 선배는 별다른 조언을 해주지 않은 것으로 기억한다. 그런데 함께 있던 작은 체구의 논설위원이 방안을 왔다갔다 하며 내가 들으라고 독백처럼 다음과 같은 말을 한 것으로 기억한다.

"요즈음 학교에서 프랑스 대혁명을 두서너 시간에 가르쳐
주고 마는데 그것이 문제야. 프랑스 대혁명은 몇 십 년을 두고
태동하고 일어난 역사적 대사건인데 그것을 두서너 시간에

가르치고 마니 학생들은 세상일이 그렇게 간단하게 되는 것
으로 생각하게 된단 말이야."

나중에 안 일이지만 그 작은 체구의 논설위원이 송지영 선생이었
다. 송지영 씨는 대학 졸업반인 나에게 아주 귀중한 교훈을 말하여
준 것으로 생각한다. 이 프랑스 대혁명에 관한 이야기가 깊은 뜻이
있는 것 같아 나는 오랜 세월이 지난 지금까지도 그의 말을 뚜렷이
기억하고 있는 것이다.

천관우 씨와 송지영 씨는 연달아 조선일보 편집국장을 맡게 된
다. 4·19학생혁명 때 편집국장을 맡은 송지영 씨는 일면 톱 제목으
로 "학해(學海)에 해일(海溢)"이라는 제목을 뽑은 것으로 알려졌다.
그의 한문 실력을 발휘한 것으로 그럴 듯하다. 4·19학생혁명을 학원
가의 바다에 마치 쓰나미처럼 해일이 일어난 것으로 묘사한 것이다.
그때 내가 다니던 한국일보의 편집국장은 홍승면 씨였다. 그는 4·19
학생데모 광경을 지켜보고 "아! 슬프다. 4월 19일"이란 시를 쓰고 그
시를 사회면에 게재하는 동시에 사회면의 헤드라인을 "아! 슬프다.
4월 19일"이라고 뽑았다. 그러나 계엄당국에 의해 그 시는 삭제되고
말았다.

2. 송지영의 '宋志英'은 본래 '宋志泳'

송지영의 한자 표기 '宋志英'은 본래 '宋志泳'이다. 1916년 12월 13일 평북 박천에서 출생, 경북 영주 풍기에서 자랐고, 서울에서 언론인으로 활동하다가 1989년 4월 24일 생을 마쳤다. 일제 말기인 1937년 동아일보에 입사하여 근무하다가 1940년 중국 상해로 건너가 상해시보(上海時報) 기자로 활동하였다. 1940년에 남경에 있는 중앙대학에서 중국문학을 전공, 작가 문인으로도 필명을 떨쳤다.

송지영 씨 집안은 평안도 사람인 것으로 알려졌다. 평안도의 부유한 정감록파들이 난세의 피난처를 논의한 끝에 경상북도 풍기가 제일 안전한 곳으로 합의한 모양이다. 그래서 그 부자들이 풍기로 집단 이주를 하였다. 그 가운데는 송지영 씨 집안 말고도 유명한 음악 평론가로 5·16 후 김종필 씨가 예그린 악단을 만들었을 때 그 단장을 맡은 박용구 씨와 그의 동생 국회의원 박용만 씨의 집안도 포함되었으며, 육군대장으로 예편하여 청와대 비서실장이 되어 박정희 대통령이 김재규 중앙정보부장의 총에 맞아 시해되는 만찬 자리에 동석했던 김계원 씨 집안도 포함되어 있었다 한다.

풍기는 인삼 재배와 견직물 직조로 알려진 고을이다. 그것은 그 지역이 비교적 풍요로웠던 것을 말해준다. 송 씨의 부친은 한약방을 경영한 것으로 알려져 있다. 그러니 대개의 한약방 집안사람들처럼 그도 한학과 붓글씨에 능했었다. 그리고 송지영 씨는 그 고장에서 신동 소리를 들었단다. 신동 소리를 들었다는 것이 그리 대단한 일이

아니다. 충북 제천군 청풍면에서 자란 천관우 씨도 한학의 신동 소리를 들었다는 이야기인데, 그 당시 한학은 주로 서당에서 공부하는 것이었기에 그런 소문이 퍼질 만했다. 신식 학문을 가르치는 학교 교육에서는 신동 운운의 말이 사라지고 만 것이다.

서울에 올라온 송 씨는 동아일보사에 얼마 동안 근무한 것으로 알려졌다. 그리고 중국의 남경으로 가서 거기서 대학공부를 했다는 것이다. 그는 중국 체류기간에 우리의 독립운동가들의 연락을 담당하였다 하여 일본 관헌에 체포되어 나가사키 형무소에 수용되었었다. 중국에서 일어난 일본인의 범죄에 관한 재판관할권은 그들이 치외법권을 가졌기에 나가사키 재판소에 있었다 한다. 일제 치하 조선인도 일본인으로 간주되었기에 그는 나가사키 재판소에서 재판을 받은 것이다. 2차대전 때 히로시마에 이어 나가사키에도 원자폭탄이 투하되었으나 형무소는 나가사키 시에서 20km쯤 떨어져 있어 무사했다는 것이다.

항일독립군으로 팔로군과 협력하여 태항산에서 일본군과 싸우다가 부상을 입고 잡힌 김학철 소설가도 그와 함께 형무소에서 석방되어 같이 귀국하였다. 김학철 소설가의 자서전 〈마지막 분대장〉은 중국에서의 독립투쟁에 관한 중요한 자료다. 김학철 씨는 귀국 후 남한에서 얼마간 머물렀는데 마음에 안 들어 북한으로 넘어갔다. 북한에서도 독립운동의 동지들을 만나 얼마간 지냈으나 그곳도 마음에 들지 않아 다시 중국의 간도로 갔었다. 그러나 모택동 치하 간도에서의 생활에서도 역시 환멸을 느꼈다는 이야기다.

일본에서 귀국한 송지영 씨는 여러 신문에서 간부로 일했으며 당시는 독립운동 세력들이 정치의 무대에서 중요한 역할을 할 때라 그도 그 연관해서 활발한 사회활동을 하였다 한다. 그러다가 이영근(李榮根) 씨와 만나 '태양신문'이라는 작은 신문을 이 씨는 업무를, 송 씨는 편집을 분담하여 발행하게 된다. 그 태양신문을 장기영 씨가 판권을 인수하여 한국일보로 새롭게 창간하여 발족시킨 것이다.

참고로 "송지영(宋志泳, 志英)은 19세 때인 1935년 동아일보 창간 15주년 기념 생활수기 공모에 당선됐다. 이후에도 종종 동아일보 독자란에 투고했는데 이를 눈여겨 보던 설의식 편집국장이 견습기자로 선발했다."고 동아일보 사사(1975 발행)는 기록했다.

3. 5·16군사 쿠데타 때 사형선고 받아

5·16군사 쿠데타가 난 후 송지영 씨는 민족일보의 사장 조용수 씨와 함께 구속되어 사형 언도를 받는다. 그때 송지영 씨는 일본 회사 〈덴쓰〉(電通)와 제휴하여 광고 업무를 하려 했다는 것인데, 민족일보를 뒤에서 밀어준 이영근 씨와의 친분으로 도매금으로 몰려 사형이 언도되었던 것이다. 그러나 소설가이기도 했던 송 씨는 '펜클럽'의 회원이었기 때문에 국제펜클럽의 항의 등 문단의 노력으로 사형은 면하고 점차 감형되어 8년 여 간의 형무소 생활을 하게 된다. 사형이 집행된 조용수 민족일보 사장도 그 후 대법원의 재심에서 무죄가 선고되었는데, 이미 사형된 사람을 어떻게 하겠는가.

나는 1964년 후반과 1965년, 1년 반 동안 조선일보 문화부장으로 있었는데 그때 편집국장이던 선우휘 씨가 안양교도소로 송지영 씨 면회를 함께 가잔다. 그의 목적은 송 씨에게 옥중에서 소설을 집필케 하여 그것을 조선일보에 연재하겠다는 좀 엉뚱한 것이었는데, 그 기도는 실패하고 말았다.

송지영 씨는 그의 8년여 동안의 옥중 생활을 '우수의 일월' 이라는 옥중수기로 써 두툼한 책으로 발간했다. 거기에 진보당의 청년학생조직인 여명회의 회장 권대복 씨 등 혁신계 인사들의 교도소 생활이 생생하게 묘사되어 있다.

군사 쿠데타가 일어난 후 몇 년이 지나서의 일이겠지만 송지영 씨의 형무소 생활도 얼마간 편해졌었다. 형무소 공무원들이 가끔 송지영 씨를 그들의 사무실로 초청하여 거기서 편히 쉬도록 해주었다. 그리고 박식한 그의 이야기를 듣는 것을 아주 좋아했다. 가끔은 지필묵을 준비해놓고 붓글씨를 부탁하기도 했다. 송 씨는 교도소 생활을 비교적 마음 편하게 할 수 있었던 것이다. 특히 혁신계 인사들의 공동취사를 허용해주어 그 중에서 젊었던 권대복 군이 밥 짓는 것과

반찬 마련을 맡기도 했다. 권 군은 형무소 안의 작은 텃밭에 채소를 가꾸기도 하는 등 매우 부지런하게 선배들을 도왔다 한다. 권대복 군과 나는 대학생 시절 한 연구모임에서 만나 사귈 기회가 있었던 오랜 친구였었는데 그는 출옥 후 독실한 가톨릭 신자가 되어 시흥성당의 사목회장을 맡기도 했었다.

내가 국회의원일 때 내 선거구 안에서 대규모 연립주택 상량식이 있었다. 마침 그 사업주가 권형의 친구여서 그도 참석했었는데 돼지머리에 떡을 해놓고 고사를 지낼 때 모두 그 고사에 참여하여 절을 하고 약간의 돈을 상위에 놓았으나 권대복 군은 성당의 사목회장이 그런 미신에 참여할 수 있겠느냐며 끝내 고사를 외면했다. 그래서 내가 한마디 했다. "진보당의 간부를 한 권형이 이 고사를 미신으로

만 생각하느냐. 돼지머리와 떡과 술은 공사에 참여하는 일꾼들을 대접하기 위한 것이 아닌가. 거기에 놓는 돈은 일꾼들을 위한 보너스이고…" 근로자들과의 노사화합을 위한 의식이라는 풀이이다. 그러자 권대복은 성큼 나서서 돼지머리 상에 큰 절을 하고 돈을 얹어 놓았다.

그리고 「우수의 일월」에는 서울대 정치과의 학생 시절 필화사건으로 5·16후 8년 동안의 형을 살고 출옥 후 조선일보 주필을 지냈으며 얼마간 극우적인 논설을 쓰던 류근일 씨의 옥중 옥외 간 펜팔 연애이야기가 심금을 울리게 묘사되어 있기도 하다. 특히 뛰어난 시인이었던 김수영 씨가 옥중의 송지영 씨에게 보낸 편지의 전문이 수록되어 있는데, 우리는 그 편지를 통해 당시 문단의 교우관계를 짐작할 수 있으며 김수영 시인의 뛰어난 글 솜씨를 엿볼 수 있다.

"宋 선생!

그렇게 오랫동안 가 계신대도 한번 찾아가 뵙지도 못하고 있습니다. 노상 소식은 듣고 있고, 가 뵙지는 못해도 간다간다 하고 벼르기는 벌써 수없이 했을 겁니다. 그러다가 아시겠지만 利錫(이석) 兄도 鎭壽(진수) 兄도 그렇게 됐으니 생각하면 세상일이 아무것도 아닙니다. 利錫兄 하고 宋 선생하고 명동에서 정종을 마시던 것이 엊그제 일 같습니다만, 그의 大喪을 치른 지도 벌써 2년이 지났나 봅니다. 石榮鶴(석영학), 李鳳九(이봉구), 沈練燮(심연섭), 金光洲(김광주), 柳呈(유정)하고는 노상 만나고 있고, 머지않아 꼭 한 번 가뵈올 작정입니다. 그래도 「맨체스터 가디언」紙의 詩作品을 오려 보내주실 만한 여유가 있으시니 안심했습니다. 그전에 비해서 달라진 것이 현저하게 바빠졌다는 것입니다. 무슨 뾰족한 일이나 제대로 문학이라도 해서 바빠진 게 아니라 지저분하게 바빠졌어요. 明洞에 나가도 아는 얼굴이 거의 없어요. 겨우 李鳳九 정도가 하얀 머리에 얼굴을 빨갛게 해가지고 앉아있지만 무슨 주고받을 얘기가 있어야지요.

光化洞에는 光洲氏가 나오고, 石兄이 가끔 술을 마시러 나오고, 沈練燮은 몸이 좋지 않아서 술을 끊은 지 오래됩니다.

宋선생의 편지 받은 얘기 친구들에게 전했더니 모두 깜짝 놀라면서 반가워해요. 그래도 어서 빨리 나오셔야지. 저는 나이 먹은 世代가 쓸쓸하게 되어가는 요즘도 예나 다름없이 왕성하게 마시고 있습니다.

곧 한 번 뵈러 가겠습니다. 몸조심하세요.

1967년 11월 26일 金洙暎."

(「우수의 일월」 pp.1021-1022에서 전재)

4. 환상적인 소설가로 명성

8년여 형을 살고 나온 송지영 씨는 조선일보의 논설위원으로 복귀한다. 그런 송 씨를 논설위원으로 다시 받아들인 방일영 조선일보 회장의 아량도 대단하다고 생각한다. 그때 마침 나도 조선일보의 논설위원이었기에 송지영 씨와 아주 친밀한 관계를 맺게 된다. 그는 칼럼을 가끔 썼지만 논설은 별로 쓰지 않았다. 그 대신 '천풍(天風)'이라는 연재소설을 조선일보에 썼다. 천풍은 마치 중국의 소설을 읽는 듯 아주 환상적인 소설이었다. 예를 들어 종이에 원하는 물건을 쓰고 그것을 돌에 싸서 주문을 외며 던지면 얼마 후 종이에 쓴 물건이 나타난다는 식이다. 그는 주머니 사정도 넉넉하여 나를 데리고 자주 양주 살롱에 갔었다. 살롱에 가면 카운터에 앉아 칵테일을 한 잔 또는 많아야 두 잔쯤 마시고 호스티스에게 두둑하게 팁을 주고 한군데 살롱을 더 들르자고 다음의 살롱으로 옮긴다. 그런 행보이니 살롱의 호스티스들에게 인기가 높을 수밖에 없었다. 호스티스들이 돈을 모아 새로운 살롱을 개업하게 되면 그에게 옥호를 지어달라고 부탁하는 경우가 많았다. 그가 힘들이지 않고 지어주는 옥호가 아주 적중하여 인기 있는 옥호가 된 게 많다. 〈아람〉, 〈해바라기〉, 〈사슴〉, 〈바나실〉(바늘과 실의 합성어), 〈가을〉, 〈하향〉(약간 높은 지대에 위치한 살롱으로 안개의 고향이라는 뜻) 등등 그가 작명한 것은 대단히 많았다.

그는 한학에도 능했고 중국에도 오래 있었기 때문에 문화재의 감식안도 가지고 있었다. 그래서 그에게 문화재의 감식을 의뢰하러 오는 사람도 적지 않았다. 또한 그가 여러 신문사의 간부를 지냈기 때문에 재력가들도 많이 알고 있어 그에게 판매를 의뢰하는 사람도 적지 않았다. 그러다 보면 사례금도 없을 수 없지 않은가.

송지영 씨와의 양주 살롱 순례에서 가장 기억에 남는 것은 명동 공원에서 충무로로 가는 입구에 있던 〈뚜리바〉(프랑스어로 상아탑이라는 뜻)에 갔던 일이다. 영화 〈백치 아다다〉의 여주인공과 주제가를 맡았던 나애심 씨가 영화계를 은퇴한 후 그의 여동생과 함께 운영하던 작은 살롱이다. 송지영 씨는 아주 오래 전부터 나애심 씨와 친했던 모양이다. 거기서는 다른 곳과는 달리 좀 늦게까지 술을 마셨다. 영업이 끝나갈 무렵 송 씨는 나여사에게 한 곡 부탁한다고 정중하게 말한다. 그러면 나여사는 〈세월이 가면〉을 조용하게 감정을 듬뿍 담아 부른다.

"지금 그 사람 이름은 잊었지만/그 눈동자 입술은 내 가슴에 있네/바람이 불고 비가 올 때도/나는 저 유리창 밖 가로등 그늘의 밤을 잊지 못하지/사랑은 가고 옛날은 남는 것/여름날의 호숫가 가을의 공원/그 벤치 위에 나뭇잎은 떨어지고 나뭇잎은 흙이 되고/나뭇잎에 덮여서 우리들 사랑이 사라진다 해도/내 서늘한 가슴에 있네."

이 노래에도 내력이 있다. 명동 공원의 동쪽에 문예인들이 즐겨

찾던 〈은성〉이라는 목로술집이 있었는데 거기서 박인환 시인과 이 진섭 음악평론가가 술을 마시다가 박 시인이 시상이 떠올라 쓴 시가 이 "지금 그 사람 이름은 잊었지만…"이다. 그것을 이진섭 씨가 곡을 붙이고 나애심 씨가 초창하여 레코드에 취입한 것이다. 그런 내력이 있고 보니 〈뚜리바〉에서의 나애심 씨의 노래는 감상에 젖어들게 할 수밖에 없는 것이다.

송지영 씨는 '여사'라고 쓸 때 꼭 '女士'라고 쓴다. 보통은 '女史'라 고 쓰는데 그것은 잘못이라는 것이다. 남자들을 말할 때 신사(紳士) 라고 하는 것처럼 여성을 말할 때도 역사 사(史) 대신 선비 사(士)자 를 써야 맞다는 것이다.

송지영 씨, 아니 송지영 선생은 나를 항상 '남 형'이라고 호칭했다. 처음에는 좀 어색하다고 느꼈지만 지내 놓고 보니 그 형은 영어로 Mr.라는 뜻인 것 같았다. 손위 형이란 뜻의 호칭은 대형이나 형님일 것이다.

그는 나에게 일본에서 언론 활동을 하고 있던 이영근 씨를 소개 하여 주었다. 이 씨는 진보당 조봉암 씨의 일급 참모였는데, 조 씨의 지시를 받고 정당 조직에 착수한 것이 자유당 정권에 의해 공산 조 직으로 몰려 오랫동안 재판을 받다가 병보석으로 병원에 주거가 한 정되어 있을 때 1958년 진보당 인사의 일망타진이 있을 것이라는 정보를 입수하고 그것을 인편으로 조봉암 씨에게 연락, 은신할 것을 권유한 후 그 자신도 일본으로 망명하였었다.

그리고 처음에는 민단도 조총련계도 아닌 중립계로 활약하다가 일간 '통일일보'를 일본어로 발행하기 시작한 후로는 점차 친서울정부 쪽으로 기울었었다. 그리고 박정희 대통령이 유신을 선포하자 그는 이원집정부제 비슷한 안을 마련한 후 그 안을 달성하려 각계에 설득 공작을 했었다. 그리고 유신 말기에는 김재규 중앙정보부장의 동서이자 당시 중앙정보부 파견 주일공사로 왔던 고려대 교수 최세현을 통해 김재규 부장에게 그 제안을 설득하기까지 했었다.

5. 거물 정치인으로 활동

송지영 씨는 유신 말기에 문예진흥원장에 임명된다. 같은 박정희 정권 하에서 사형수가 되었다가 문예진흥원장으로 대단한 변신을 하게 된 것이다. 내막은 잘 모르지만 혹시라도 풍기에 피난처를 찾은 집안 중 하나였던 김계원 청와대 비서실장의 노력 때문은 아니었던가 상상해 본다.

신군부가 집권한 후 그는 입법회의 의원이 되고 거기의 문공분과 위원장이 된다. 그리고 11대 국회의원(비례대표)이 되기도 했고, 그 후에 KBS의 회장이 되기까지 하였다. 박정희 대통령 때는 그의 과거경력 때문에 항일투사들을 별로 우대하지 않았으나 신군부 인사들은 그러한 힘이 없기 때문에 독립운동에 헌신했던 인사들을 우대한 것이 아닌가 생각한다.

송 씨가 입법회의 문공위원장이었을 때의 이야기다. 언론관계법이 안건으로 상정되었는데 언론기관의 설립이나 허가 취소가 모두 문공부의 권한으로 되어 있었다. 신문발행을 위한 등록을 문공부에 하는 것은 당연하다 하겠으나 그 발행권한의 취소를 문공부에 준 것은 이상하였다. 마치 동사무소에 출생신고를 한다고 해서 동사무소에 사형을 언도할 권한을 주는 것과 같다고도 할 수 있는 것이다.

그래서 언론사의 강제 폐간에는 법원의 판결이 있어야 할 것이라는 의견을 제출했다. 그랬더니 송 위원장은 "집권한 젊은이들이 새로운 일을 하려고 그러는 것 같으니 이해하고 넘어가자"고 무마에 나선다. 그 당시 신문협회에서는 「신문연구」라는 정기간행물을 발행했는데 문공부에 의한 언론사의 일방적 등록취소가 논란거리로 다루어져 있었다.

부드러운 얘기 한 가지를 빼놓을 수 없다. 조선일보 논설위원일 때 그가 당시 유명했던 〈낭만〉이라는 맥주홀에 가자기에 따라갔더니 거기에 인기스타 윤정희 씨가 기다리고 있었다. 그래서 셋이 함께 맥주를 마시며 환담했었다. 윤정희 씨가 언론계에서 유명하고 노경에 들어선 송지영 선생을 존경하고 자주 만나는 것은 그 자신을 위해서도 매우 좋은 일일 것이다. 혹시라도 무슨 일이 있으면 방패막도 되고. 그 후 윤정희 씨는 여의도에 있는 그의 친가에 송지영 씨를 초청하였고, 송 씨는 나도 함께 가자고 하여 동행했었다.

윤정희 씨의 부모들과 함께 저녁식사를 했었는데 윤정희 씨의 본명은 손미자다. 윤정희 씨는 그 후 유명한 피아니스트 백건우 씨와 결혼하게 되었는데, 소문에는 송지영 씨가 그 중매를 하였다는 것이다. 송지영 씨는 조선일보에 있을 때도 프랑스 파리 여행을 자주 했었다. 거기에 살고 있던 반추상 동양화를 그리는 이응로 화백과 아주 친한 사이였기에 그를 만나러 가는 것이 주된 목적이었다. 그러한 국제적인 왕래에서 윤정희 씨와 백건우 씨를 중매한지도 모를 일이다.

송지영 씨의 아호는 우인(雨人)이다. 중국 소설 '수호지'의 훌륭한 인격자인 두령은 송강(宋江)이다. 그리고 그의 아호는 급시우(及時雨)다. 아마도 송지영 씨는 그 송강의 아호에서 비 우(雨)자를 빌려 아호를 우인이라고 한지도 모르겠다. 그리고 보면 급시우 송강과 우인 송지영은 그 통 큰 마음씨에 공통점이 있는 것도 같다.

6. 역동적 필치의 서예가

송지영 씨는 한학뿐만 아니라 붓글씨에도 수준급 이상인데 조선일보 논설위원일 때 나에게 글씨를 한 폭 준다고 붓글씨를 쓰는 걸 보니 그 글씨를 쓰는 솜씨도 대단히 역동적이었다. 논설위원실 바닥에 신문지를 깔아놓고 그 위에 한지를 얹어 놓더니 굵은 붓을 가지고 선채로 아주 힘차게 글씨를 써 내려간다. 슬슬 쓰는 게 아니라 무슨 운동을 하듯 쓴다. '함동서관고금(含東西貫古今)'이라는 휘호다. 동서양과 고금의 학문에 모두 통달하라는 뜻이다. 그의 작품을 나는 소중하게 간직하고 있다.

송지영 씨는 동년배인 정치인 윤길중 씨와도 아주 친했다. 윤 씨는 진보당의 간사장을 지내기도 했으며 오랜 후에 신군부가 결성한 민정당에 입당하여 국회부의장을 맡기도 하였었는데 그도 붓글씨에 대단한 솜씨를 가지고 있었다. 그러나 송지영 씨는 윤길중 씨를 만나면 "그게 무슨 붓글씨냐"고 농담을 자주 했었다. 윤길중 씨는 서예전을 두 번 열었었는데 야당일 때는 엄청난 수익을 올렸었으나 여당이 되고 난 다음에는 그 수입이 반의 반도 못되었었다.

여기서 그가 만든 사자성어 '서두현령'을 소개해 두고 싶다. '묘두현령'은 이왕에 있는 사자성어다. 고양이 목에 방울을 달아 방울소리가 나면 쥐들이 도망칠 수 있다는 뜻이다. 그 일은 실행이 불가능했다. 그때 작은 쥐가 자기 목에 방울을 달고 나타나자 큰 쥐들이 고양이 목에 방울을 달랬지 누가 네 목에 방울을 달라고 했느냐고 꾸짖었다. 그러나 방울을 목에 단 작은 쥐는 고양이를 놀리다가 잡아먹혔다. 그 후 고양이 배에서 방울소리가 나서 쥐들은 피할 수 있게 된 것이다. 묘두현령이 못 이룬 일을 서두현령이 이룬 것이다. 나는 청곡(靑谷) 윤길중 씨가 쓴 이 '서두현령'이란 붓글씨도 아직까지 간직하고 있다.

우인 송지영 씨와 청곡 윤길중 씨의 붓글씨 솜씨와 재능은 막상막하라 할 것이다. 윤길중 씨가 중국 소설 '삼국지'적 인간형이라면 송지영 씨는 '수호지'적 인간이 아닐까 얼핏 머리에 떠오르기도 한다 (1989. 4. 24, 74세로 별세).

7. 파란만장했던 생애

우인 송지영(雨人 宋志英, 1916년 12월 13일 평안북도 박천~1989년 4월 24일)의 생애는 참으로 파란만장했다. 격동기의 언론인, 번역문학가, 정치인, 장관으로 화려한 이면에 수난의 연속으로 점철된 삶이었다. 본관은 여산(礪山)이다.

일제 강점기에 동아일보 기자로 언론계에 입문, 중국 난징에서 대한민국 임시정부와 연계해 활동하다가 1944년 왜경에 체포되었다. 징역 2년형을 선고 받고 일본 나가사키 형무소에서 복역 중 일본이 태평양 전쟁에 패하면서 풀려났다.

1961년 민족일보 사건에 연루되어 조용수, 안신수와 함께 사형 선고를 받았고, 8년이 넘게 복역한 뒤 결국 감형으로 풀려났다. 1980년 신군부가 국가보위입법회의를 설치했을 때 입법의원으로 참가해 언론기본법을 제정했고, 민주정의당 소속으로 제11대 국회의원을 지냈다.

송지영은 일제 말기 항일운동으로 옥살이를 한데다 5·16 군사 정변 주체인 군부의 언론 탄압으로 사형수가 되었던 진보 언론계의 대표적인 인물이었다. 그러나 12·12 군사 반란을 일으킨 신군부에 협조하면서 언론 통제에 가담했다 하여 비판적인 평가도 받았다.

8. 희극적 정치인 송지영

나는 한겨레신문에 '비희극적 정치-송지영 씨의 경우'라는 특별기고(2015년 12월)를 통해 그의 삶을 다음과 같이 조명한 일이 있다.

5·16정권의 사법정의는 군대의 기합 수준을 벗어나지 못했다. "역사는 두 번 되풀이된다. 한 번은 비극으로, 다음 한 번은 삼류 희극으로." 공안몰이가 살벌하게 계속되는 가운데 개헌론마저 솔솔 나오는 지금, 아무래도 삼류 희극이 진행되는 것 같기만 하다.

우리말로는 희비극적이라 하여 희극을 비극 앞에 두지만, 유럽 언어에서는 비희극적이라고 비극을 희극의 앞에 둔다. 비희극적이 합당한 것 같다. 비극이 먼저 있어야 희극이 정말 희극적이 될 수가 있겠기에 말이다.

우리 주변에 비희극적 일들을 자주 본다. 정치에 있어서도 그런 너무나도 선명한 경우가 가끔 일어난다. 많은 사람들이 있겠지만 내가 잘 알고 지내던 송지영 씨의 경우도 그의 인생에 그 정치의 비극과 희극이 아주 선명하게 대비되어 교차하고 있었다. 짧게 설명하자면, 언론인이자 소설가인 송씨는 5·16쿠데타 세력에 의하여 사형이 언도되었다. 그러나 국제펜클럽 등의 진정으로 감형을 거듭하여 8년여의 감옥생활을 하였다. 그런데 그 후 또다시 쿠데타를 한 신군부에 의하여는 역으로 떠받들어져 국회의원까지 되었다. 비극에 뒤이어 정치적 희극이라 하겠다.

9. 특이한 가문의 내력

송지영 씨의 집안 내력이 특이하다. 평안도의 정감록파 여러 집안들이 난시의 피난처를 찾는다고 경북 영주의 풍기 지방으로 집단이주하였다. 송 씨의 집안도 있고, 국회의원을 지낸 박용만씨의 집안도 포함되었다. 송씨는 신학문을 멀리하고 한학에 몰두하여 신동 소리를 들었다. 아주 젊어서 동아일보의 기자·논객이 되었다가 동아 폐간 후 중국으로 가서 난징(남경)중앙대학을 다녔다.

그때 우리 임시정부 쪽과 내통했다고 일본 관헌에 구속되어 일본의 나가사키 형무소에서 복역 중 해방을 맞았다. 소설가 김학철 씨와 함께 귀국한다. 김 씨는 중국의 태항산에서 항일전을 펴다가 부상을 입고 붙잡혀 형무소 살이를 하고 있었던 것이다.

귀국 후 여러 신문사 간부로 언론 생활을 하는 한편 소설을 썼다. 이범석 장군의 민족청년단(족청)과도 연결이 된다. 족청은 부산정치파동 당시 이승만 대통령의 친위대처럼 행동해 오명을 뒤집어 썼지만, 당초에는 비교적 괜찮은 정치조직이었다. 그리고 그 세력은 부산정치파동 후 용도 폐기되어 숙청될 때까지 이승만 정권의 주도세력이었다.

송 씨는 4·19 때 조선일보의 편집국장을 지내고 난 후 5·16이 났을 때 구속되어 사형 언도를 받는 것이다. 본인은 민족일보와 전혀 관계가 없고 일본 회사와의 제휴로 텔레비전 사업을 하려 했던 것뿐이라고 했는데, 일본에 있는 통일일보 발행인 이영근 씨가 민족일보에 관련된 것에 연계되어 이 씨와 친했던 송 씨도 그 케이스로 민족일보 조용수 사장과 함께 사형 언도가 내려진 것이다. 조 씨나 송 씨는 오랜 뒤 민주화 이후 대법원 재심에서 무죄가 되고 뒤늦게 가족들이 보상도 받았다.

여기서 핵심 인물로 나오는 이영근 씨의 이야기도 해야겠다. 이 씨는 조봉암 씨의 주요 참모였다가 진보당 탄압 때 일본에 망명하여 통일일보를 발행했다. 그는 민족일보의 조용수 사장을 얼마간 후원했다. 송지영 씨와는 돈독한 친분관계일 뿐이었단다. 이영근 씨는 별세했을 때 노태우 정권으로부터 그동안 한국 정부를 위한 공적을 인정받아 국민훈장 무궁화장을 수여받았으니 지난날의 일들은 어처구니없었다 하겠다. 하기는 이 씨가 따랐던 조봉암 씨도 사형 50여 년 후 대법원에서 무죄 판결을 받았으니 조봉암 이영근 조용수 송지영 씨 등이 겹쳐진 정치적 비희극이었다.

10. 감동적인 옥중 수기 〈우수의 일월〉

송지영 씨의 옥중기가 〈우수의 일월〉이라고 1천 페이지 가까운 책으로 나왔는데, 그날그날의 이야기를 쓴 것이고, 특별히 철학적 사색을 기록한 것은 아니지만, 다 읽고 나면 깊은 여운이 남는다. 감옥생활 동안 그가 읽은 잡지와 책 이야기가 자세히 나와 참고가 되기도 하고, 많은 혁신계 인사들의 옥중생활이 묘사되어 있다.

그는 출옥 후 다행히 조선일보에 복직할 수 있었다. 그러다가 박정희 대통령 말기인 1979년 문예진흥원 원장으로 발탁이 된다. 그 연유를 알 수 없다. 다만 내 멋대로의 추측은 정감록파로 피난 온 가족들 중 한 분이 박 대통령의 측근 인사가 된 것이 관련이 있지 않나 하는 것이다. 그러다가 신군부의 쿠데타가 나고 그는 더 한층의 출세(?)를 하게 된다. 비례대표로 국회의원이 되고, 이어서 한국방송공사 이사장이 되는 것이다. 전 정권의 사형수가 다음 정권의 국회의원이라! 대단히 비희극적이다.

아직 그런 신상의 변동에 관한 내막 이야기는 듣지 못했는데, 내 나름대로의 추측은 이렇다. 박정희 정권은 친일 경력 때문에 독립운동계열 인사들을 별로 우대한 것 같지 않다. 그러나 전두환 정권 사람들은 모두가 해방 후 세대들이다. 따라서 박 정권과 애써 차별화하기 위해 독립운동세력을 간판으로나마 표면에 내세웠을 것이다. 형식상의 감투이지만 민정당 창당주비위원장인 유석현 씨는 유명한 독립투사이다. 그리고 항일의 상징 같은 면암 최익현 선생의 자손인 최창규 교수, 광복군 출신인 조일문 교수 등을 국회에 진출시켰다. 그런 맥락에서 송지영 씨도 국회에 뽑혀 들어갔을 것이다. 나는 그렇게 해석한다.

그렇다고 송지영 씨가 그렇게 역사의 피동인물만은 아니다. 언론인 소설가 한학자 서예가이기도 했던 그는 아호가 우인(雨人)인데 그것은 중국의 고전 〈수호지〉의 영수 급시우 송강에서 한자를 빌린 것

같다. 급시우 송강처럼 통이 크고 덕성이 있다. 한학과 중국에서의
생활은 그를 대륙적으로 만든 것 같다. 마치 장강의 흐름처럼 유유
히 산다. 체구는 작지만 통이 매우 크고 매사에 호방하다.

　옆에서 본 그는 거의 매일 저녁 술집 순회를 계속한다. 술은 약간
만 하고, 봉사하는 여성들에게 팁은 아주 후하다. 8년여 감옥살이에
서의 해방감을 실감하려는 것도 같았다. 부산 국제신보의 주필로 있
다가 5·16 후 혁신계로 몰려 옥살이를 한 소설가 이병주 씨는 처음
에는 서대문형무소에서 송지영 씨와 한방에 있었단다. 부잣집 아들
인 그는 2년 반쯤 감옥살이를 하고 나와 지나칠 정도의 사치와 낭비
를 하였는데 "출옥하면 최고의 사치를 하며 살겠다고 맹세했다"는
고백을 한 적이 있다.

　그러면 송지영 씨의 그 주머니는? 아무튼 돈 만드는 재주 또한 비
상했다. 옆에서 지켜본 바로는 한학, 서예, 중국 경험 등에 족청의
넓은 인맥으로 우선 고서예 감정과 알선 등으로 적지 않은 용돈을
마련한 것 같다. 많은 사람들이 감정을 의뢰하러 찾아온다. 그리고
그는 가치가 있는 것일 때는 그의 폭넓은 지인 가운데 합당한 사람
에게 전화를 건다.

　그래서 용돈의 궁함이 없이 카페 등 술집 순회를 할 뿐만 아니라
가끔은 프랑스 파리로 날아가 친구인 고암 이응노 화백 등과 지내고
돌아온다. 이 화백도 이른바 동백림 간첩사건으로 잡혀와 송지영 씨
와 안양교도소에서 함께 지내기도 한 사이이다. 그렇게 파리 여행을

자주 하는 사이 송 씨가 백건우 씨와 윤정희 씨의 사이를 맺어주었다는 것은 유명한 이야기이다. 형식상 그렇게 내세웠을지도 모르겠지만 말이다.

그런 호방한 그가 사형 언도까지 받고 8년여를 감옥에서 썩었으니…. 그때 또한 요즘 극히 우익적인 논객으로 알려진 류근일 씨도 7년여를 함께 감옥생활을 했으니 5·16정권의 사법정의는 군대의 기합 수준을 벗어나지 못했던 것 같다. 그래서 비희극의 양산이다.

"역사는 두 번 되풀이된다. 한 번은 비극으로, 다음 한 번은 삼류 희극으로." 비유로는 그럴듯하다. 지금 전개되고 있는 당면한 역사는 공안몰이가 살벌하게 계속되는 가운데 개헌론마저 솔솔 나오는 등 아무래도 삼류 희극이 진행되는 것 같기만 하다.

〈송지영 연보〉

〈우수의 일월〉 pp.1024~1028에서 전재

◇1916년 12월 13일 평북 박천군 동남면 동하동 종달골에서 아버지 국승(國昇), 어머니 길(吉) 씨의 맏아들로 태어남.
◇1922년 봄, 마을 글방에서 천자문을 배움.
◇1922년 가을, 영변군 고성면 남산제에서 의암(毅庵) 유인석(柳麟錫) 선생의 수제자 충제(充齊) 김두운(金斗雲) 선생에게 서서를 배움.
◇1928년 봄, 온 가족이 경북 풍기로 이주 정착함.

◇1930년 봄, 충북 단양군 상선암에서 김훈(金熏) 선생에게 삼경을 배우기 시작함.

◇1931년 여름, 까닭없이 영주경찰서에 구속되어 10일간 항일사상을 추궁당함.

◇1932년, 소백산 연화봉 계곡 막바지에 초막을 짓고 제자백가를 읽으면서 신학문을 자습함, 할아버지와 아버지가 모두 항일의병에 따라다녔기 때문에 학교 다니는 것을 절대로 허락하지 않음.

◇월간 잡지 〈일월시보(日月時報)〉에 논문과 시조 등을 발표, 이 무렵 이유립, 이서해 등과 교류함.

◇1935년, 신동아, 신가정 등 잡지에 수필, 기행문 등 발표, 최승만, 변영로, 이무영, 황신덕 씨 등 여러 분과 알게 됨.

◇1935년, 당시의 동아일보 편집국장 설의식 선생으로부터 '그대의 문필이 기자될 소질이 있으니 본사에 와서 수습함이 어떤가?'라는 편지를 받고 서울로 올라와 언론생활에 첫발을 내디딤.

◇1937년, 동아일보 사원으로 광고부 근무를 하면서 사설과 횡설수설 등을 당시의 편집국장인 고재욱 선생 명의로 다수 집필함.

◇1938년, 친구의 권유로 만주 특파원 자격을 얻어 장춘(당시는 신경)에 머무르면서 만주 각지를 돌며 보고문학 형식의 글을 많이 발표, 중국어 독학.

◇1939년, 동아일보 강제폐간으로 만선일보(滿鮮日報)로 옮겨 수필, 기행문 등을 발표, 이 무렵 신영철, 안수길, 손소희 등과 사귐.

◇1940년 이른 봄, 중국 상해로 건너가 중국어 신문 상해시보(上海時報)에서 기자생활.

◇1940년 가을, 남경 중앙대학에 입학, 중국문학을 전공함, 서울에

서 발간되는 월간 〈춘추(春秋)〉에 익명으로 '남경통신(南京通信)'을 매달 게재.

◇1942년 가을학기를 앞두고, 상해에서 일본경찰에 구속되어, 중경의 대한민국 임시정부와 연락하는 상해, 남경지구 비밀공작 책임자로 추궁 문초 받음.

◇1942년 가을, 상해 일본영사관 법정에서 치안유지법 위반으로 2년 언도를 받고 장기(長崎)형무소에 수감됨.

◇1945년 9월 8일, 조국 해방 이후 맥아더 사령부의 정치범 석방명령으로 출감, 같은 날 풀려난 김중민, 김학철과 함께 3명이 귀국함.

◇1946년 한성일보 창간과 함께 사장 안재홍, 주필 이선근, 편집국장 양재하 씨 등을 모시고 편집부장으로 일하기 시작함, 서울대 강사.

◇1948년 국제신문을 창간, 주필로 일함, 이 무렵 각 신문 잡지에 많은 잡문 발표, 중앙대 강사.

◇1949년 국제신문이 당국에 의해 폐간되자 태양신문을 창간, 노태준 씨를 사장으로 주필로 일함, 국무총리실과 국방부 정훈국 촉탁으로 총리와 장관의 발표문들을 다수 집필함.

◇1950년 6·25전쟁 발발로 서울에 있다가 정치보위부에 구속되었다가 9·28 수복으로 자유를 되찾음.

◇1950년 겨울, 부산으로 피란, 국제신보에서 최호진과 함께 논설위원으로 근무.

◇1953년 서울에서 태양신문을 복간, 주필 겸 편집국장으로 근무.

◇1955년 태양신문이 딴 손으로 넘어가자 희망사 주간으로 월간, 주간 등을 창간함.

◇1956년 이 무렵 직장을 갖지 않고 연합신문(후에 서울일일신문)에 '청등야화'를 쓰기 시작해 4년간 연재함. 부산 국제신보에 '부운' '야초기' 등 연재.

◇1958년 조선일보 논설위원으로 근무.

◇1959년 조선일보 편집국장으로 근무.

◇1961년 5·16과 함께 소위 혁신계로 구속되어 9월 혁명재판에서 사형언도를 받았으나 뒤에 무기로 감형.

◇1967년 안양에서 수감생활 중에 국제사면기구인 '엠네스티'의 후원 대상자로 선정되어 세계 각지로부터 수백 통의 위문 카드와 서적, 물품 등을 출소할 때까지 계속 많이 받았음.

◇1969년 7월 8일, 형기를 앞두고 영어생활 8년 2개월 만에 출감.

◇1969년 조선일보 논설위원으로 복직, 각 신문 잡지 등에 역사소설 및 수필 등을 발표.

◇1970년 중앙일보에 역사소설 '대해도' 연재.

◇1972년 조선일보에 '천풍' 연재.

◇1979년 한국문화예술진흥원 원장 취임. '그 산하, 그 인걸" 간행. 국토통일 고문.

◇1980년 민정당 창당에 참여, 제10대 전국구 국회의원이 됨.

◇1984년 한국방송공사(KBS) 이사장 취임

◇1984년 훈장 넷을 받음

　① 대한민국 건국공로 포장

　② 대한민국 은관문화 훈장

　③ 프랑스 정부 문화기사 훈장

　④ 중화민국 정부 경성대수 훈장

◇1985년 현재 책임 맡고 있던 단체들

● 단재 신채호 선생 기념사업회 회장

● 광복회 부회장

● 고전 국역 후원회 회장

● 사단법인 한국다인연합회 회장

● 조명하 의사기념사업회 회장

필자 **남재희**

前 한국일보 기자

前 조선일보 정치부장

前 서울신문 주필

前 국회 4선 의원

前 노동부장관

언론의 외길 지킨 거목
오헌(梧軒) 이동욱(李東旭)

1917~2008년

동아일보 사장·회장 역임
민주 언론의 초석 다진 사표

글 ; 남시욱(전 문화일보 사장, 동아일보사 부설 화정평화재단 이사장)

<오헌 이동욱 약력>

황해도 봉산 출신

서울 경신학교 졸업
일본 와세다대학 정치경제학부 졸업

가정신문 편집국장
동아일보 입사~사회부, 정치부 기자,
조사부장 겸 논설위원
금융통화운영위원(비상임)
동아일보 이사 상임정책위원
주필 겸 편집인, 강제해직
전국경제인연합회 자문위원
동아일보 재입사,
주필 겸 부사장~사장~회장
동아꿈나무재단 이사장

<수상>
자랑스러운 경신인상
자유중국 정부 국제교류상
삼성언론재단 특별상
서울언론인클럽 올해의 한길상

― 거인의 여정(旅程) ―

1. 장덕수 주선으로 동아에 입사

오헌 이동욱(梧軒 李東旭)은 1917년 8월 3일 황해도 봉산(鳳山)군 만천(萬泉)면의 유복한 가정에서 태어났다. 그는 본관이 광주(廣州)인 아버지 이현수(李鉉洙)와 본관이 수안(遂安)인 어머니 이영수(李泳洙) 사이에서 출생했다. 그의 집안은 증조부 때부터 가세(家勢)가 불어났는데 그의 조부는 토지개간사업으로 성공해 자제들을 프랑스 등 외국에 유학을 보낼 정도가 되었다 한다.

이동욱의 아버지는 일본 와세다(早稲田) 고등학원(와세다대 전신)에 유학했으며, 이동욱 자신은 서울의 미션계학교인 경신학교를 졸업한 다음 와세다대학 정치경제학부를 마쳤다. 경신학교는 1885년 미국 선교사 언더우드가 고아들을 모아 학교를 만든 학교로 대한제국 말기에 중등학교 학제가 도입되었을 때 한국 최초의 중등학교로 등록된 명문 미션계열학교이다.

경신학교에는 함태영 최남선 이광수 문일평 등이 교사로 근무했는데 안창호 김규식 등 민족의 선각자들과 이갑성 서병호 등 독립투사들, 그리고 수많은 교계 지도자들을 배출했다. 경신을 나온 문화인들은 이동욱 이외에 방우영(조선일보 사장) 주영하(세종대 설립자) 유석창(건국대 설립자) 김동리(소설가) 전응덕(삼양식품 사장) 등이 있다.

이동욱은 황해도 해주(海州)의 유일한 조선인 여학교였던 행정(幸町)공립고등여학교 출신으로 기독교감리교회의 여전도회장을 지낸 민춘자(閔春子, 본관 여흥, 驪興)와 결혼해 2남 1녀를 두었다.

이동욱은 일본에서 와세다대학을 졸업한 다음 귀국 후 고향에서 농업학교 교원으로 잠시 일하다가 광복 후 반탁운동으로 북한정권에 의해 투옥되기도 했다. 그는 1946년 2월에는 북한에서 김일성의 임시인민위원회가 '무상몰수-무상분배' 방식의 토지개혁을 강행하자 38선을 넘어 월남했다. 이동욱은 월남 후에도 반탁운동을 계속해 1947년 1월 26일 서울 경교장에서 열린 우파진영의 42개 단체로 결성된 반탁독립투쟁위원회 제1회 중앙집행위원회 농민부의 책임자에 선출되었다(동아일보 1947-1-28자).

이동욱은 1947년 3월 서울에서 발행된 가정신문(家政新聞) 편집국장을 잠시 지낸 것으로 동아일보에 기사가 나온다. 그는 그해 4월 동아일보에 입사했다. 고향과 대학 선배이자 동아일보 부사장을 지낸 설산 장덕수(雪山 張德秀)가 동아일보사에 들어가도록 주선해 주었다.

이동욱은 입사 후 동아일보 창간 사주이자 한국민주당의 지도자였던 인촌 김성수와 북한에서 시작된 토지개혁에 관해 이야기를 나누었다. 인촌은 대지주 출신이었으나 이동욱의 말을 듣고 "우리도 농지개혁을 통해 새로운 삶의 틀을 만들지 않는다면 나라의 장래는 없다"고 자신의 소신을 밝혔다 한다. 이 무렵 동아일보 지면에는 지주들의 반대를 누를 수 있는 진보적인 농지개혁에 찬성하는 글이 많이 실렸다.

이동욱이 동아에 입사할 무렵 그와 함께 언론계에 입문한 사람들

중 대표적인 인사는 오종식(1946년 민주일보 입사), 유건호(1946년 조선일보 입사), 송지영(1946년 한성일보 입사), 최석채(1946년 경북신문 입사), 이목우(1946년 대구일보 입사), 이혜복(1946년 민주일보 입사), 오소백(1947년 조선일보 입사), 백광하(1947년 동아일보 입사) 등을 꼽을 수 있다.

2. 6·25전쟁 때는 평북 개천까지 인민군에 끌려가

동아일보 입사 후 이동욱은 사회부, 정경부 기자를 거쳐 1950년 조사부장 겸 논설위원으로 승진했다. 그는 일선기자 시절에는 무역 금융문제 등 경제기사를 주로 썼다. 이동욱은 1948년 5월 북한당국이 수풍발전소에서 생산되는 전기의 남한지역 공급을 갑자기 차단하자 이에 대처하는 긴급대책에 관해 기명기사를 썼다. 그가 정경부 기자 당시 주로 다룬 국제경제문제는 워싱턴 금융회담과 영국의 경제위기에 관한 것이었다.

그는 조사부장 겸 논설위원이 된 이후에는 대한민국 정부의 경제 안정 문제를 "중간 안정에의 길"이라는 제목의 시리즈 기사로 다루었다. 1950년 3월에 4회에 걸쳐 동아일보 1면에 연재된 이 시리즈에서 이동욱은 이승만 정부가 발표한 '경제안정 15원칙'을 분석 비판했다. 그는 이들 원칙들 가운데 건전재정 원칙을 강조한 조항을 포함한 13개항에 대해서는 찬성한다고 밝히면서 나머지 2개항에 대해서는 문제점들을 지적했다.

이동욱은 6·25전쟁이 일어나자 문자 그대로 죽을 고비를 맞았다. 그는 전쟁이 터진 다음 6월 27일 오후까지 서울에 남아 그날 저녁에 수동인쇄기로 동아일보 호외 300부를 찍어 서울시내에 배포했던 기자들 가운데 한 명이었다. 그러나 그는 다른 많은 동료들처럼 피난을 가는 데는 실패했다. 1950년 10월 서울이 수복되고 4일자로 동아일보가 속간되었을 때 이동욱은 신문사에 나타나지 않았다.

이날 자 동아일보 2면에는 행방불명된 본사 사원 20명을 찾는다는 사고(社告)가 실렸다. 행방불명된 사원은 장인갑(편집국장), 정균철(영업국장), 이동욱(조사부장), 백운선(사진부장), 김성열(편집국 기자, 이하 동), 서정국, 조용근, 변영권, 김준섭 기자 등이다.

실제로 이동욱은 서울 종로구 누하동 자택에서 납북되어 평안북도 개천까지 끌려갔다. 그는 9월 하순 그 곳에서 어느 날 피부병에 걸려 방공호에 격리되어 있었다. 갑자기 미군의 폭격기 굉음이 쏟아지자 인민군들이 북쪽으로 달아나기 시작했다. 그 순간 이동욱은 현장을 극적으로 탈출해 북진하던 국군에 구출되었다. 그는 나중에 당시를 이렇게 회상했다.

> "개천에서 피부병에 걸려 방공호에서 격리돼 지냈다. 9월 하순 어느 날 미군의 폭격기 굉음이 쏟아지자 인민군은 북쪽으로 달아났다. 꿈인가 생시인가 했는데 그 끔찍한 피부병이 나도 모르게 나았다."

3. 젊어선 민주사회주의자, 나중엔 시장주의자로

이동욱은 1952년 4월 이후 피난수도 부산에서 취재활동을 재개했다. 그는 이 기간에 동아일보 지상에 국민소득과 국민후생의 상호관계, 그리고 자유당정권 당시 백두진 재무장관의 재정정책에 관해 분석하는 심층기사를 썼다.

그는 5·16군사혁명 후인 1962년 10월에는 미국무부의 지도자교환계획에 따라 3개월간 미국 시찰에 나섰다. 이동욱은 미국 여행 기간 중 수도 워싱턴 소재 AID(국제개발처)를 방문해 한국 정부가 추진 중인 제철소와 비료공장 건설에 대한 자금지원문제를 취재하고, 미국 중동부 지방인 테네시 주를 찾아 TVA(테네시 계곡개발본부)의 테네시강 유역 개발 공사 현장도 둘러보았다.

그는 이어 카리브해 지역의 미국 영토인 푸에르토리코 섬을 방문해 이 섬의 번영하는 경제실정도 취재했다. 이동욱은 미국시찰을 마친 다음 귀로에는 유럽을 들려 스웨덴 영국 덴마크 독일을 차례로 방문하고 현지취재를 한 다음 '경제 이 나라, 저 나라'라는 제목아래 미국과 유럽의 경제사정을 시리스 기사로 묶어 동아일보에 연재했다.

이동욱은 당대의 지식인 청년들이 거의 그랬듯 대학을 졸업하고 사회에 진출할 무렵, 즉 동아일보 입사 무렵 진보적 사상을 가졌다. 그 자신이 회고한 바에 의하면, 그는 북한지역에서 공산주의가 싫어 남하하기는 했으나 내심으로는 경제적 사회주의와 정치적 민주주의를 혼합한 이른바 사회민주주의자로 자처하고 있었다.

그는 동아일보 입사 후 주필 고재욱으로부터 시장경제이론에 입각한 보수적인 우보론(牛步論) 훈시를 듣고 속으로 마땅치 않았다. 이동욱 자신이 남긴 글에 의하면, 그는 고재욱 앞에서 계획경제와 국영론(國營論)에 대해 과격한 견해를 표명하는 것을 서슴지 않았다. 이 때문에 그는 고재욱으로부터 가끔 나무라는 말을 들었다.

고재욱은 토끼와 거북이 경주하는 이솝우화를 예로 들면서 "얼른 보면 토끼가 빠른 것 같아 보이지만 결국에는 거북이 먼저 들어가게 되어있는 것이다"라고 강조하고는 "이동욱 씨는 성급한 것이 병이야"하고 설득도 하고, 핀잔도 주었다 한다. 이 같은 고재욱의 설득에 대해 철저한 계획경제와 급진적인 국영화를 소신으로 삼고 있던 이동욱은 처음에는 거부감을 느끼면서 "가벼운 경멸조차 금하지 못했다"고 한다.

그러나 시일이 지남에 따라 이동욱의 생각은 차츰 바뀌어 결국에는 시장주의자가 되고 말았다. 그는 나중에 "(내가) 이 나라의 대표적인 자유경제론자로 전환하였고, 누구보다도 철저한 민영론을 부르짖게 된 것도 고재욱 주필의 우보주의 설득의 소산이었다"고 술회했다.

그는 노동문제에 있어서도 막연히 공식적인 계획경제나 국영론을 주장할 것이 아니라 무엇이 진정으로 노동자의 이익을 향상시키는 것이냐는 것을 현실적으로 검토하지 않고는 결론을 내릴 수 없는 것이라고 믿게 되었다. 그는 이에 따라 노동자와 기업주가 대립 대결하는 것이 아니라 상호 간 파트너십을 발휘하여 서로 협조하는 관계를 주장하게 된 것이다.(이동욱, "동아일보와 고재욱 선생", 〈심강 고재욱 선생 화갑기념논총: 민족과 자유와 언론〉)

4. 근대화를 민주화로 해석

박정희 대통령의 장기통치기간에 많은 한국의 지식인들이 그랬듯이 이동욱도 1960년대 초부터 1970년대에 걸쳐 경제개발과 민주주의의 문제를 고민했다. 이동욱은 1966년 1월 27일자 동아일보 2면에 쓴 "근대화의 의미"라는 그의 칼럼에서 근대화는 단순한 공업화가 아니라고 전제하고 공업화와 민주화와 근대화는 정삼각형적 관계에 있다고 주장했다.

그는 이 무렵 박정희 대통령이 연두교서에서 조국근대화를 강조하자 무릇 해방 이후 근대화를 내세우지 않은 정부는 없었다고 지적하면서 이승만의 자유당 정권도 이를 강조했다고 상기시켰다.

이동욱은 "문제는 근대화를 생각했다, 안 했다가 중요한 것이 아니라 근대화의 비전을 어떻게 그리느냐, 또는 그 비전에 어떻게 접근하느냐에 근대화 문제의 핵심이 있다"고 강조했다. 그는 이어 "그런데 박정희의 공화당 정부는 근대화를 공업화에 중점을 두고 있는 점에서 문제가 있다"고 지적하면서 다음과 같이 주장했다.

"공화당의 근대화 비전이 공업화에 역점을 두고 있음으로
공업화만이 근대화의 비전인 듯이 착각될 수도 있다는 점은
있음직도 한 노릇일 것이다. 공업화는 근대화의 일부분에 불
과한 것이지, 근대화의 전부가 아니라는 것은 주지의 상식일
것이기에 말이다."

이동욱은 이어 "무릇 근대화의 주요 내용을 큰 줄거리로 대별하
면 두 가지를 생각할 수 있나니 그 하나는 민주화요, 다른 하나는 공
업화인데, 공업화는 구체적으로 파악할 수 있고 수자로 제시할 수
있는 것이기 때문에 국민의 꿈을 부풀게 하여서 국민적 행동을 근
대화로 끌고 나가는데 매력적 기여를 하는 것은 추상적이고 막연한
'민주화'라는 구호보다도 '공업화'라는 구호일 것이기 때문"이라고
강조했다.

이에 따라 이동욱은 공업화를 위해서 민주화를 희생시켜도 좋다
는 사고방식이 용납될 여지가 있겠느냐는 것이 바로 그 문제이며 (이
같은 생각은) 그릇된 사고방식이라고 지적했다.

5. 안보문제에 큰 관심 기울여 통일문제연구소 설치

이동욱의 전문 분야는 경제지만 철저한 반공주의자였다. 그는 한
반도의 안보통일 문제에 많은 관심을 기울였다. 2005년 동국대 강

이동욱의 제안으로 1968년 5월 설립된 한국 언론사 최초의 동아일보사 통일문제 조사연구회(나중에 안보통일문제연구회로 개명)가 1970년대 초에 발행한 안보통일문제기본자료집(사진 왼쪽)과 그 별권인 북한편(사진 오른쪽) 표지.

정구 교수가 "6·25는 통일전쟁"이라는 논문을 발표해 격렬한 좌우 이념논쟁이 일었을 때 이동욱은 애국시민단체가 주도한 시국선언 모임에 참여해 "좌경화가 나라를 망친다"고 우려와 경고의 목소리를 냈다.

이동욱은 1965년 12월 고참 논설위원에서 이사로 승진, 상임정책위원에 임명되어 정책위원회를 책임 맡았다. 그의 직무는 회사의 신문편집 및 방송 편성에 관한 사장의 자문에 응하는 것이었다. 그는 상임정책위원으로 활동하면서 1966년 통일문제에 관한 동아일보사의 기본방침을 연구하는 상설기구가 필요하다고 고재욱 사장에게 건의했다.

그 결과 1968년 5월 한국의 언론기관으로서는 처음으로 사내에 통일문제조사연구회가 설치되어 자신이 책임자 자리를 맡았다. 이 기구는 나중에 안보통일문제조사연구회로 명칭이 변경되었다가 2000년에는 동아일보사 부설 재단법인으로 개편, 평화재단으로 성격을 바꾸고 2006년에는 재단 명칭을 동아일보사 부설 화정평화재단으로 바꾸면서 소속 연구소를 21세기평화연구소로 불렀다.

이 기구는 1971년 안보통일문제연구소 당시 첫 출판사업으로 "안보통일문제기본자료집"을 간행하고 뒤이어 같은 자료집의 북한판을 대외비책자로 출판했다.

이동욱은 또한 외부 인사들과 함께 외교안보포럼도 조직했다. 그는 1970년대를 맞아 국내 정치정세가 한층 이념적으로 다양화되어 우리 사회의 안보통일 담론이 중구난방으로 흐르는 것을 방지하려한 것이다. 이에 따라 이동욱은 종교계의 대표로 강원룡 목사 및 군사전문가인 김점곤 경희대교수(예비역 중장)와 손을 잡고 세 사람이 공동으로 안보세미나를 주최했다.

그 첫 모임은 1971년 8월 31일 서울 조선호텔에서 동아일보사 주최로 정계 경제계 학계 언론계 종교계를 비롯한 각계 대표인사 37명이 참석한 가운데 개최되어 한반도의 내외정세를 토의했다. 이날 세미나에서 김용식 외무장관과 김경원 고려대 교수가 주제발표를 했으며, 김수환 추기경도 참석했다. 이 행사는 같은 날자 동아일보 1면에 3단 기사로 자세하게 보도되었다.

이 안보포럼은 그 후 '평화토론회'라는 상설 단체로 발전해 매월

1회 서울 남산의 그랜드 하얏트호텔에서 각계 인사들을 초청한 가운데 안보세미나를 개최했다.

평화토론회는 영국의 차탐하우스 규칙(Chatham House Rule)에 따라 토의 내용은 공개하되 발언자 이름은 대외적으로 공표하지 않는 토론방식으로 세미나를 운영했다.

그 내용은 나중에 단행본으로 출판되어 배포했다. 그 중 대표적인 것이 1994년에 출판된 "냉전체제 이후의 북한과 4강"이다. 세월이 흘러 이동욱 강원룡 김점곤 세 사람이 모두 별세한 다음에는 젊은 학자들이 이 조직을 이어 받아 운영하고 있다.

6. 박정희의 국가비상사태 선언에 크게 실망

이동욱은 1968년 12월 '신동아 필화사건'이 일어나 주필 천관우가 당국의 압력으로 강제 퇴사하자 그의 뒤를 이어 주필로 승진했다. 그러나 그의 주필 자리도 오래 가지 못했다. 불과 2년 만에 그 역시 필화사건으로 회사를 떠나게 된다.

필자는 당시 그가 동아일보사에서 물러나던 모습을 직접 지켜보았다. 1971년 12월 6일 박정희 정부가 유신의 앞 단계인 국가비상사태를 선언했을 때였다. 당시 동아일보 주필이었던 이동욱은 때마침 자유중국 정부 초청을 받고 대만을 시찰하면서 그 곳의 경제발전상과 사회의 안정된 모습에 깊은 인상을 받고 바로 그날 귀국했다.

박정희 대통령이 1971년 12월 국가비상사태를 선언한 것을 보도한 동아일보 지면(1971년 12월 일자).

　필자는 당시 정치부차장으로 재직하면서 그가 소장을 맡아있던 동아일보사의 통일문제연구소 간사일도 겸무하고 있던 관계로 김포공항으로 그의 마중을 나갔다. 예정된 시각에 김포에 입국한 이 주필은 공항의 출구를 나오더니 곧 바로 자기 집으로 돌아갈 생각은 않고, 필자를 공항 커피숍으로 데리고 갔다.

　그는 자리에 앉자마자 대만의 발전상을 자세히 이야기한 다음 한국과 비교하면서 울분을 토했다. 그는 "대만은 우리보다 앞서 경제 개발을 추진하면서 외국차관을 거의 쓰지 않고 국내 자본으로 외국에서 필요한 기계와 기술을 들여와 경제개발을 했기 때문에 우리보다 월등 유리한 가격과 조건으로 구입이 가능했다"고 강조했다.

이어서 "우리도 대만처럼 우리 기술과 우리 자본으로 차근차근 실력을 다져가면서 성장하는 쪽으로 나갔다면 지금은 좀 더 건실한 나라가 되었을 것"이라고 말했다. 그런데 박정희 정권은 "해외에서 외자를 도입해 공장을 짓고 물건을 생산해 해외에 내다 파는 방식으로 경제개발을 한다"고 강조했다. 이동욱은 "외자를 들여와 사업하는 해외의존형 방식은 언젠가는 대가를 혹독하게 지불할 수밖에 없다"고 주장했다. 이 같은 그의 말은 1997년의 IMF 긴급 구제금융을 초래한 외화위기를 예고하는 것이었다,

7. 연거푸 이틀에 걸쳐 박정희를 비판하고 해임 당해

이동욱 주필은 다음날 신문사에 출근해서는 미리 결심한 바가 있었던 듯 동아일보에 박 정권의 국가비상사태 선포를 맹렬하게 비판하는 사설을 이틀 연달아서 실었다. 당시 동아일보는 석간이어서 바로 그 이튿날 그가 신문사에 출근하는 즉시 당일 자 신문에 박정희 대통령의 국가비상사태 선포를 비판한 첫 사설이 나온 것이다.

첫 사설 제목은 "국가안보와 자유민주주의"(12월 7일자)였고, 두

박정희 대통령의 국가비상사태 선포를 정면으로 비판해 이동욱 주필을 강제해직케 한 두 편의 비판사설—왼쪽은 "국가안보와 자유민주주의" 사설(1971.12.7)이며, 오른쪽은 "새 가치관의 문제" 사설(1971.12.8)이다.

번째 사설 제목은 "새 가치관의 문제"(12월 8일자)였다. 앞의 사설은 박 정권이 국가안보를 빌미로 돌연 국가비상사태를 선포해 국민들의 기본권을 제약하려는데 대한 비판이며, 뒤의 사설은 박 정권이 비상사태를 선언하면서 모든 국민은 안보위주의 가치관을 확립할 것을 강조한데 대한 비판의 글이다.

그는 '새 가치관'을 논한 두 번째 사설에서 "최근세사에 있어서 카이젤의 군국주의와 독일의 나치즘을 볼 때 일시적인 전술의 승리는 있었으나 최종의 전략적 승리는 실패로 돌아가고 결과적으로 자유민주체제인 영불 두 나라 앞에서 무릎을 꿇었던 것이 아닌가”라고 반문하면서 우리의 장점과 특성을 살리되 우리의 가치관을 추호라도 저버리는 경우가 있어서는 안 된다고 못 박았다.

이 두 번 째 비판사설이 실린 같은 지면에는 “대만의 오늘과 내일-운명의 열쇠는 민주화뿐”이라는 제목의 이동욱 자신의 대만 기행문이 게재되어 있었다. 그는 이 기행문에서 자유중국 정부가 대만 통치를 성공적으로 수행하고 있는데 있어 가장 중요한 구실을 한 것은 경제번영에 의한 대중복지 향상이라고 지적했다.

대만은 연평균 경제성장율 9.5%라는 수자를 보였다고 강조하면서 특히 주목을 끈 것은 대만경제가 옹달지거나 구석진 데가 없이 발전해 왔다는 사실이라고 상기시켰다. 이동욱은 이어서 구체적으로 도시와 농촌의 격차가 눈에 띄지 않고 대도시와 소도시의 차이도 별로 눈에 띄지 않았다고 설명하면서 수도 타이베이의 시가지를 걸어 다녀 보아도 유달리 높은 빌딩도 없는가 하면 유달리 낮은 건물도 눈에 띄지 않았으며, 호화로운 도둑 촌도 없고 빈민굴도 없었다고 설명했다.

이동욱은 귀국 직후 정부당국자가 언론사 대표를 모아놓고 국가비상사태의 정당성을 홍보하는 설명회에 참석해서도 여러 사람들이 보는데서 정면으로 그를 반박해 더욱 정부 당국의 미움을 샀다.

이동욱의 이 같은 날카로운 정부비판 사설로 인해 그는 결국 신문사를 떠나지 않을 수 없게 되었다. 이 때 박정희 정권은 이 주필과 함께 천관우 전무대우 이사도 강제 해직시켰다. 천관우는 1968년에 신동아 사태 때 박 정권에 의해 강제로 해임 당했다가 얼마 후 복직되었으나 1970년대에 접어들면서 다른 시민운동가들과 연대해서 박정희 독재반대운동을 적극 벌여 당국의 미움을 샀다. 박정희가 3선 개헌을 통해 1971년 대통령 선거에서 당선되자 시민운동권에서는 그의 당선을 영구집권의 시초로 간주했다.

나중에 알려진 사실이지만, 당시 동아일보 사장이자 발행인이었던 김상만은 중앙정보부 지하실에 연행되어 밤새도록 이동욱과 천관우를 퇴사시키겠다는 각서를 쓰라는 압력을 받고 결국 이에 응했다는 것이다. 이동욱과 천관우는 1971년 12월 9일 이사회에서 사표가 수리된 것으로 11일자 동아일보에 보도되었다. 이동욱 주필의 해직으로 그 자리는 고재욱 회장이 겸직하다가 1974년 9월에 홍승면 출판국장이 논설주간에 임명되었다.

8. 해직 3년 후 김상만 사장의 삼고초려 받고 재입사

이동욱이 동아일보에 재입사한 시기는 1975년 2월이다. 그가 1971년 12월에 박정희 정권에 의해 강제 해직된 지 3년 3개월 만이다. 사주(社主)인 김상만 사장이 그의 복귀를 간곡하게 요청했다. 그는 당시 상황을 이렇게 설명했다.

"김상만 사장이 나에게 (회사의) 수습을 맡겼을 때 처음에는 '못 한다'고 버렸지. 그런데 풍수지리에 밝았던 장감산 선생이 "박정희가 조만간 열리게 될 페루 비동맹회의를 의식해서 언론과의 불편한 관계를 오래 끌고 가지는 않을 것이니 걱정 말고 맡으라"는 거야. 그래서 중책을 맡았지. 130여 명의 직원들이 회사를 떠나고, 두 명만 겨우 충원한 상황에서 신문 만드느라 고생이 아주 심했어."

〈월간조선 뉴스룸 2008년 5월호 p. 3〉

이동욱은 이 때 주필 겸 부사장으로 복직한 다음 1977년에 사장, 81년에 회장으로 순차적으로 승진한 다음 83년에 퇴사할 때까지 8년간 재직했다.

그가 1975년 2월 28일 주주총회 의결에 따라 복직했을 때 그의 앞에 닥친 과제는 박정희 유신정권이 동아일보를 옥죄기 위해 감행한 한국언론사상 초유의 광고탄압으로 인해 비롯된 신문사의 경영 위기를 해결하는 문제였다. 이날 주주총회에서는 박정희 유신정권에 의한 광고탄압으로 인한 회사의 수지악화에 대처하는 방법으로 먼저 사장을 제외한 이사 감사 등 임원 10명 중 7명을 감원해 임원을 3명으로 줄이는 동시에 회사의 기구를 축소하는 것이었다.

기구 축소의 책임은 이동욱 주필의 몫이었다. 그는 3월 8일 이사회 승인을 얻어 심의실 및 편집국 기획부와 과학부, 출판국 출판부의 4개 실·부를 폐지했다. 이로 인해 이들 기구에 속했던 사원 18명이 감원되었다. 그러나 이 조치에 대해 편집국 출판국 방송국 소속 기자와 PD들이 조직적인 반발과 제작거부에 나서지 회사 측은 징계조치로 맞섬으로써 사태가 심상치 않게 발전했다.

기구축소와 집단감원에 반대하는 사원들은 경비절감을 위해서라면 기구축소를 할 것이 아니라 전 사원의 급여를 일정액 삭감하는 방안을 선택해야 하며, 더욱이 폐지된 부서에는 회사 측이 싫어하던 한국기자협회 동아일보사 지회의 책임자들이 포함된 것은 모종 저의가 있다고 주장했다. 기구폐지로 야기된 갈등사태는 조기에 해결되지 못하고 시일이 지남에 따라 끝내 동아일보사 역사상 일찍이 없었던 130여명의 집단해고사태로 발전했다.

이동욱은 별세하기 전 까지도 그의 인사조치가 당시로서는 불가피했다고 주장했다. 그는 당시의 상황에 관해서 책상을 치면서 열변을 토했지만 그럼에도 불구하고 마음속에 자리 잡은 그의 정신적 상처는 오래 동안 아물지 않았던 것이 사실이다. 이 사건은 아마도 그의 언론인 생애에 있어서 가장 큰 아픔을 준 사건일 것이다. 그는 당시의 사정을 이병천(李丙天) 전 동아일보 경제부 차장과의 대담에서 다음과 같이 말했다.

"1975년 광고탄압 사태가 발생해 동아일보사는 빈사상태였다. 일민(김상만 사장)이 서울클럽 등에서 5차례 만나 재입사를 간청했다. 나로서는 청와대를 상대로 담판해서 광고 사태를 풀 자신이 없어서 거듭 고사했다. 끝내는 그 분을 만나는 것조차 기피했다. 그 분은 부평(富平) 구석의 내 집까지 찾아 왔다. 당시 심경으로는 동아일보의 장례 치르는 일이나 할 것 같아서 재입사를 하기 싫었다. 그러나 그 때 내 사주를 보니 뜻대로 이루어지는 운세로 나타났다. 내 운세 때문에 동아사태가 풀릴지도 모 른다는 일루의 꿈을 가지고 마음을 바꿔 재입사했다."

〈최희조 전 동아일보 경제부장, '梧軒 李東旭',
한국언론인물사화 제7권, 2010.〉

그는 기구축소와 사원 해직의 경위에 대해서는 이렇게 말했다.

"나는 … 미국 측이 춘궁기에 대비, 도입한 농산물의 하역작업 지연을 내비치면서 언론자유와 민주화 촉진의 압력수단으로 삼았는데 이는 특히 동아일보 구출이 주목적이라고 짐작했다. … 따라서 동아일보 광고 사태는 곧 전기가 온다고 보았다. 나는 기구축소 감원 등을 하지 않더라도 광고탄압을 오래 계속 할 수 없을 것이라고 전망하고 감원을 반대했다. 내 주장에 대해 일민은 비현실적인 것이라 하여 받아들이지 않아 결과적으로 내가 악역을 맡은 꼴이 되고 말았다."

이동욱은 "기구축소와 대량감원 조치가 회사 측과 사원들 간의 일대 분규로 발전할 줄 예상했더라면 자신이 절대로 재입사는 하지 않았을 것"이라고 술회하면서 재입사를 두고두고 후회했다. 그는 이렇게 말했다.

"내가 퇴사 기간 동안에 바뀐 사내의 인적 사항을 너무 안이하게 생각했기 때문에 다시 들어간 것 이다. 한 사람 한 사람 나의 전형을 거쳐 들어온 사람들의 다수 해직사태가 벌어졌다."

이동욱은 2008년 4월 1일, 별세하기 바로 전날 월간조선 편집장 김용삼과 만난 자리에서 김상만 사장으로부터 재입사를 권유받고 고민할 당시 자신의 사주를 보았을 당시의 이야기를 털어놓았다. 이동욱은 이 자리에서도 그가 당시 접촉한 풍수지리의 대가는 장감산 선생이었다고 술회했다. 장감산은 이동욱에게 "박정희는 조만간 열리게 될 페루 비동맹회의를 의식해서 언론과의 불편한 관계를 오래 끌고 가지는 않을 것이니 걱정 말고 맡으라는 거야. 그래서 중책을 맡았지"라고 술회했다고 한다.(월간조선 뉴스룸, 2008년 5월호)

9. 언론통폐합 때 보안사 지하실로 끌려가

복직 2년 후인 1977년에 사장으로 승진한 이동욱은 〈주간 스포츠동아〉를 창간하고, 동아방송 지방국과 TV국 설치 허가를 요청하는 등 사세를 확장하기 위해 애썼다. 그러나 1980년 전두환 등 신군부가 등장하자 또 다시 파란을 맞았다. 전두환 정부는 대대적인 언론통폐합조치를 단행해 그 여파가 동아일보사에도 미친 것이다.

이동욱은 1980년 11월 신군부에 의해 김상만 회장과 함께 서울 용산구 서빙고동 국군보안사령부 지하실로 연행되어 동아방송 포기각서를 강요당했다. 전두환 정권은 동아방송에 대해 "야당 성향을 보이고 있다"며 이를 KBS에 강제 통폐합 시킨 것이라고 '진실화해를 위한 과거사 정리위원회'는 2010년 1월 조사 결과를 발표했다.

언론통폐합에 나선 전두환의 신군부 정권은 동아일보 경영진을 보안사 지하실에 연행해 놓고 "방송국을 내놓지 않으면 동아일보의 존립 자체가 위험하다"며 동아방송 포기각서를 강요했다고 진실화해위 결정문은 밝혔다.

보안사의 집요한 강요에 김 회장은 "혼자 결정할 사안이 아니다"며 거부했다. 보안사 요원들은 "동양방송 등 다른 방송사들도 각서를 이미 썼다," "각서를 쓰지 않으면 나갈 수 없다"는 등 강압과 회유를 거듭했다고 한다. 당시 보안사 직원들은 권총을 차고 있었고 신군부의 방침을 거부할 경우 수사 등 법적 처리를 한다는 계획도 세우고 있었다 한다.

이동욱 사장은 "성명 불상의 보안사 직원이 포기각서를 작성하는 것이 좋을 것이라고 하면서 은근히 이를 거절하면 회사나 나의 신상이 해로울 것이라는 태도를 취했다. 직접적인 폭행을 당한 것이 없다는 것이지 당시의 분위기는 협박적이었다"고 진술했다. 두 사람은 두 시간여 동안 각서 작성에 불응했으나 각서를 작성하지 않으면 동아일보사에 위해가 닥칠지도 모른다는 강박감에 휩싸여 결국에는 '동아방송 허가와 관련한 일체의 권한과 기자재를 포기하고, 이를 KBS에 양도한다'는 각서에 서명할 수밖에 없었다. 그는 동아방송 포기각서에 서명을 강요당하면서 눈물을 삼켰다고 한다.

이동욱은 그 후 1983년 회장직을 마지막으로 동아일보사를 떠났다. 그는 1994년부터 2001년까지는 동아일보사의 장학재단인 동아꿈나무재단의 제2대 이사장을 지냈다.

10. 은퇴 후 칼럼 집필 전념
- 외환위기 7개월 전에 경고

이동욱은 30대 초반의 젊은 기자시절부터 경제논객으로 명성을 날렸다. 그는 1949년부터는 그가 속한 동아일보 이외에 〈신천지〉 〈민성〉 〈자유세계〉 등 외부 월간지에 1개월에도 몇 편씩의 많은 논설을 기고했다. 그는 자유당정권 말기에는 〈사상계〉 등에 신랄한 정치평론도 썼다.

1983년에 동아일보사 회장에서 퇴직한 그는 열심히 신문에 칼럼을 기고했다. 그는 1997년 김영삼 정부 당시 발생한 외환위기를 맨먼저 사전에 경고한 한국의 언론인으로 현재 기억되고 있다. 문제의 명논설은 1997년 4월 17일자 문화일보에 나왔다. 제목은 "외환외

기의 실체를 보자"였다. 정부가 외환위기를 공식으로 인정하기 7개월 전이었다,

그는 이 기고문에서 "지금 우리 경제가 겪고 있는 외환위기가 앞으로 멕시코 경제가 1994년에 경험했던 파국과 같은 것을 재현하지나 않을까 걱정하는 것은 지극히 당연한 것이다. 그런데도 일부 관변 측 식자들 가운데에서는 한국의 외환위기를 멕시코의 그것과 같게 인식하는 것은 잘못이라는 견해도 있는 것은 이해할 수가 없는 일이다"고 엄중하게 경고했다. 만약 그때 정부가 이 같은 경고에 귀를 기울였다면 그 비싼 대가를 덜 치르고 국가적 파국을 피할 수 있었을지 모른다.

이동욱은 그로부터 5개월 후인 1997년 9월 11일에는 다시 동아일보에 '외환위기 대비하자'라는 기고문을 실었다. 이때는 1997년 11월 21일 김영삼 정부가 국제통화기금(IMF)에 긴급 구제금융을 정식으로 신청하겠다고 공식발표하기 2개월 전이다.

그는 이 기고문에서 "주식 값이 떨어지고 환율이 치솟는 한국 상황이 1994년 멕시코나 1997년 태국 말레이시아 등 동남아의 외환위기와 유사하다"면서 한국의 경제 지표들이 안정적이어서 괜찮다고 주장하는 낙관론을 비판했다. 이 기고문은 "한국도 기아자동차 사태 해법 여하에 따라서는 주가 폭락, 환율 폭등이라는 동남아 국가들의 도식에 빠져들지 않으리라고 장담 못한다"고 강조한 다음 "국제수지 적자가 누적되고 외채가 늘고 있는 한 외환위기는 항상 잠재하고 있음을 명심해야 한다"고 경고했다.

이동욱은 2003년 8월에는 당시로서는 아주 고령인 86세의 연세임에도 불구하고 역사왜곡을 한 공영방송을 예리하게 질타하는 "KBS, 역사를 바로 보라" 라는 특별기고문을 동아일보에 게재해 화제가 되었다. 그는 같은 해에는 "일본 지식인의 역사왜곡"(2003년 11월 10일자)을, 다음 해에는 "친일청산 논란"(2004년 2월 9일자), "인민재판식 친일"(2004년 2월 24일자)이라는 기고문을 연거푸 동아일보에 게재해 노무현 정권 아래서의 마구잡이식 친일청산작업을 비판했다.

11. 그가 본 한국의 언론

이동욱은 언론을 그의 천직으로 믿고, 또한 언론의 중요성을 누구보다도 깊이 인식한 평생 언론인이었지만 한국의 언론에 대해서는 평소 상당히 불만이었다. 이동욱이 현직에서 은퇴한 10여년 후인 1995년에 〈월간조선〉은 그해 11월호에서 그를 포함한 한국의 대표적인 원로언론인 8명과의 개별 인터뷰를 통해 한국의 언론에 관해 자성(自省)하는 특집을 마련해 화제를 불러일으킨 일이 있다. 이 자리에서 이동은 한국언론에 대해 솔직한 그의 견해를 거침없이 피력했다.

"한국의 독자들이 참 불쌍해, 참 불쌍해요."

만년의 이동욱―그가 78세 때인 1995년 12월 6일 서울 중구 한국프레스센터에서 열린 제4회 원로언론인 송년의 밤에 참석한 (사진 왼쪽부터) 김용구 前 한국일보 논설위원, 이혜복 대한언론인회장, 신동호 스포츠조선 사장, 이동욱 前 동아일보 회장, 윤임술 前 언론연구원장, 윤주영 前 문공부 장관, 유건호 前 조선일보 부사장.

이동욱은 한국의 신문이 너무도 내용이 빈약하다면서 특히 정치면 기사가 그렇다는 것이다. 그에 의하면, 정치면 기사가 많은 불만의 대상이 되고 있는 이유는 "앞 문장 두서너 줄 읽고, 뒷 문장 두서너 줄 읽으면 1~2분에 정치면 기사를 다 읽어. 아니, 다 아는 이야기를 읽어 뭐 해요. 어떤 기사를 읽으면 어저께 한 얘기를 또 하고 앉아 있어. … (이런 기사들이) 이 나라 정치를 혼란시키고, 싸움을 격화시키고…선거를 필요이상 과열되게 만드는 것 아니오? 정치현상을 보도하는 목탁으로서의 할 일도 아니고, 자세도 아네요. 이게 아주 불만입니다"라는 것이다. 그는 이어 "신문사 정치부라는 것이 정쟁부(政爭部)야. 싸움이나 하는 기사를 쓰는 데야. 정치면이 아니라 정쟁면이이요. 정치면을 정책면으로 바꾸자는 거요."

그는 특히 한국 신문에 정책기사가 소홀히 다루어지고 있는데 대해 크게 불만이었다. 그는 "정책에 대한 기사를 길게 안 씁니다. 정치부 기자들, 그 사람들은 정치인들을 쫓아다니는 깡패처럼 보일 때도 있어요. 정책에 대해서는 한 마디도 못해. 지금 신문기자 출신 (정치인) 중에 정책통이 누가 있습니까?"하고 반문했다. 그는 경제통 답게 자연스럽게 경제기사로 화제를 옮기면서 "특히 독자들이 경제기사는 읽지도 않아요. 신문사에서도 아마 경제기사 읽는 사람이 몇 사람 안 될 걸요. 경제기사는 일반 독자들이 흥미를 읽도록 해야 한단 말이야. (경제 기사를) 써도 총론만 써 각론을 안 쓰고 … 기자들이 책상머리에 앉아 작문을 하고 있어. 일종의 사기지"라고 강조했다.

그러면서 이동욱은 "내가 이야기 하고 싶은 것은 국제문제예요. 우리 한국 백성은 우물 안 개구리입니다. 옛날 우리 조상 때부터 그래요. 중국을 다루려면 중국의 역사를 잘 알아야 합니다. 옛날의 우리나라 엘리트들, 판서니 영의정이니 하는 사람들은 중국에 대해 공부를 하지 않았어요. … 그 때의 한국 엘리트나 지금의 엘리트나 마찬가지야. 그 점에 있어서는 다를 게 없어. 그때는 뭐 AP도 없었고, 뉴욕타임스도 들어오지 않았고, 영어하는 사람도 거의 없다시피 하고, 일본말 하는 사람, 중국어 하는 사람 몇 명 있었을 뿐이었지. 그러니까 지금 한국의 엘리트들이 더 못났다는 얘기야. 현재의 한국 엘리트들이 더 형편없다 이거야"라고 언성을 높였다.

이동욱은 또한 "신문이 (국민들로 하여금) 국제문제에 대한 관심을 갖게 해야 해요. 국내문제도 국제문제와 연결시켜 생각해야 합니다. 그렇지 않으면 맨 날 얻어맞고 살게 됩니다. … 한국의 엘리트들은 나라 건사를 못한다는 생각이 들 때가 있어요. (그들은) 나라를 끌고 가지 못해요. 그것은 뭐냐? 한국의 신문과 잡지는 나라 건사를 못해요. 한국의 저널리스트니 뭐니, 소위 뉴스메이커들과 오피니언 리더들이, 이동욱이를 비롯해서 나라 건사를 못해요. 다 마찬가지요"라고 열변을 토했다.

12. 정계의 유혹 물리치고 평생 언론인으로 생애 마쳐

이동욱이 그의 고향선배이자 대학 선배이며 동아일보 부사장을 지낸 설산 장덕수의 주선으로 동아일보에 입사한 것은 앞에서 설명했지만, 당시 장덕수는 그에게 중앙청 과장 자리를 권했다 한다. 그러나 이동욱은 공무원이 되는 것이 싫어서 사양하고 신문사를 택했다고 한다. 그의 인생행로에 결정적인 시기였던 젊은 시절에 이동욱은 관리 대신 신문사를 택함으로써 평생 언론인의 길로 들어선 것 같다.

그러나 이동욱은 언론계 입문한 다음 한 때는 싫증이 나서 월급이 많은 다른 직장으로 옮겨볼까 하는 생각도 한 적이 두 차례 있었다. 이때는 주변에서 만류해서 언론직을 지킴으로써 언론인을 천직으로 삼게 되었다 한다.

일설에 그는 5·16군사혁명 이후 박정희 정권으로부터 산업은행 총재직과 경제부총리 영입 제의를 받았으나 이동욱을 이를 사양했다고 한다. 또한 이동욱에게는 정계에서도 손짓이 이어졌다. 박정희 대통령이 민정이양을 할 때인 1963년의 제6대 국회의원 총선거 때는 제1야당인 민정당 총재인 윤보선이 전국구 2번을 그에게 제의했으나 이동욱은 거부했다.(월간조선 뉴스룸 2008년 5월호).

이동욱은 1967년의 제7대 국회의원 총선 때도 당시 야당으로부터 비례대표 자리를 제의받았다 한다. 그의 2남인 이기봉 포항공대 명예교수에 의하면, 제7대 국회의원 총선 때는 야당인 신민당 간부가 이동욱으로부터 비례대표 의원직 수락을 얻으려고 집으로 찾아왔으나 이동욱은 이를 거절하기 위해 그 간부가 집에서 떠난 것을

이동욱의 영결식이 2008년 4월 5일 서울 성북구 안암동 고려대 안암병원 장례식장에서 엄수되었다. 영결식에는 유족들과 김학준 동아일보 회장, 김재호 동아일보 사장 등 150명이 참석했다.

외부에서 가족에게 전화로 확인한 다음에야 귀가함으로써 끝내 그를 만나주지 않았다는 것이다.

이동욱은 언론계에서 은퇴한 이후 상당한 세월이 흐른 다음 언론계 근무시절을 회상하는 인터뷰 자리에서 "(동아일보 재직 때) 싫증이 나서 월급이 좋은 다른 데를 두 번이나 가려고 했는데 그 때마다 동아일보에서 놔주지 않았어요. 그 뒤로는 여러 번 유혹이 있었지만 지금에 와서 보면 신문기자가 체질에 맞는 게 아닌가 생각이 들어-"라고 술회했다.(월간조선 1995년 11월호).

그는 또한 다른 기회에는 "송충이는 솔잎을 먹어야 한다"고 강조하면서 "내 사주팔자에는 정치나 기업을 할 운을 타고 나지 않았는데 어떻게 그런 일을 하나. 나는 언론이 천직이야."라고 강조했다.(월간조선 뉴스룸, 2008년 5월호).

이동욱은 언론인으로 평생을 보냈으나 다만 그는 언론인이라는 직업과 양립이 가능한 정부기구나 민간경제단체의 비상임 자문역은 마다하지 않았다. 그는 1961년에 경제기획원 중앙경제계획위원(비상임), 1965년에는 한국은행 금융통화운영위원회 대리위원(비상임)을 지내고, 1971년 12월 동아일보 퇴사 한 다음인 1975년 2월 재입사 할 때까지는 전국경제인연합회 기술조사센터 자문위원을 지냈다.

이동욱은 평소 활동에 비해 언론인으로서 상복(賞福)은 별로 많지 않았던 것 같다.

그는 현직에서 은퇴한 다음인 1988년에 대만 정부가 주는 국제

교류상(International Communication Award)을, 1997년에는 삼성언론재단 특별상을, 2004년에는 서울언론인클럽이 주는 올해의 한길상을 각각 수상했다.

13. 이탈리아 관광 때 부부가 '오솔레미오' 합창

이동욱은 청년시절에는 다정다감한 대학생이었다. 그는 음악을 좋아해 동경 유학 때 개인적으로 성악 레슨을 받았다. 이동욱은 동아일보사에서 퇴임한 후 1980년대 말에는 부인과 함께 이탈리아 관광여행 때 나폴리 남단의 해안도로를 지나는 관광버스 안에서 '오솔레미오'를 원어로 부부가 합창을 했다. 그러자 이탈리아인 버스 운전기사는 차가 달리면 시끄러운 소리가 난다며 버스를 길가에 세워 주었으며, 고희를 넘긴 한국인 노부부가 노래를 이탈리아어로 완창하자 버스 안의 모든 승객들은 뜨거운 박수를 보냈다 한다.

이동욱은 평소에 등산을 좋아했다. 그는 청계산을 자주 오르내렸으며 지방에 가서도 산행을 좋아하고 그 기회에 묘 자리를 보는 것을 즐겼다. 이동욱은 언젠가는 영남 지방과 호남 지방을 두루 돌면서 산행을 하고 돌아와서는 "영남지방의 산세는 험준해서 이 지역에서 군인이나 정치인이 나오기 마련이고, 호남지역은 산세가 부드러워 문인이나 예술가를 배출한다"고 말하는 것을 필자는 들은 적이 있다.

풍수지리에 관심이 많은 그는 묘 자리를 보는 것도 즐겨했다. 아 때문에 그는 이병철 같은 재벌을 포함한 유명인들의 묘소를 찾아서 구경하기를 좋아했다.

그의 묘소인 충남 홍성시의 그의 가족묘 자리도 자신이 직접 고른 곳이다. 그는 자신보다 먼저 차례로 세상을 떠난 부인과 딸을 이곳에 모시고는 자신의 묘터도 옆 자리에 골랐다 한다.

14. 지하철 즐겨 탄 이동욱

이동욱은 성격이 소탈하여 지하철 같은 대중교통 수단을 잘 이용했다. 평소 그는 시내에서 걷기를 좋아하고, 나들이를 할 때는 지하철역까지 걷기를 즐겨했다. 그는 또한 운동 삼아 엘리베이터나 에스컬레이터 대신 계단을 오르내리기를 선호했다.

그는 2008년 4월 2일 아침에도 자택 주변에서 산책을 끝내고 평소처럼 아파트 욕실에서 반신욕을 하던 중 갑자기 별세했다. 향년 91세였다. 유족으로는 장남 권열(사업), 차남 기봉(포스텍 교수) 씨 등 2남이 있다.

장례는 5일 오전 8시 고려대 안암병원 장례식장에서 유족들과 친지, 그리고 김학준 동아일보 회장, 김재호 동아일보 사장 등 150명이 참석한 가운데 동아일보 회사장으로 거행되었다.

그는 충남 홍성군 홍성읍 대교리 선영에 잠들었다.

그의 장례를 치르던 날, 장지에서 하관할 때 모습이 나중에 화제가 되었다. 이동욱의 관을 옮겨놓고 관이 들어갈 자리를 파던 인부들이 웃으면서 대화를 주고받는 가운데 "회장께서 살아생전에는 가끔 여기에 오셔서 우리들에게 용돈도 주고 하셨는데 이젠 글렀다"면서 아쉬워했다 한다. 그는 평소에 이곳을 자주 찾았기 때문에 인부들과도 그 만큼 친숙한 사이가 된 것이다.

필자 **남시욱**

前 동아일보 편집국장
前 동아일보 논설실장
前 문화일보 사장
前 한국신문편집인협회 회장
동아일보사 부설 화정평화재단 이사장

투철한 언론정신과 진솔한 삶으로
사회에 귀감이되고
위대한 위대한 발자취를 끼친
언론계의 거목들

◆◆◆◆◆

『언론계 거목들 1』

대한언론, 편집인협회 초대 회장 **이관구**
언론자유 수호와 국토사랑 대기자 **홍종인**
한국일보 신화창조한 **백상 장기영**
곧은 절개의 언론인 **무향 최석채**
이 시대 사학계의 거목 **후관 천관우**

『언론계 거목들 2』

평생 언론탄압과 싸운 언론인 **고재욱**
통신언론의 거장 **김성곤**
포성 속의 신문기자 **박권상**
전천우 언론인 **방우영**
자유언론의 표상 **선우휘**
언론계의 영원한 신사 **신우식**
영원한 사회부장 **오소백**
프랑스 유학 인텔리 **이정섭**
탁원한 TV방송설계자 **최창봉**

발행처: 大韓言論人會
Korean Journalists Club

통신사 여명기의 개척자
동계(東溪) 원경수(元瓊洙)

1918~1980년

디지털 인쇄의 선봉
해방정국 이끈 언론인

글 ; 김진배(자유기고가, 전 경향신문 논설위원, 국회 2선 의원)

〈동계 원경수 약력〉

서울 출신

연희전문 상과 졸
동맹통신 기자
합동통신 취재부장
민주일보 정경부장
한국통신 편집 부국장
동양통신 편집 부국장
연합신문 편집국장
동양통신 상무~주필~인쇄인
신문회관 부이사장
한국신문편집인협회 부회장~회장
신문윤리위원회 이사
코리아헤럴드 사장

〈수상〉
대한민국 예술문화상
대한민국 은관문화훈장

─ 겨인의 여정(旅程) ─

1. 원경수와 김성곤

동계 원경수(元瓊洙), 그는 누구인가? 김성곤은 1960-70년대 우리나라 10대 재벌의 한 사람이자 집권당의 돈을 한손에 주물은 공화당의 실력자요, 서울 한복판에 통신사와 신문사를 가진 언론 경영자다. 두 사람은 어떤 관계일까? 원경수, 아마 들은 것 같지 않은 이름으로 알 정도의 사람이다.

통신기자에서 영자신문 사장까지 꼬박 40년 동안 언론 한 바닥을 파먹고 산 이 사람은 25년을 김성곤의 신문, '연합신문'과 그의 통신 '동양통신'에서 지냈다. 그런 신문이나 통신도 있었던가? 하고 고개를 갸웃 하는 처지에 원 아무개 이름을 모르는 것은 제헌국회 부의장이 누구인지 모르는 것만큼이나 어찌 보면 당연하다.

"그 사람이 발산할 수 있는 에너지의 총량은 몇 마력이다" 하고 마력으로 재기도 어렵고 그 사람의 기량을 몸 무개나 키로 잴 수도 없다. 한두 장 이력서로는 사람의 제 값이 나오기 어렵다.

"남대문에서 안국동을 향해 가다보면 왼쪽에는 양복점이 즐비해 있었다. 당시의 연합신문은 석간이었기 때문에 가판 경쟁을 치열하게 했다. 초판을 일찌감치 내고 나서는 김성곤 사장과 원경수 편집국장, 편집부 간부들은 명동 입구에 흩어져 있는 설렁탕집으로 자주 갔다.

이 때 두 어른의 스타일에 공통점이 있으면서도 판이한 일면이 있었다. 김성곤 사장은 설렁탕집에 갈 때는 대개 흰 고무신을 질질 끌

다시피 신고 옷차림도 텁텁하게 하는데 반해, 원 선생은 검은 양말에 검은 구두를 즐겨 신고 셔츠 같은 것도 사치하지는 않아도 나름대로 고유한 맵시가 넘쳤다."

1950년대 말의 사장과 편집국장의 풍모이며 지금 롯데백화점 동남쪽 풍경이다. 그건 그렇고, '원경수'라는 사람이 통신사와 신문사의 편집국장을 자기 안방과 건넌방 드나들 듯이 번갈아 가며 책임을 맡을 만큼의 역량은 어디에서 나왔을까?

"편집국장의 모델엔 몇 가지 유형이 있었다. 호탕한 보스 기질로 부하를 술독에 빠뜨려가면서 말없이 끌고 나가는 스타일, 실무를 밝게 알아 지면의 구성이나 기사의 단수 등 까지 세심하게 챙기는 형, 상징적으로 편집국에 눌러 앉아 있으면서도 제대로 굴러가게 하는 형 등으로 대별된다. 원 선생은 이 세 가지 모델 중에서 두 가지는 해당되는 국장이었다."

지금 여기에서 이런 인물평을 한 사람은 원 국장과 함께 연합신문 편집국에서 일한 국장과 부국장 사이다. 원경수 국장의 스타일이 일반적인 편집 총수의 지휘 방침 가운데 어떤 두 가지에 해당 되는지 왜 밝히지 않았을까. 필자는 짐작할 수 없다. 독자들은 그와 같이 일한 다른 사람들의 말을 통해 차차 알 게 될 것이다.

필자는 원 국장의 이름뿐만 아니라 그의 풍모가 내 눈 꺼풀에 확실하게 박혀 있다. 세대도, 고향도, 학교도, 직장도, 그 무렵 언론계의 선배든 후배든 간에 나라와 사회를 보는 눈도 아마 크게 다르지 않았던가 싶다. 단순히 16년의 나이 차이만이 아니다. 그분은 일본

30대의 연합신문 편집국장 원경수 1956년 안양에 있는 김성곤사장 집에서. 맨 왼쪽이 성곡 김 사장, 가운데가 원 국장. 원 국장이 안고 있는 아이는 성곡의 둘째아들 석준.

제국의 식민지 조선에 처음 설치한 국책통신 '동맹통신(同盟通信)의 경성(서울)지사 출범과 함께 40년에 걸친 언론 외길을 한 눈 팔지 않고 붙박혀 있은데 비해, 필자는 해방 이후 14년이나 지난 자유당 말기 경향신문에 발을 들여 놓은 뒤 겨우 20여년 이 곳 저 곳을 전전하며 헤맨 사람이다.

　원 선생과는 식사를 같이하기는커녕 차 한 잔 하지 못했다. 특별히 소원할 일이 있었던 게 아니다. 어쩌다 그렇게 됐다.

2. 총독부보다 먼저 안 항복소식

1938년 봄 연희전문 상과를 나온 20세의 청년 원경수는 사회의 첫발을 언론에서 시작했다. 일본의 단 하나의 국책통신인 동맹통신이 서울에도 지사를 설치한다는 소식이 들어왔다. 이 소식을 들은 연희전문 (연세대) 언더우드 교장은 넌지시 입사를 권했다.

조선 사람이 경영하는 조선 동아가 총독부에 의해 강제 폐간되기 2년 전이오, 조선에 있는 미국 선교사들이 본국으로 쫓겨 가기 2년 전이다. 언더우드 교장은 연희전문을 세운 사람이오, 시내 정동에서 경기도 고양군 신도면 연희리 지금 연세대 터를 잡아 조선 천지에 대학은커녕 반반한 전문학교 하나 없는 서울 시내 중심지에서 8km나 떨어진 버려지다시피 한 하천 부지와 민둥산을 깎아 번듯한 벽돌로 미국 시골의 조그만 학교를 옮겨 온 듯한 4층 건물을 세웠다.

아직 경성제국대학(서울대)이 동숭동에 들어서기 11년 전이오, 보성전문(고려대)이 안국동 서북쪽 전동(磚洞)에서 경기도 양주군 신도면 안암리 역시 하천과 야산을 허물어 유럽식의 화강암 4층 건물을 세우기 16년 전이다.

졸업을 얼마 앞둔 어느 날 언더우드 교장은 졸업할 학생 몇 몇을 불렀다.

"기왕 언론계로 나서려면 새로 생기는 동맹통신도 괜찮을 거요. 통신사는 세계를 무대로 하고 있으니까."

그 무렵 연전 학생들은 언더우드 교장을 선교사나 교장으로만 보지 않았다. 먼 역사 속 책이거나 먼 나라의 우러러 볼만한 선각자를 바로 눈앞에서 보는 듯 했다고 한다. 원경수의 언론계 진출은 "무언가 씌인 것 같다."고 최석채(崔錫采)는 말했다.

정작 1945년 8월 7일 역사의 태풍이 동맹통신 '극비 급전'으로 들어 왔다. 동경 본사에서 온 대동아전쟁(태평양전쟁) 적국인 미국 영국 소련 중국 4대국이 일본에 무조건 항복을 요구한 포츠담 선언을 수락한다는 '어전트'(급전)였다. 동맹통신에서 일하던 원경수, 최기섭, 이응구, 허섭 등은 이 소식을 어렴풋이 듣고 깜짝 놀랐다. 일본 본토에 원자탄이 떨어져도 미적거리던 일본이 '무조건 항복'을 하다니 언뜻 믿기 어려웠다. 며칠 지나며 일본이 항복하면 조선이 일본으로부터 해방되어 독립이 될 것이라는 말이 소곤소곤 떠돌았다. 도무지 알 수 없는 일이오, 짐작 조차할 수 없는 충격이었다. 마침내 이들 조선 출신 기자들은 일본 사람인 지사장실에 들어간다. 다음은 그때 동료의 한 사람이 1991년에 쓴 회고다.

"우리들은 대책을 의논 동계 선생(원경수)을 선두로 총독부 정무총감에게 가서 공표할 것을 요구하자고 의견을 모은 다음 부슬비 내리는 밤 11시 지사장 승용차 리무진을 빼앗아 타고 총독부 정문 앞에 당도했다. 이때 동계 선생이 우리들에게 단독으로 들어가 면대하겠다며 내일 아침 회사에서 만나자며 들어가는 것을 보고 각자 집으로 돌아갔다."

그 이튿날 아침 원경수는 정무총감을 만났다며 다음과 같이 전하더라고 했다.

"정무총감이 하는 말이 자기들도 그 소식을 알고 있다며 8월 15일 동경으로부터 발표가 있을 것인즉 발표를 기다려주라며 15일 전에 발표하면 당신네들(조선 사람들)도 좋지 않을 것이라고 협박 하더라."

엄청난 충격 속에 혹 다소 과장될 수도 있겠으나 8·15 며칠 전에 포츠담 선언 수락-일본의 무조건 항복 소식은 조선 사람은 물론 경성일보나 매일신보 같은 총독부 기관지의 간부조차도 엄두도 못 낼 일이었다. 원경수는 통신기자 7년 만에 엄청난 행운을 자기 것으로 만들었다. 역사의 현장에서 활동하지는 못할망정 그 현장의 뉴스에 접하는 것만도 현장 기자의 엄청난 특권 아닌가!

더구나 조선· 동아가 폐간 당하고 징병이다 징용이다 전시동원이다 하며 마지막 발악을 하며 차별과 수탈의 생지옥 속에서 이런 세기적인, 세계적인, 더구나 식민지 조선의 해방을 가져다주는 엄청난 뉴스가 참으로 은밀하게 들어왔다.

3. 해방통신과 국제통신

1945년 8월 15일 일본의 식민통치에서 이 땅 한반도가 해방되던 날 원경수가 일하던 동맹통신의 수신량은 폭포수처럼 한꺼번에 쏟아졌다. 미군은 멀리 오키나와에서 지루한 격전의 상처를 씻을 틈도 없이 항복문서 조인 준비에 바빴다. 9월 2일 태평양 지구 미 육군사령관 맥아더 원수가 전함 미조리의 갑판 위에서 일본 천황으로부터 항복 문서에 조인을 받아냄으로써 3년 8개월의 태평양전쟁은 끝났다.

하지만 조선 반도에 진주할 하지중장 휘하의 미 육군 24군단은 아직도 오키나와에 머물러 있었다. 중대 규모의 이들의 선발대가 서울에 입성 총독 당국과 항복 절차를 지시하거나 협의 하는데 며칠이 걸렸다. 북위 38도선을 경계로 하여 북쪽은 소련군이, 남쪽은 미군이 일본군의 무장을 해제토록 한다는 미국과 소련 사이의 비밀 협정이 세상에 알려진 것은 해방 22일이 지난 9월 2일 동경에서 일본으로부터 항복을 받던 바로 같은 날이었다.

해방의 감격에 묻혀 38선이 남북 분단의 단초가 되리라고는 아무도 생각하지 않았다. 산은 산대로 있었고 강은 강대로, 심지어 두메산골의 마을도 수십년 수백년 전과 다름이 없었다. 미소 양쪽의 사령부 지도에만 금이 그어졌을 뿐 남북 간에 오고 가는 사람을 막을 군대도 경찰도 없었다. 처음 두세 달 동안은 참으로 이상한 이름만의 경계선이었다.

어떻든 이러한 군사적 공백은 정치의 혼란을 부추겼다. 미군보다 거의 한달 먼저 평양에 진주한 소련군은 일찍부터 총독부 휘하의 행정기관들을 몰아내고 공산주의자들을 주축으로 한 인민위원회를 공식화하여 정권을 굳혀 가는데 비해 남쪽은 몇 달 동안 여전히 총독부의 손 안에 권력이 쥐어져 있었다. 남쪽에서 맨 먼저 정치에 나선 사람은 이른바 건국준비위원회를 표방한 여운형이었다. 언론기관 또한 해방 서 너 달 동안 거의 좌익의 손에 쥐어졌다.

그 해 11월 말에야 조선일보가 복간되고 12월 초 동아일보가 그 뒤를 이었다.

4. 해방 직후 통신사 취재부장

해방 직후 서너 달 동안 한국 언론을 좌지우지한 것은 당시 언론 현직에 있던 기자들 몇 십 명이었다. 동맹통신 7년차 기자인 원경수는 자기가 근무하던 통신사가 해체되자 이를 기반으로 해방통신을 낸다. 1945년 말, 이 통신사가 비슷한 규모의 연합통신과 합쳐 '합동통신'으로 새로 발족하자 초대 취재부장으로 발탁 되었다.

이 합동통신은 일본의 동맹 통신이나 공동통신과 마찬가지로 전국의 신문사를 회원사로 하여 설립되었다. 굳이 '불편부당'이다 뭐다를 사시로 내 걸지 않더라도 여러 회원사의 구미를 맞추다보면 심한 편향은 극복되기 때문이다.

원경수는 연조나 직책으로 보아 우리나라 통신기자의 효시의 한 사람이다. 1938년 통신사 입사 이후 1967년 통신사 편집국장을 세 번이나 번갈아 했다. 가히 통신사 예명기의 개척자요, 선구자로 불릴 만하다.

해방 직후 서울의 언론계에서 붙은 최초의 싸움은 좌우익 문제가 아니었다. 맨 먼저 기선을 잡은 여윤형의 건국준비위원회(건준위)

가 마치 조선총독으로부터 정권을 인수하거나 치안권을 장악한 듯이 비치자, 서울 한복판에서 발행되던 단 하나의 신문 경성일보 (일본어) 와 매일신보 (조선어)는 사장이나 편집 간부들이 눈을 부릅뜨고 있는데도 인민위원회가 장악했다. 현장에서 일하던 극소수의 조선 사람은 어느새 그들의 나팔수로 변신해갔다.

단 하나의 국책통신 동맹통신 경성지사도 마찬가지였다. 그들 통신사 기자들은 해방이 되자 두 갈래로 쫙 갈라졌다. 우선 이 시설들을 누가 운영하느냐 하는 말하자면 재산쟁탈이었다. 이곳에도 엄연히 건준이나 조선공산당의 거센 바람이 불었다. 하지만 통신사는 신문사와는 달리 일본 도쿄 본사의 통신을 받는 것이 고작이고 이러한 일본말 통신을 조선말로 번역하여 정당이나 신문사에 보내는 것이 일이었다.

그때 원경수의 역할은 어떠했는가? 통신사 사사(社史)로서는 처음 나온 '합동통신30년'(1975)은 합동통신의 모태이기도 한 동맹통신의 해방 직후 상황을 다음과 같이 설명하고 있다.

"해방 전 동맹 경성지사에 근무했던 김진기, 홍종옥, 백병흠, 송영훈은 포츠담 선언 수락 외신을 입수한 직후부터 15일까지 사이에 신설동 김진기 집에서 몇 차례 회합, 동맹 지사의 통신기재를 접수하여 우리말 통신을 발간하기로 의견을 모았다…8월 17일 아침 처음으로 우리말 통신인'해방통신'이 동맹의 한국인들 손으로 일간 2편의 창간호를 세상에 선보였

다. 8월말 해방통신에 내분이 일어나 대표인 김진기는 좌익노
선을, 실권을 쥔 총무 홍종옥은 중립노선의 주장 대립이 격
화되었다…9월 초 홍을 주축으로 한 중도계는 김진기 일파를
제거하고 해방통신을 재건키로 결심, 전 동맹의 간부사원 최
기섭을 주간으로 추대하고 역시 동맹의 중견기자였던 원경수,
이형백과 전에 매일신문 기자와 부장을 거친 전홍진, 사진기
자 정범호 등을 맞아 들였다."

해방 당시 서울에 남겨있던 일본의 국책통신이나 서울의 총독부
기관지에서 일한 현역기자들이 마침내 해방정국의 신문과 통신을
장악한다. 중립계로 새로 발족한 '국제통신'은 주간 최기섭, 편집 전
홍진, 취재 원경수의 진용으로 짜여 진다. 일제 강점 하에서 신문과
통신의 기술을 익힌 이들은 해방 후는 물론 6·25전쟁과 숱한 파란
과 격동을 겪으면서도 언론계 주역의 한 사람으로 영향을 미친다.

최기섭(崔基涉; 1905-87년)은 평남 양덕 사람. 보성전문 상과를
나온 지 한참 뒤에야 1937년 동맹통신 경성지사 발족과 함께 입사,
40여년 가까이 통신사 밥을 들었다. 전홍진(全弘鎭; 1909-69년)
은 서울 토박이. 역시 보성전문을 나와 1933년 동아일보 기자로 들
어간다. 동아일보가 폐간되자 매일신문으로 옮겨 취재 부문에서 일
하다 해방이 되자 일약 해방된 조선의 중립적인 최초의 통신 '국제
통신'에서 편집의 총책임을 맡게 된다. 말하자면 전문직으로 테크닉
을 익힌 이들 세 사람이 그 좌우 격돌의 혼란기에 같은 직장에서 일

한 것은 주목할 만하다.

이들 가운데 최기섭과 원경수는 5-6년 뒤 6·25전쟁을 겪고 수복 후 몇 년 뒤에 김성곤이 동양통신과 연합신문에 손을 대자 그와 20 여년 동안 그 자리가 무엇이든 간에 손을 맞잡고 동양통신과 연합신문의 기반을 튼튼히 하는데 헌신했다.

5. 동양통신 군기누설 필화사건

1968년 7월 24일 서울지검 공안부는 동양통신 편집부장 이주호와 사회부차장 김광순 및 사회부 국방부 출입기자 전재열(全在烈)을 군기 누설 및 반공법 위반 혐의로, 사회부장 김홍설을 범인은닉 혐의로 구속했다. 거의 한달 전인 6월 21일 동양통신에는 '전투태세 정비 3개년 계획 확정'이라는 표제 밑에 며칠 전 국회 국방위원회에서 추경예산 제안 설명을 하는 가운데 최영희 국방장관이 한 말을 보도한 것이 빌미가 된 것이다.

이 자료는 공화당 의원들에게 귀향보고 때 쓰라며 나누어준 자료에도 실린 내용이다. 보도한 언론 기사를 보면 아무런 문책 받을만한 일이 아니었다. 하지만 권부에서 보면 그러지 않아도 북쪽의 선전 공세는 날이 갈수록 걷잡을 수 없이 심각해진 것은 물론, 그들의 특수훈련을 받은 김신조를 수괴로 하는 31명의 무장공격조가 청와대 뒷덜미 세검정 고개를 넘어 청와대 바로 뒤쪽 청운중학교 앞까지 진

第1節 東洋通信 筆禍事件

1. 네 記者의 拘束

1968년 7월24일 서울地檢 公安部는 東洋通信 編輯部長 李柱浩와 社會部 部長대우 次長 金光淳 및 社會部 國防部出入記者 全濟烈을 軍事機密 누설 및 反共法 위반 혐의로, 社會部長 金洪崑은 犯人은닉 혐의로 각각 拘束했다.

拘束 이유는 「6월21일 東洋通信 제3便에 '戰鬪態勢 完備 3개년計劃 確定' 題下의 記事를 報道하여 軍事機密을 누설했고 敵을 利롭게 했다」는 혐의였는데, 檢察수사에 앞서 陸軍防諜部隊는 7월20일 東洋 常務理事·編輯局長 元瓊洙와 社會部記者 金泰郁을 連行, 22일 밤까지 계속 조사한 바 있었다.

문제의 記事는 崔榮喜 國防長官이 6월17일의 國會 國防委에서 證言한 것을 報道한 것이며, 그 會議는 國會議員 이외의 數多한 일반인에게도 傍聽이 허가된 가운데 열린 바, 「公開會議에서 발표된 내용을 報道한 記者를 拘束할 정도의 중요 軍事機密을 왜 非公開會議로 進行하지 않았느냐」는 것이 1차적 問題點으로 지적됐다.

동양통신 필화사건을 실은 사사

출, 뒤늦게 출동한 군경과 총격전을 벌리는 사태가 일어나는 정황이었다.

급보를 받은 청와대를 관할하는 종로경찰 서장이 현지에 급히 달려가다 적의 흉탄에 맞아 순직하는 사태가 벌어졌다. 그 뒤 울진 삼척에 나타난 북의 무장공비를 소탕하는데 수만의 병력이 동원될 정도였다. 사태가 아무리 심각하더라도 이에 대비한 전투계획의 보도는 국방 책임자가 국회국방위에서 행한 말과 자료를 토대로 한 것이어서 책잡힐 일이 아니었다.

야당 의원들이 국회에서 들고 일어나고 편집인협회와 기자협회는 언론자유에 대한 중대한 위협이라고 규탄했다.

대부분의 필화사건들이 요란하게 신문사나 방송국 통신사들을 들쑤시어 엄포를 놓을 뿐 제대로 법의 심판을 받기 전에 위협과 언론사의 막후교섭으로 흐지부지 시비곡직을 가리지 못하는 것과는 달리 이른바 동양통신의'군기 누설사건'은 1심은 물론 대법원 판결에서도 전원 무죄가 내려진 필화사건으로서는 드문 선례가 되었다.

2년 반 뒤에 일어난 동아일보의 이른바 '신동아 차관(借款) 필화사건'이 군기누설 사건 이상의 정치적, 사회적 충격을 주었는데도 불구하고 언론계가 정부의 압력에 주눅이 들어 약속이나 한 듯이 방관하거나 침묵을 지킨 것과는 대조된다.

또한 발행인을 김상만에서 고재욱으로 전격 교체하며 천관우 주필을 추방하고 출판 주간인 홍승면과 신동아부장 손세일의 사표를 받는 등 대정부 대응 또한 전례 없는 일이었다. 홍 주간과 손 부장은 다른 명목, 월간 '신동아'에 차관기사를 싣기 1년 전에 이 잡지에 실은 미국에 있는 대학교수가 쓴 '중소분쟁' 기사의 단 한 구절을 문제 삼아 역시 반공법 위반으로 기소했다가 얼마 뒤 재판에 넘기지도 못한 채 흐지부지 되고 말았다.

6. 육군 방첩대, 새벽의 계동 급습

동양통신이 내보낸 이른바 '전투태세 정비 3개년계획'은 신문에 크게 났다. 더러 이 보도를 빌미로 국방부나 군 당국이 내사중이라는 말이 떠돌았다. 편집간부들이 군 수사 당국에 불려가 그 경위를 신문받기도 했다. 남대문로 (지금 롯데백화점 동남쪽)에 있는 동양통신 편집국은 뒤숭숭했다. 어쩌면 무슨 일이 터질지도 모르는 불안에 휩싸였다.

마침내 7월 20일 새벽 4시, 통행금지가 풀리자마자 계동에 있는 한옥을 멀쑥한 옷을 입은 건장한 청년들이 들이 닥쳤다.

"전보요, 전보! 문 좀 열어줘요, 대문을, 광화문 우체국에서 나왔어요."

엉겁결에 그 집 아들이 대문을 열어주자 이들은 우르르 집 안으로 몰려들었다. 이 방 저 방의 벽장이며 옷장까지 샅샅이 뒤졌다.

"원 상무 어디 갔어?" "원경수 어디다 숨겼어!" 이들은 마치 간첩이나 흉악범을 수색하는 것처럼 거침없이 행동했다. 식구들은 이 꼭두새벽 가정집을 쳐들어온 일당들이 누구인지 몰라 숨을 죽였다.

동양통신 상무이자 편집국장인 원경수는 집에 없어 변을 면했다. 하지만 사나흘 뒤 붙잡혀 육군방첩대에 끌려가 혹독한 취조를 받았다. 꼬박 이틀 동안 방첩대(지난날의 특무부대, 오늘의 보안사) 지하실에 연금되었다. 실상 그는 군 수사당국이 통신사 편집국과 관련자 집을 덮치기 전까지는 사건의 전모는커녕 그 경위를 전혀 알지 못했다.

속보가 생명인 통신사로서는 외신을 타고 들어오는 세계적인 뉴스거나 국내의 엄청난 특종보도 외에는 편집국장 석에 텔레타이프의 원문이나 통신 게라(인쇄지)가 놓이는 일이 없었다.

이를 취재한 28세의 국방부 출입기자 전재열은 육군 방첩부대의 수사망이 자기를 목표로 다가오는 낌새를 알자 바로 튀었다. 멀리 갈 재주도 없고 하루 이틀 사태를 관망하자는 생각이었다고 한다.

원경수 편집국장 집을 덮친 그 이튿날 취재기자 전재열이 없자 전 기자가 세 들고 있는 집 주인을 잡아갔다. 전 기자의 부인은 '남편을 어디로 도피시켰느냐?'며 발길질을 당했다. 사회부 차장 김노석의 집이나 편집부국장 설한준의 집도 이들의 점거로 한동안 쑥대밭이 되었다. 한남동에 있는 사회부장 김홍설은 이틀에 걸쳐 가택수색을 당했다.

어느 경우에도 수색영장이나 구속영장 같은 것은 제시되지 않았다. 그것이 그 무렵 군수사기관은 물론 정보부나 경찰이 흔히 쓰던 수법이었다. 사회부장 김홍설의 집에서 이들은 보아란 듯이 떵떵거렸다.

"김홍설은 국가반역죄를 지은 놈이다." 한 집에 살던 김 부장의 사촌 동생은 그들의 행패에 졸도했다.

이 기사를 취재 보도한 전 기자에게는 형법상의 간첩죄가 적용되었다. 형법 98조 2항, 군사상의 기밀을 누설한 자에게도 간첩죄가 적용된다. 걸핏 하면 언론인에게 뒤집어 씌운 '적을 이롭게 했다'는 이적죄가 적용되었다.

어떻든 이 사건은 급기야 최영희 국방장관의 인책으로까지 파문을 던졌다. 편집인협회와 기자협회 공동조사단이 통신사와 국회, 국방, 법무장관과 검찰총장에게 언론에 대한 중대한 위협이라며 항의

하는 사태로 번졌다. 하지만 서울지검 공안부는 끄덕하지 않았다.

기소 4년 뒤 대법원은 원심판결대로 전원 무죄판결을 내렸다. 각각 징역 7년의 구형을 받은 취재기자 전재열과 전광순 사회부장대우는 무죄가 되었다. 징역 4년의 편집부장 이주호도 무죄가 선고 되었다. 두 사람의 국방부와 국회 국방위원회 직원도 모두 무죄선고를 받았다. 원경수 상무 겸 편집국장은 사회부장 김흥설과 같이 처음부터 기소유예였다.

7. 죽어서 일거리 갖다 준 은인

원경수의 아호는 '동계(東溪)'다. 언제부터 어떤 연유로 이런 아호를 쓰게 되었는지 모르겠다. 더러 가까운 동료나 집안 수하 사람들은 '동계' 또는 '동계 형님' '동계 선생'으로 불렀다고 한다. 하지만 정작 자신은 '아호'라는 걸 별로 좋아하지 않은 게 아닌가 싶다.

해방 전후 문인이나 정치인들이 흔히 아호를 쓰는 것을 자랑으로 여겼는데, 그는 이를 썩 반기지 않고, 마음에도 들지 않았기 때문이었는지 모르겠다.

1991년, 마침 원경수 선생의 10주기를 맞아 내는 추도문집 책 제목을 정할 때였다. 고인과 아주 가까운 최석채 윤임술 윤주영 이런 분들이 모여 상의하는 자리에 고인과는 별 관계없는 자리에 필자가 끼었다. 사람 서넛이 옥작옥작하는 눈꼽만한 출판사 탁자에서 '언론인 동계 원경수'라는 추모문집을 결정하는 작명 순간이다.

이런 저런 책 이름이 이 분들의 입에서 나왔다. 지명도에서 언론계의 대가들이다. 특히 기사의 제목 뽑는데 평생을 바친 개성이 강한 분들이지만 갑론을박까지 갈 것 없이 누군가 고개를 갸우뚱 하기만 하면 자기주장을 더 펴지 않는다.

"《언론인 원경수》 어때?"

"좀 밋밋하지 않아요?"

"그럼 '동계 원경수'면 어떨까? 아! 참 김진배 씨, 전에 당신이 쓴 '가인 김병로' 책 이름 하나 좋더라."

"동계? 우리 끼리나 허물없이 부르는 이름이지, 누가 그런 호를 알기나 하나? 성곡 같은 사람도 '쪼비'라거나 김성곤이라고 해야 아! 그 양반 하고 알아주는데…."

그만큼 그의 아호는 널리 쓰여 지지 않았던 듯하다.

필자는 원경수 선생과 단 둘이는커녕 여러 사람과도 차 한 잔 같이 한일이 없다. 참으로 우연하게도 필자가 이런 저런 곳을 돌아다니다가 혼자서 끄떡거리며 입에 풀칠을 하는 가운데 댓평 되는 사무실 한쪽에 출판사 간판을 단지 얼마 뒤 마침 이 세분들이 느닷없이 찾아 왔다.

이 어른들은 모두들 거칠 것 없이 호방하고 자유로운 분들로 비쳤다. 긴 말이 필요치 않았다.

"김진배 씨 잘 됐다. 우리가 돈도 대고 자료도 모아줄 테니까 원경수 씨 전기(傳記) 하나 써주어, 출판도 여기서 하면 좋겠다."

"원경수 씨요? 제가 잘 모르는데요."

"아니! 원경수를 몰라? 아! 동양통신 연합신문 원 상무를 모르다니!"

"알지요, 에스케이 꼬붕, 그 양반 얼굴은 알지요. 하지만 어떤 분인지, 언론계에서 어떤 일을 하셨는지 그걸 모른다는 말입니다."

"됐다. 요즘 많이 바쁘나? 다른 사람 누구 쓰는 거 있나?"

대학 선배인 윤주영 전 장관은 잠자코 내 눈치만 살피는데 내가 직접 모셨던 두 경상도 선배들은 그저 막 무가내다.

"됐다! 가자, 며칠 뒤 토요일에 들릴 테니 원경수 집필 계획서 좀 만들어 봐요."

필자로 보면 원고료나 출판비를 흥정할 처지가 아니었다. 기회가 하늘에서 떨어진 셈이었다.

8. 과유불급(過猶不及) 2등 정신

훤칠한 키에 가무잡잡한 얼굴, 휘젓고 다니는 걸음 거리, 누구든 만나기만 하면 손을 번쩍 들거나 상대 손을 덥석 쥐는 이 양반의 모습이 필자의 망막에 지금도 생생하게 꽂혀있다. 어쩌면 아주 성급한 사람처럼 보였다.

왕년의 방송앵커로서 시청자를 쥐어 잡던 봉두완은 이탈리아 영화 '라 스트라다'에 나오는'안소니 퀸'같다고 했다. 원경수와 봉두완은 학교로 치면 20년 차요, 언론계 발붙인 연조 또한 20년이 넘는다.

봉두완이 입으로 파격적인 대우를 받고 인기를 누린 것과는 달리 원경수는 수입이나 인기와는 관계없이 입이 거칠었다.

어느 날 원경수는 봉두완을 만나자 대뜸 시비였다.

"야! 너희들 여기 모여 앉아 무슨 작당을 하고 있니? 별 것도 아닌 것들이."

"아니! 이 양반이 돌았나? 누구더러 별 것도 아니라고 하는 거야? 자기도 별 수 없으면서…."

이런 장면도 있었다고 한다.

"TV 앵커면 다야, 얼굴도 못생긴 게…."

"자기 얼굴은 어떻구…. 시커멓게 털만 많이 나가지고…. 내 원 참! 별 꼴 다 보겠네."

봉두완이 30년 전 원경수 추모문집에 쓴 글의 한 대목이다. 필자는 이 원색의 설전을 보면서 원경수의 모습을 어렴풋이 떠올렸다. 아니 이런 원색의 말들을 그대로 싣도록 한 '내가 아는 원경수의 친구들'이 바로 원경수 같은 툭 트인 사람이 아닐까 건너짚어진다.

필자는 큰 신문사의 청탁으로 인물전을 쓴 일이 있다. '가인 김병로'의 전기도 썼고, 햇빛을 보지 못한 미발표 원고로 묻히고 말았지만 본인들의 부탁을 받고 허정, 윤보선 같은 큰 인물들의 전기도 썼다. 어떤 재벌의 사사 편찬 책임을 맡은 일도 있다. 하지만 어떤 연유였는지 그 주인공의 전 생애를 마치 본받아야 할 큰 인물로 화장해

놓아야만 물주가 마음을 놓을 것이라는 그런 분위기였던 느낌이다.

'언론인 동계 원경수'만큼 자유롭지는 않았다. 어설피 안다는 것이 자기 제약이나 편견을 가져올 수 있다는 것을 새삼 느꼈었다. 더구나 많지 않은 보수나마 필자에겐 큰 돈 이었다. 살아계실 때 별 인연이 없던 원경수 선배는 돌아가신 뒤 한 모금 감로수를 가져다 준 은인이 되었다.

지금 생각하면 원경수 선배의 인품은 그 분에 이어 코리아 헤럴드 사장을 지낸 최서영 사장의 말처럼 "자신의 행동거지를 미치지 못할지언정 지나치지 않도록 자제해온 분"이 아닌가 싶다.

"우리 언론계에서는 정권이 바뀔 때마다 숱한 사람이 관계나 정계로 뛰어들어 무엇이든지 해보겠다는 참여파가 속출했다. 그러나 그 가운데서 평가를 받을 만큼 처신한 사람이 몇이나 되는지 돌이켜 보면 적자투성이의 손익서만 남은 것이 솔직한 현실이다. 이렇게 볼 때 원 사장은 참여도 거역도 아닌 어찌 보면 이것도 저것도 아닌 듯 하나, 언론의 본분을 관철하려는 외길을 용케도 걸어온 성공자가 아니었나 생각된다."

31년 전 최서영 씨가 고인의 10주기 추도문집에 실은 글이다. 성곡 김성곤이 흔히 말하던 '2등 정신'이랄까!

9. 왜 한 눈 팔지 않았을까

남이 어떻게 평가하든 간에 외길을 걸은 사람은 나름대로 자기만족을 한다. 하지만 사람의 발자취를 자세히 보면 그런 기회가 없어서 그런 경우도 있고, 자기가 몸담고 있는 자리에서의 인간적인 정이나 오랜 습성으로 엉덩이가 무거운 경우도 있다.

이력서만 보아가지고는 쉽게 알기 어려운 곡절과 연유가 있는 법, 원경수라는 사람은 성곡 김성곤과 만나기 전 10년 동안 몇 개의 신문사와 통신사를 옮겨 다녔다. 화려한 초년병이었다.

1945년 해방은 당시 현역이던 몇 사람의 언론인과 함께 언론 재건에 나선다. 동맹통신, 경성일보, 매일신보 모두 일본 정부나 조선 총독부의 통제 아래 놓인 언론 매체들이다. 이들은 동맹통신을 접수하고 해방통신을 발행한다. 그 한 사람이 원경수였다. 아직 미군 진주하기 전이오, 동아일보와 조선일보 복간 전이다. 합동통신이 발족하자 원경수는 초대 취재부장의 책임을 맡는다. 여운형의 건준은 '매일신보'를 접수하여 '조선인민보'를 찍어 내고, 조선은행권을 찍어내는 단 하나의 정판 인쇄시설 '고노자와인쇄소'를 손아귀에 넣은 조선공산당은 '해방일보'로 사람들의 발걸음을 멈추게 했다. 아직 우익지라고 할 만한 신문은 나타나지 않았다.

그 공간을 매운 것이 비교적 중립적인 합동통신이었다. 원경수는 막 창립한 이 통신사의 초대 취재부장으로 발탁 된다. 약관 27세였다. 30세에 윤보선의 민주일보 정경부장, 이어 32세에 한국통신 편집부국장으로 승승장구했다. 1945-50년의 5년 동안 그는 말 그대로 해방 공간과 건국의 대 역사를 증언하는 책임 있는 기록자의 한 사람이었다.

여기서 성곡 김성곤(省谷 金成坤) 과의 만남이 시작된다. 1952년 야심찬 중소기업인 김성곤이 부산에서 동양통신을 인수하자 편집부국장으로 발탁된다. 그 전에 6·25가 터졌다. 떵떵거리던 기업인이고 내노라 하던 언론인이었지만, 한강 다리를 폭파하고 남쪽으로 내려간 '대한민국'을 따라갈 힘은 없었다. 100만 가까운 서울시민 가운데 적치하의 서울을 탈출한 사람은 불과 몇 만 명을 넘지 못했다.

사람 평가하기가 짜기로 알려진 최석채는 30여 년 전 필자에게 두 사람 관계를 설명했었다.

"참 지금 생각하면 김성곤이나 원경수나 정말 대단한 사람들이었소. 대구사람이나 개성사람이나 이것저것 재볼 것 없이 사람 그릇 하나 보고 딱 붙었단 말이오."

김성곤과 원경수의 만남은 운명적이었다. 서로 알고 지낼 인연이 없었다. 적치하의 서울을 빠져 나가지 못하고 한여름 석 달 남짓 고통을 함께 겪었다는 것 외에는. 그런 두 사람인데 1952년 35세부터 1973년 56세까지 원경수는 21년 동안 바늘과 실처럼 김성곤과 붙어살았다. 원경수가 연합신문이나 동양통신의 어느 자리에 서 일하게 하거나 일하던 간에 그들은 그 자리가 높든 낮든 직위를 개의치 않았다. 그때그때 편한 대로, 필요한 대로 일했다고 한다.

9·28 수복 이후 정부는 서울로 돌아왔다. 그리고 1953년 휴전으

코리아 헤럴드 원 사장의 예술문화상 수상 1975. 앞줄 가운데가 원 사장, 왼쪽부터 장남 태균 내외. 홍순범 업무국장, 원 사장 왼쪽 이 조동원 이사, 둘째 줄 왼쪽부터 계광길 주필, 한 사람 건너 박선태 자재부장

로 전쟁은 끝났다. 하지만 서울은 폐허 그대로였다. 서울 남대문로, 지금 롯데백화점 동남쪽에 조그만 빌딩에 동양통신의 간판을 달 았다. 이 새 사옥에서 37세의 원경수는 편집국장의 책임을 맡는다. 1950년대 30대의 최초의 편집국장으로 기록 되었다. 1954년에서 1967년까지 원 국장은 세 차례나 이 자리를 맡았다. 자유당 말기 1957년에서 60년 4월, 4·19혁명으로 김성곤이 경영하던 연합신문 이 문을 닫게 되자 '연합' 편집국장이던 그는 바로 3년 전에 맡았던 '동양' 편집국장 자리로 다시 돌아왔다. 바깥 풍파는 거세었다. 그러 나 그런 세파도 김성곤과 원경수를 갈라놓지는 못했다.

　김성곤의 덕망인가? 원경수의 재치인가? 부산 피란시절부터 오랫동안 동양통신에서 같이 일한 이지웅의 말을 들어본다.

"말과 판단력에서 그의 비상한 재치를 엿볼 수 있다. 어떤 어려운 일이라도 반드시 성사시키는 설득력과 능숙한 교제 수완을 겸비하고 있었다. 언제나 남의 일로 동분서주 했다. … 원 선생은 명편집자였다. 1952년 4월 피난수도 부산 광복동에서 창간된 동양통신사에서 원 선생은 쏟아져 들어오는 내외신 기사를 고르고 다듬어서 어쩌면 그렇게도 적중한 표현의 제목을 손쉽게 뽑아 붙였다. 매끄러운 기사처리 솜씨는 말 그대로 전광석화였다."

10. 디지털 인쇄의 선구자

원경수는 김성곤의 사람이다. 원경수의 이름 석 자는 동양통신, 연합신문, 성곡언론재단을 떼어놓고 말하기 어렵다. 그래서 사람들은 그가 피를 나눈 듯이 가까웠던 20여년 동안의 인연을 떠나 낯선 영자지 '코리아 헤럴드' 사장으로서 한 일은 잘 모른다. 오늘날 모든 인쇄 매체는 콜드 타입 인쇄매체 아닌 곳이 없다. 하지만 1970년 대 초만 하더라도 인쇄공장에서 납덩이를 없앤다는 것은 꿈도 꿀 수 없었다. 역사가 오랜 신문, 발행부수나 재정사정과 관계없이 그토록 미국식을 따라온 경영자들은 요지부동 '우리식'대로 나갔다. 이런 신문 제작 방식을 한꺼번에 바꾸어 가히 신문 인쇄의 혁명을 일으킨 사람이 대한공론사의 운영을 맡은 원경수 사장이다.

1974년 12월 원 사장은 미국 컴퓨터그래픽사 및 영국 데이텍사로부터 출력용 전자 사식기(본문용 2대, 제목용 1대, 범용기 2대) 와 입력용 펀치기 8대, 교정용 펀치기 도입을 끝냈다. 마침내 석 달 뒤인 그 이듬해 1975년 3월 수십년 동안 써오던 납을 부어 만들던 인쇄방식을 과감하게 버리고 전자사식기로 영자신문을 찍어내기에 이른다. 말년의 그의 왕성한 의욕은 36면에서 48면으로 지면을 늘렸다. 거기에다 국제판을 따로 찍었다. 뉴욕에서도 코리아 헤럴드를 찍어 냈다.

이러한 인쇄기술의 세기적인 혁신에도 불구하고 전례 없는 엄청난 투자는 회사의 적자운영을 가속시켰다. 이를 다루는 기술자의 교육 훈련과 수리 보수 비용도 만만치 않았다. 누가 이런 고통을 알아 줄 것인가.

코리아 헤럴드로 원 사장을 모셔온 박선태 씨는 말한다.

"그때만 하더라도 CTS 하면 신문 만드는 자재 속에 끼지도 못한 조그만 부자재로 알고 있었어요. 정식 수입품목으로 되는데 몇 년이 걸렸지요. 거기에다 고장이 나면 외국기술자들이 와야만 기계가 돌아가는 겁니다."

같은 영자지이면서도 한국일보 자매지인 '코리아 타임스'가 1984년에야 이런 시설을 하게 되고, 그 이듬해 1985년 국문 일간지로서는 최초로 서울신문이 효시가 된 것은 그때의 사정을 눈앞에 보이듯

고인의 훈장증과 묘비

밝혀준다.

　이러한 그의 업적은 그가 세상을 떠난 지 11년 뒤에야 그의 동지
이자 친구들 몇 사람에 의해 새삼스럽게 찬란한 빛을 밝혔다.

　최석채, 윤임술, 윤주영 등 10여명이 《언론인 원경수》 문집을 만
들 준비를 할 때만 해도 이 분들 생각은 "원경수 선생이 참 안 됐다.
멀리 LA의 딸 네 집에서 병마에 신음하다 항공기 화물칸에 실려 온
사람, 추도식마저 변변히 해드리지 못했으니 조그만 문집이라도 하
나 만들어 묘비 앞에 올리면 어떨까?"하는 그런 심정이었다.

　어느 날 이런 이야기 저런 이야기 하다 최석채가 넌지시 말했다.

　"원경수 그 사람, 15년 전에 죽었으면 훈장이라도 줄만한 사람인

데….”

“다른 건 몰라도 우리나라 최초로 CTS를 도입한 한 가지만 기지고도 그냥 감추어 둘 사람은 아닌 것 같아요.”

“어이 윤 장관! 그것 좀 알아봐요. 필요한 자료가 모아지면 우리가 훈장 상신을 하지 뭐!”

사람을 알려면 그 친구를 보라 했다. 죽은 원경수를 위해 일을 꾸미는 최석채 윤임술 윤주영 이 세분의 언론인들은 1920년대 출생해서 1950-70년대 우리 언론계 한 귀퉁이를 주름 잡은 분들이다. 상하 관계가 없을 뿐만 아니라 특별한 은고(恩顧)도 없는 듯하다. 하나같이 아주 개성이 강한 사람, 성깔을 멋대로 들어내는 성격의 사람들이다.

원경수가 무엇이 잘났다고 살아서 30년 죽어서 10년 뒤까지 그 사람 원경수를 위했을까? 어찌 이들뿐이겠는가? 선배든 후배든 원경수의 친구들은 마침내 그의 묘비 앞에 은관문화훈장을 봉헌하기에 이른다.

필자 **김진배**

前 경향신문 기자
前 동아일보 기자~부장
前 경향신문 논설위원
前 국회의원(2선)
현대사·헌법 연구

老當益壯 언론인의 표상

소로(素露) 이혜복(李蕙馥)

1923~2013년

기자는 天職 실천한 일생
국군 '평양 탈환' 세계적 특종

글 ; 박기병(대한언론인회 회장, 6·25참전언론인회 회장)

〈소로 이혜복 약력〉

경기도 양평 옥천 출신

서울중앙고 졸업
보성전문 상과 2학년 재학 중에
학도병 징집, 소련군 포로수용소 탈출
민주일보 수습기자~사회부 기자
경향신문 사회부 종군기자
동아일보 사회부장~부국장~도쿄 지국장
언론중재위원회 위원~부위원장
KBS 해설위원~해설주간~연수원장
대한언론인회 7~11대 회장~명예회장~고문
종군기자동우회 회장
6·25참전언론인회 고문

〈수상〉
금성화랑 무공훈장
자랑스러운 중앙인(중앙고교)
정민문화상
서울언론인클럽 언론상 한길상

1. 정론 보도(正論 報道)의 언론일생

지구촌에 '한국전쟁'으로 각인된 6·25전쟁 당시 종군기자로 활약하며 혈기왕성했던 언론인 소로(素露) 이혜복(李蕙馥 ; 1923~2013년) 기자의 '국군 평양 탈환 입성기(入城記)'는 동족상잔의 처참한 한국전쟁사는 물론 우리 언론사에 영원하고도 귀중한 불멸의 증언으로 남을 한편의 드라마이다.

평생 언론인으로 초지일관하며 대한언론인회 회장~상임고문으로 언론문화 창달에 사랑과 열정을 쏟다가 향년 91세로 세상을 하직한 그의 언론생애는 정론 강직 명필의 서사시를 엮어낸 거보(巨步)였다.

종군기자, 사회부장으로 빛났던 이름 소로(素露) 이혜복 선생은 90성상(星霜)을 올곧은 자세로 언론 보도 가운데 사회부문에서 새로운 지평을 열고 언론인 복지를 위해 선구자적 역할을 해온 이시대 언론계의 큰 어른이다. 23세 혈기왕성하던 1946년 언론계에 투신한 이래 90 춘추(春秋)를 맞기까지 언론현장과 언론기관, 단체에서 한 평생을 보냈다.

1950년 6·25전쟁이 터지자 종군기자로서 전장을 누비며 전투상황을 생생하게 보도하여 명성을 날렸거니와 특히 60년대 동아일보의 성가를 올리는데 주도적 역할을 했다. '종군기자' '명사회부장'으로 빛나는 족적을 남긴 소로(素露)의 언론일로(言論一路) 기록은 우리 언론사에 또 하나의 귀중한 증언으로 영원히 빛날 것이다.

2. 왜정 말기 학도병에 끌려가 고초

1923년 경기도 양평에서 태어난 소로는 서울중앙고보(중앙고)를 졸업하고 보성전문(현 고려대) 상과 2학년 재학 중에 일본군 학도병으로 징집되어, 중국 허베이성(河北省)에 주둔한 북지 파견대 '고로모(衣)' 부대에 배치됐다. 그 부대는 고량(수수) 밭 천지인 그곳에서 활약한 중국 공산당의 주력군, 곧 인민 해방군 팔로군(八路軍)을 소탕하는 전투부대였다.

팔로군과 일진일퇴의 공방전을 전개하면서, 남만주 철도가 지나는 태평천으로 이동해 일·소(日蘇) 전투에도 대비해 폭탄을 짊어지고 소련 전차에 뛰어들어 자폭하는 모의훈련까지 받았다.

"키가 178cm로 큰 편이라며, 경기관총 사수(射手)를 하라고 하기에, 몸이 아프다 둘러대고 빠졌다. 경기관총 사수는 최전방 전투병이라 적의 표적이 되어 살아남을 수가 없었기 때문이다. 어느 날 일본군 하사관이 육군경리학교 지망자를 뽑는다고 해서, 보성전문 상과를 다닌 나는 기회가 왔다고 여기고 지원했다. 다행히 뽑혀 신징(新京)으로 가서 육군경리학교에서 교육을 받았다. 그때 대좌(대령)가 '1개 분대에 38 소총 두 자루 꼴'이라며 한탄하는 것을 본 나는 '일본이 망할 날이 머지않았다'고 느꼈다."

1945년 8월 9일, 소련이 일본에 선전포고하자 이혜복은 하얼빈으로 이동한 고로모 부대로 복귀명령을 받고 지린성(吉林省) 공주령(公主嶺)으로 갔다. 그곳에서 소련군의 포로가 되었다.

"포로가 워낙 많아 수용이 어렵게 되자 소련군은 학교 등 공공건물에 철조망을 치고 장교에게 감시를 맡겼다. 감시 장교는 '탈출해 나가면 중국인에게 맞아 죽는다'고 협박했다. 그의 말을 들으면서도 탈출만이 살 길이라고 결심하고 수제비를 먹으며 버텼다. 우연히 심부름을 나갔다가 동포들의 귀띔으로 포로들이 시베리아로 간다는 사실을 알고 야반도주(夜半逃走)했다."

이혜복은 먹을 것과 옷가지를 중국인에게 주고 옷을 바꿔 입었다. 중국인으로 위장한 뒤 공주령 시내에 위치한 한국교민회를 찾아가 은신했다. 그곳에서 여비를 마련, 신의주행 열차에 몸을 실었다.

"길거리에는 떡과 국수 등 먹을 것이 많았지만, 내 행색이 거지꼴이라 '저리 가라'고 쫓아냈다. 신의주 인민위원회를 찾아가 하룻밤을 지내고, 16km를 걸어서 용천군 남시(南市)에 도착해 구세주를 만났다. 돈 있는 '부자가 짐꾼 노릇을 하면 여비를 주겠다'는 것이다. 그 덕에 금교(金郊)를 거쳐 개성까지 내려왔다."

이혜복은 소련군의 눈을 피해 38선을 넘어 서울 창신동 집으로 돌아왔다. 그가 돌아오자 어머니와 아버지(李寅求, 한의사)는 "아이고! 아들이 살아 돌아왔구나!" 하며 반겼다. 영양실조였던 몸이라 기름진 음식을 주로 먹었다. 귀국한 지 닷새 만에 맹장염에 걸려 수술을 받았다.

> "복학하려고 보성전문학교를 찾아가니, 교명(校名)은 '경성척식경제전문학교(광복 후 환원)'로 바뀌었고, 이상훈 학장은 '너는 졸업생으로 처리됐다'고 한다. 재학 중에 학도병으로 끌려갔다가 탈출해 왔는데 졸업했다고? 어이가 없었다. 그때 유진오(兪鎭午) 학생처장(뒷날 고려대 총장)은 '학도병으로 끌려갔다가 왔다'는 말을 듣고, '등록기일이 지났으니 내년에 다시 오라'고 했다. 복학의 꿈을 일시 접었다."

3. 스물셋에 언론계 첫발

을지로 거리를 걷다가 전봇대에 붙은 '민주일보 창간, 기자모집' 광고를 보았다. 1946년 5월 창간을 앞두고 기자를 뽑았는데, 수염을 기른 50대도 시험을 치렀다. 100여 명이 응시했는데 5명이 합격해 '민주일보 창간' 기자가 되어 언론인의 길로 접어들었다.

그때 입사 동기는 박진원(마포경찰서 수사계 역임), 이한용(신문

윤리위원회 위원장 역임) 등이었다. 민주일보는 함경도 출신 해운업자인 안병인(安炳仁) 씨가 돈을 대고 김연현(金演鉉, 가수 패티김의 아버지) 씨가 전무로 경영을 맡았다.

"사회부에 발령받았다. 그땐 기자 수습기간도 없었다. 데스크는 한상직(납북) 차장, 부장은 시인 김광섭 씨였다. 서울시청과 정동의 법원 출입을 동시에 맡았는데, 장교동 본사에서 두 군데를 커버하기가 어려워 법조(法曹)만 출입했다."

스물셋에 언론계로 들어선 이혜복은 언론현장과 언론기관, 단체에서 한 평생을 보내는 동안 90성상(星霜)을 올곧은 자세로 사회부문 언론보도에 새로운 지평을 열고, 언론인 복지를 위해 선구자적 역할을 하면서 한국 언론계에 큰 족적을 남겼다.

6·25전쟁이 터지자 종군기자로서 전장을 누비며 치열한 전투상황을 생생하게 보도하여 필명을 날렸고, 휴전 이후엔 동아일보 사회부장으로 60년대 동아일보의 성가를 올리는데 주도적 역할을 맡았다.

소로 이혜복에게는 '일제 말 학병징집, 포로수용소 탈출, 발로 쓰는 현장기자의 저력, 망백(望百)의 슈퍼스타, 언론일로(言論一路) 반세기를 학(鶴)처럼 살아온 올곧은 사회부장의 전형, 상선약수(上善若水) 같은 고고한 삶, 살아있는 전설의 사회부장, 불언실행(不言實行)의 언론인, 대한언론인회와 종군기자회, 참전언론인회 등의 초석을 놓은 진정한 언론인, 고령에도 식지 않은 뜨거운 애국 열정, 초지일관으로 생애를 떠받친 신뢰, 시류에 편승하지 않은 지조, 영원한 언론인' 등 갖가지 수식어가 붙었다.

4. 해방정국 '정판사 위폐사건' 취재

소로는 법조계를 출입하는 동안 '조선정판사 위폐사건(朝鮮精版社 僞幣事件)'을 보도했다. 이 사건은 해방직후인 1945년 10월 20일부터 6회에 걸쳐 조선정판사 사장 박낙종 등 공산당원 7명이 위조지폐를 발행한 사건이다. 그때 한반도는 중도파 중심의 좌우합작 시도, 조선공산당의 신전술 전환, 남조선 좌익 3당 합당과 분열, 북조선로동당 창당, 남조선로동당 창당, 9월 총파업, 10월 항쟁, 남조선 과도입법의원 출범 등으로 무척 혼란스러웠다.

우물 안 개구리 같은 식견을 가진 용공주의자, 공산주의자들은 소련과 중공이 아시아는 물론 세계를 공산주의로 장악할 것이라는 허상에 들떠 있었다. 소련과 중공의 지원을 받은 김일성이 한반도의 주인이 되는 것은 시간문제라고 보았다. 남한 공산주의자들의 수괴인 남로당 박헌영은 여러 정치세력이 난무한 가운데 경제력이 제일 취약한 것에 한탄하며 전전긍긍했다.

그 무렵 박헌영은 일제 치하에서 조선은행권을 인쇄하던 소공동 74번지 근택빌딩 인쇄소에 일제 지폐의 원판이 있다는 보고를 받았다. 골수 빨갱이인 김창선이 정판사 평판과장으로 재직할 때 일제의 패망 소식이 들려오자 남몰래 100원권 원판(징크판) 등을 훔쳐 보관하고 있다가 박헌영 라인에 보고한 것이다. 박헌영은 재빨리 인쇄소를 접수하여 조선정판사로 개칭하고, 이곳을 위조지폐 발행 장소로 꾸민 뒤, 위조지폐 발행의 총책임자로 박낙종을 임명하고 실행에 들어갔다.

1945년 10월 20일 조선정판사 회의실에서 사장 박낙종, 서무과장 송언필, 재무과장 박정상, 기술과장 김창선, 평판기술공 정명환, 창고계주임 박창근 등이 비밀리에 모여 위조지폐를 인쇄, 공산당에 제공할 것을 결의하고 행동에 돌입, 여섯 차례에 걸쳐 위조지폐 1200만 원을 위조하여 박헌영에 제공했다.

거금을 거머쥔 박헌영은 남한뿐만 아니라, 북한의 김일성까지 따돌리고 권력을 장악해 한반도의 주인으로 등극하려는 헛꿈에 빠졌다. 그는 "권력은 총구가 아닌 돈에서 나온다!"고 자만하면서 승리를 위한 건배를 들었다. 그러나 위폐를 만드는 현장 직원들의 입단속과 보안을 소홀히 했다.

위조지폐를 대량으로 찍어내던 인쇄공들은 저녁에 술집에서 "혁명사업도 좋지만, 우리를 홀대한다."며 불만을 터트리고 빳빳한 신권으로 술값, 팁을 뿌렸다. 눈치 빠른 여종업원이 주인에게 알리고 '오라버니'로 통하는 정보형사에게 알렸다. 마침내 미군정청 검경들이 박헌영의 자금줄인 조선정판사를 기습, 범죄자들을 일망타진 체포했다.

1946년 5월 15일 수도경찰청장인 장택상은 "조선공산당원들이 정판사에서 1200만원 어치의 위조지폐를 찍어 유포한 사실이 드러났으며, 관련자들을 체포했다"고 밝혔다. 이때 이혜복 기자의 월급이 600원이었으니 1200만원은 엄청난 위폐였다. 정판사에 둥지를 틀었던 공산당은 압수 수색을 받은 뒤 건물에서 쫓겨났고 건물은 천주교회가 불하받아 경향신문이 들어섰다.

5. 종군기자 1기생의 행운

"우리나라에서 '종군기자'라는 명칭이 처음 생긴 것은 6·25 바로 전이었다. 당시 신성모 국방장관은 군 출입기자들도 군사지식을 숙지하고, 최소한의 군사훈련을 익혀 두는 것이 공비토벌 부대에 종군(從軍)하는 데 유익할 것이라고 판단했다.

훈련 시기는 1949년 9월 하순에서 10월 초순까지 10여 일간, 장소는 태릉 육사, 당시 육사 교장은 이한림 대령(1군사령관 역임), 교수는 김웅수 장군(6군단장 역임), 나중에 6·25 이후 후퇴 당시 보도과장을 지낸 박석교 대위도 교관 중의 한 사람이었다. 훈련을 마치자 국방장관 명의의 '종군기자 수료증'을 수여, '종군기자'라는 공식명칭이 생겼다. 종군기자 1기생은 20여 명이었다."

'종군기자' 1기생은 이혜복(자유신문), 조창섭(조선일보), 최경덕(동아일보), 김진섭(동아일보), 장명덕(합동통신), 박성환(경향신문), 허승균(경향신문), 김군서(국제신문), 이지웅(연합신문), 최기덕(태양신문), 전인국(KBS 아나운서), 한응태(중앙통신), 김우용(서울신문), 이월준(자유신문), 조용하(KBS), 이재옥(연합신문), 임학수(대동신문), 한규호(서울신문) 등 18명이었다. 그 밖에 6·25전쟁 이후 행방불명된 이모(국제신문)와 윤모(조선통신)까지 합해 20명이다.

훈련이 끝난 뒤 육본 정훈국 보도과장 이창정 대위 인솔로, 강릉

8사단(사단장 이형근 대령), 원주 6사단(사단장 류재흥 대령), 38선 접경지역 군부대 등을 순회 시찰하며 견문을 넓혔다.

이혜복은 '여순반란사건' 취재가 종군기자의 첫 무대였다. 서울신문 한규호 기자와 사건 발생 일주일 만에 취재 현장으로 내려갔다. 그는 "여순반란사건 직후, 여수 돌산도에서 총격전이 계속 벌어졌던 현장을 취재했고, 그 무렵 습격당한 경찰서에 선혈이 낭자한 현장도 목격했으며, 구례까지 들어가 지리산 공비토벌 상황도 취재했다"고 밝혔다.

그때만 해도 군 당국의 보도관계 진용이 지금처럼 완비돼 있지 못한 시기였다. 이창정 보도과장 밑에 정훈1기 출신인 보도 장교들이 군 관계기사 보도, 검열업무를 담당했으나 전시(戰時)가 아니었던 만큼 사전검열은 없었다. 6·25남침 이전인 1949년부터 38선 전역에선 산발적으로 북한군의 국지전 도발이 있었다. 그해 5월 초의 개성 송악산전투, 5월 21일의 옹진전투, 10월 4일의 은파산전투 지역을 종군기자들이 둘러보며 현장을 취재했다.

그가 경향신문으로 옮긴 것은 1950년 6월 15일, 6·25전쟁이 터지기 열흘 전이다. 광복 이후 '소작쟁의(小作爭議)' 기획기사를 눈여겨본 경향신문 오종식 사회부장이 스카우트했다. 뒷날 동아일보로 옮겨 편집부국장, 도쿄지국장 등을 역임했으며 한국방송공사로 이적해 KBS 해설주간, 방송연수원장을 지낸 뒤 1983년 정년퇴직했다.

퇴직 후에는 언론중재위원회 부위원장, 대한언론인회 회장을 지냈고, 6·25참전언론인회를 창립해 고문직을 맡아왔다. 그가 고인이

된 뒤 김귀제 전 경향신문 정치부장은 '발로 쓰는 현장기자', 권도홍 전 동아일보 편집부장은 '망백(望百；100살을 바라보는 나이)의 슈퍼스타'라고 고인을 평가했다.

6. 전선 누비며 '전황(戰況)' 알려

6·25전쟁 첫날 취재 지시를 받은 이혜복 기자는 김수종 사진기자와 함께 취재용 차량인 윌리스 지프를 타고 동두천 주둔 1연대로 달려갔다. 긴박한 상황을 모르는지, 국도(國道) 옆 논에서는 모내기하는 농부들의 모습이 평화롭게 보였다.

부대에 도착한 즉시 이혜복 기자는 우선 '전황(戰況)이 어떤지?'에 대해 지휘관의 설명을 들으며 취재했다. 지휘관은 "염려 없다"며 사로잡은 공산군 포로와 노획무기를 보여주면서 겁에 질린 포로에게 "소련식 행진을 해 보라!"고 명령하는 여유도 보여주었다. 그 포로와 노획 병기의 사진을 찍고, 지휘관의 코멘트를 들은 뒤에 곧 서울로 돌아와 단숨에 기사를 써냈다.

"국군은 용전분투(勇戰奮鬪) 중이며, 침공한 적은 곧 분쇄될 것"이라는 낙관적 내용에 "이 기회에 밀고 올라가 통일의 기회로 삼아야 할 것"이라고 주관적인 평가 한 줄까지 덧붙였다. 그날 1면 톱에 실린 기사 첫머리에 그의 이름 '이혜복 특파원' 석 자가 큰 활자로 찍혀 나왔다. 당시는 조석간 4면을 발행하던 때였다.

이혜복 기자는 "전봇대 위에 올라가 다급하게 통신을 교환하던 통신병들의 목쉰 언성(言聲), 차츰 다가오는 듯한 은은한 포성(砲聲)이 마음에 걸렸다"고 썼다. 그날 일본 아사히신문도 "한국의 전황 상황은 괜찮으냐?"며 걱정하는 전화를 걸어왔다. 이틀 후 전황이 크게 밀리면서 서울은 공포 분위기에 휩싸였다. 그는 '설마 내일까지는 괜찮겠지'라는 막연한 기대 속에 해질 무렵 명륜동 집으로 걸어갔다. 그때 이미 전차운행이 끊긴 상태였다.

"오늘 밤 지내고 내일은 한강을 건너야지…라고 마음먹고 부모님께 말씀드렸는데, 불안했다. 명륜동 뒷산 허리에 올라 멀리 미아리고개 능선에서 분전(奮戰)하고 있는 국군을 바라보다가 잠자리에 들었다. 거센 빗소리에 간간이 들리는 포성, 기왓장이 부서지는 폭음에 잠이 깼다. 이튿날 '인민군이 들어왔다'는 소리가 들려 대문을 나서니 명륜동 앞 큰 거리, 창경궁으로 통하는 대로로 인민군 전차와 삼륜차, 보병 대열이 줄지어 밀려들었다. 명동 쪽을 나가 보니 홍종인 조선일보 주필이 황당한 표정으로 공산군 행군 대열을 바라보고 있었다."

그 뒤 법조(法曹)기자로 활동할 때, 지금은 사라진 간통죄로 고소당한 남녀의 '1호 재판'을 취재하는 기회가 생겼다.

"상하이에서 사업하는 기업인이 첩을 두자 본부인이 간통죄로 남편을 고소했다. 간통죄 사건 공판이 열리던 날, 법원 건물은 입추의 여지없이 방청객이 꽉 들어찼다. 소로는 운 좋게도 변호사들 옆자리에 앉아 재판을 취재했다. 지금 생각하면 조금 우습지만, 그때 이지적으로 생긴 본부인이 울부짖던 모습이 생생하다."

이혜복은 초년병 기자 시절, 송진우· 장덕수· 여운형 등의 암살사건이 집중적으로 발생하면서 어려움을 넘겼다. 6월 25일 북한군이 남침하자 종군기자 훈련을 받은 기자들은 1차로 전선에 투입됐다. 6월 28일 새벽, 북한군 선봉부대가 서울에 진입했다. 김현수 육본 보도과장은 당시 정동에 있던 KBS방송국에 들어갔다가 미리 침투해 있던 북한군 저격병과 마주쳐 총격전 끝에 전사하고 말았다.

이런 판국에 종군기자들 대부분은 서울을 빠져나가지 못했다. 종군기자 대부분은 서울에 남아 9·28 서울수복 때까지 공포 속에 3개월을 숨어 지낼 수밖에 없었다. 소로는 "미군이 참전했다"는 사실에 크게 고무됐다. 일주일쯤이면 다시 국군과 미군이 밀고 올라올 것으로 기대했던 것이다.

명륜당 앞 광장을 지나가다가 '민보단(民保團)' 단장을 인민재판으로 처형하는 광경을 목격한 그는 몸서리를 쳤다. 소련군 포로 시절 이야기를 담은 〈소련아 잘 있거라〉라는 반공(反共) 책자를 인민군이 본다면 꼼짝없이 죽임을 당할 것이라고 여겼다. 그 줄거리는 소련군 포로로 잡혀갔다가 북으로 돌아온 학도병 15명을 공산당이 프락치로 내려 보냈다가 군 특무대에 의해 일망타진된 이야기였다. 겁에 질려 책을 불태웠다.

더구나 "내일부터 나와 함께 일하자"고 집까지 찾아왔던 윤모 기자(모 통신사 국방부 출입, 월북)의 얼굴이 떠올라 "우선 피하고 보자"고 결심하고, 약수동 고모 댁으로 갔다. 그러나 서울에서는 견디기가 힘들 것 같다고 판단, 7월 초 다시 양평 고향집으로 내려갔다. 고향집에 은거(隱居)하는 석 달 동안 다행히도 신문기자 생활 불과 3년 남짓한, 풋내기 기자였기에 시골사람들이 '기자'라는 사실을 알아보지 못해 천만다행이었다. 그의 피란생활은 석 달 만에 끝났다. 인천상륙작전의 성공으로 10월 초순 국군 제6사단 19연대 수색대가 양평마을에 들어서면서 악몽에서 깨어났다. 여기서 북진 선봉 1사단을 따라가는 행운을 잡았다. 이혜복은 숨겨뒀던 군복을 꺼내 입고 '종군기자증'을 내보이고 북진하는 군 차량에 편승, 서울로 돌아와 곧바로 경향신문에 복귀했다.

7. 종군기자로 북진 취재

이혜복은 '어느 부대에 종군할까?'하는 판단이 서지 않아 고민에 잠겼다. 출장명령을 회사에서 미리 받은 다음 무작정 정훈국으로 달려갔다. 그 날이 10월 17일이었다. 행운이랄까, 그날 정훈국에 나타난 1사단 정훈부장 안중식 소령이 한 마디 던졌다.

"평양으로 갑시다. 곧 떠나요."

그 순간, 김우용(서울신문), 김진섭(동아일보) 두 기자가 성큼 안소령 지프에 올라타는 것을 보고 이혜복도 반사적으로 그 차에 뛰어올랐다. 그 차엔 안 소령과 보좌관, 3명의 종군기자와 정훈부 사병 2명 등 모두 7명이 탔다. 서울을 떠난 일행은 고랑포 나루에서 임진강을 건너 계속 북으로 달렸다. 황해도 신계에 닿은 것은 그날 초저녁 무렵이었다. 사단본부가 이미 수안으로 떠난 뒤였다. 그날 밤 이혜복 등 종군기자들은 수안의 사단 전방 CP(지휘소)에서 하룻밤을 보냈다.

국군 1사단이 이처럼 전속력으로 진격을 하는 데는 까닭이 있었다. 평양 진공작전을 맡은 미 제1군단장 프랭크 밀번 소장은 당초 작전계획에 미 24사단을 평양 탈환 선봉부대로 지정했다. 바로 그때 평양 출신 백선엽 국군 1사단장은 미 1군단사령부를 찾아가 "평양 탈환작전에 국군 1사단을 꼭 참가시켜 달라"며 군단장을 설득했다.

그는 "나는 평양 사람이라 이곳 지리에 밝을 뿐 아니라 '적의 수도인 평양을 국군이 탈환해야 마땅하다"고 눈물로 역설했다. 밀번 소장은 백 사단장의 마음을 이해하고 미 제24사단 작전구역에 1사단을 포함시켰다. 진격준비를 갖춘 1사단은 10월 11일 고랑포에서 38선을 돌파, 북진을 계속해 북한 인민군 17기갑연대 일부 병력을 사미천 부근에서 격파하고 계속 북상, 다음 날 구화리 근방에서 동쪽으로 북진해 온 제1기병사단 예하연대와 조우했다.

"국군 1사단은 평양 선봉 탈환부대로 미 1기병사단과 경쟁을 하게 됐다. 그런데 기동성에서 상대가 되지 않았다. 백 사단장은 '미군부대가 먼저 진격하는 대신, 미군 탱크 21대를 1사단에 배속해 달라'고 요청했고, 미군과는 달리 진격로를 산간 협로(峽路)로 택해 평양으로 돌진해 들어갔다."

10월 18일 아침, 1사단이 평양 동남쪽 상원(祥原)으로 향하고 있을 때 미 제1기병사단은 신막을 탈환, 평양에 접근하고, 영국 연방군 27여단 선봉부대는 황주를 점령, 계속 북진 중이었다. 1사단 주력부대는 10월 19일 오전 10시 40분쯤 대동강변 선교리에 도달했다.

8. 국군 '평양 탈환' 세계적 특종

백선엽 사단장 차가 앞장서고 그 뒤에 석주암 대령(참모장), 이혜복 기자가 뒤따랐다. 석 대령이 탄 지프가 대(對)전차 지뢰에 걸려 뒤집히는 바람에 석 대령은 다리를 잘라내는 큰 부상을 당했다.

강 건너 평양 시내를 향해 포격을 개시할 무렵, 건물 속에 숨어 앉아 반격을 시도하는 적들을 소탕하는 시가전이 격렬하게 벌어졌다. 그 때의 상황을 이혜복은 이렇게 회고했다.

"총탄이 비가 오듯 쏟아지는 사이를 뚫고 선교리로 다가서
는 국군을 향해 '대한민국 만세!' '국군만세!'를 외치며 시민
들이 달려 나왔다. 그들은 건물마다 널려 있던 김일성과 스탈
린의 초상화를 뜯어내 짓부수기도 하고, 국군의 진격을 가로
막는 장애물을 스스로 철거하기도 했다."

이런 감격스런 장면이 연출된 지 10여 분이 지났을 때다. 이혜복
기자는 황주 쪽에서 올라온 미 제1기병사단장 호바트 게이 소장이
선교리에 도착해 백 사단장과 역사적인 악수를 나누는 것을 목격했
다.

"평양에 먼저 들어오기 위해 치열하게 경쟁했던 두 사람이
반갑게 악수를 나눴다. 중간에 밀번 군단장이 두 사람에게
뭔가 이야기를 했다. 그때 미군 종군 외신기자들은 평양 돌입
상황을 우리에게 물으며 취재에 열을 올렸다."

이혜복은 "평양 대동교 앞 백선엽-게이 장군 악수장면을 지금도
잊을 수 없다. 그때 통일을 눈앞에 둔 것 같이 흥분했던 그 순간을
기록할 카메라와 녹음기만 있었더라면…, 지금도 두고두고 후회막
급"이라고 아쉬워했다.

"이 역사적인 승전보를 빨리 보도해야 된다"는 생각으로 머릿속이
복잡했다. 군 당국에 특별 차편을 간청, 지프 한 대를 배정받아 서울

로 달려와 평양 탈환 첫 보도기사를 써서 각 신문사에 '풀(pool)' 하기로 타협을 보았다. 해질 무렵 서울행 지프가 달리기 시작했다. 그 차에는 이혜복 기자, 정국은 아사히신문 특파원, 그를 보좌하던 정 모 씨가 탔다.

서울 도착은 다음 날 새벽 4시 반, 정국은 특파원 일행을 내자호텔에 내려주고 명륜동 집에 들어가 잠시 눈을 붙인 다음 아침 7시께

'평양탈환' 기사가 실린 1950년 10월 21일자 경향신문 1면

신문사로 가서 단숨에 기사를 써 내려갔다. 그날 석간 1면 톱에서부터 2면, 3면 모두 평양 탈환 기사로 메워졌고, 평양에 두고 온 두 기자와의 '풀' 약속도 지켰다. 당시 경향신문 10월 21일자 한문 혼용의 기사엔 이혜복 기자의 현장감이 그대로 생생하게 넘쳐흘렀다.

38선을 넘어 북진할 때는 경향신문 사회부 종군기자로 국군 1사단의 '평양 탈환' 기사를 특종 보도했다. '세계 전쟁 사상 경이적인 작전, 국군 정예 선착 도하' 제목의 특종기사를 송고했고, 신문은 1면 톱기사로 실었다. 그 때 소로는 27세 청년 기자였다. 당시 기사는 한문과 한글을 혼용해 다음과 같이 작성 보도했는데, 여기서는 한문을 괄호 안으로 표기한다.

[평양 대동교에서 본사 특파원 이혜복 19일발
(平壤 大同橋에서 本社 特派員 李蕙馥 19일發)]

상원(祥原)을 탈환하고 18일 하오 평양으로 향하는 공로(公路)를 북진 중이던 아군(我軍) 5816부대는 18일 하오 12시경 평양 동남방 지점 구릉지대에 의거하여 완강한 저항을 시도하던 적의 방어선을 돌파하고, 공륙호응(空陸呼應) 맹공격을 개시하여 탱크부대를 선두로 후퇴이산(後退離散)하는 적을 급박(急迫), 드디어 동일 오전 10시 반 최선봉 부대의 일부가 평양시 동남방 공장지대 돌입에 성공하였다.

이리하여 동일 오전 12시 반 동(同)부대 주력은 대동강 남안(南岸) 평양시 중심부인 선교리에 도달, 대동강 도하점(渡河

點)인 대동교(大同橋)를 완전 확보하여 적도(敵都) 평양시 탈환(奪還)에 있어 결정적 역할을 하였다. 동일 전투에 있어 직접 진두지휘를 하여 포연탄우(砲煙彈雨)를 무릅쓰고 부하장병과 같이 시내 중심부로 돌진하던 부대장 백선엽 준장은 국군부대보다 약 40분 뒤늦게 선교리에 도달한 미(美) 제 1기갑사단장 '게이' 소장과 대동교 앞에서 감격적인 악수를 교환하였다. 선교리에서 합류한 한미양군(韓美兩軍)은 대동교 철교 및 인도교가 모두 적에게 폭파되었음을 확인하고, 도하작전(渡河作戰)을 위하여 우선 대동강 북안(北岸) 적진지에 맹포격을 개시하였다…(중략).

적군은 평양시 고수를 기도하였음인지 시가지 주요도로에는 50미터 간격으로 흙 가마니를 쌓아 올리고 시가전(市街戰)을 준비한 형적이었으나, 동시에 진입한 국군부대의 진격이 너무도 급했기 때문에 도주(逃走)할 기회를 놓친 소수 패잔병(敗殘兵)들의 발악적 저격을 받았을 뿐 아군은 다른 저항을 받지 않고 유유히 시내 중심부까지 도달하였으며 시민의 열광적 환호리(歡呼裡)에 감격적 진주(進駐)를 행하였다. 현재 전투상황으로 보아 20일 오후까지는 평양 전시(全市)의 패잔병이 완전 소탕될 것으로 보인다.(하략)

"윤전기가 돌기 시작하자 한창우 사장께 요청해 경향신문 500부를 지프에 싣고, '경향신문 제호 동판(銅版)을 한 장 달

라'고 해서 주머니 속에 간직하고 다시 평양으로 달렸다. 38
선 넘어 도시와 농촌을 지날 때마다 승전보로 가득 찬 신문
을 나눠주었다. 신명이 절로 났다."

'평양 탈환' 특보는 완벽한 한 편의 전쟁드라마였다. 그날의 경향
신문을 받아본 북한 동포들은 감격해 눈물을 흘렸다. 그런 시민들
을 본 그도 감동했다. 이혜복 기자는 신계, 수안, 상원, 평양시내 곳
곳에 평양 탈환 기사가 실린 경향신문을 내붙였다. 그날 저녁 무렵,
종군작가 최태응 씨가 국방부 정훈국에서 기관지를 내기로 한 인쇄
소(후에 평양일보가 잠시 발행되던 곳)에서 '경향' 제호를 넣어 현지
판 호외(號外)를 발행하도록 도와주었다. '평양을 탈환했고, 김일성
일당을 한만(韓滿) 국경으로 추격하고 있다'는 내용이었다. 호외를
나중에 받아본 한상우 사장은 "잘 했다! 출장비에 보태라"며 상금 2
만원을 줬다.

9. 대한언론인회 초석 다진 거인

소로 이혜복은 대한언론인회 초석을 놓고 제7대 회장에 선임된
이래 8~9~10~11대 회장을 계속 연임한 뒤 고문을 지내며 전무후
무한 회장 5기 연임의 진기록을 남겼고, 6·25참전언론인회를 창립해
고문직을 맡아왔다.

대한언론인회 제7대 회장에 취임, 인사말을 하는 소로 이혜복

　기자 시절 공정한 보도와 온화한 성품으로 언론계 후배들의 존경을 받았던 소로는 궂은 일 어려운 일들을 마다하지 않고 솔선수범한 거인이었다. 평생 언론인으로 일관한 저력, 한 분야에서 특히 언론계에서 반세기 이상을 일한다는 것 자체가 결코 쉬운 일은 아니다. 해방정국을 거쳐 전쟁과 휴전, 5·16 군사정권, 민주화 물결의 거센 흐름 속에서 험난했던 언론계에서 한 평생을, 한 눈 팔지 않고 한 우물을 파왔다는 것은 대단한 결심과 강한 의지, 불굴의 정신이 아니고서는 이룩하기 힘든 결단의 인생행로라 여겨진다.
　소로의 이 같은 언론 외길은 역대 정권의 변화 속에서 갖가지 풍상을 다 겪으면서 가시밭길을 지혜와 기지로 극복해온 집념의 결실

대한언론인회 회장 취임하고 나서 국립현충원 서재필 애국지사 묘소를 참배(오른쪽)

이며 장엄한 족적이라 하겠다. 권위주의 정권이 들어설 때마다 언론은 항상 정의로운 정도(正道)를 걸어야 한다는 신념을 보여준 참 언론인, 진정한 스승이었다.

나는 소로와 언론이라는 열차에 동승해 난세의 세월, 격동의 역사를 조명해온 평생의 동행자였다. 소로는 언론계 선배로서 또 6·25전쟁의 종군기자로서 참전용사였던 나를 이끌어주고 보살펴주었다. 명사회부장으로 사회의 목탁이었고, 방송인으로 KBS의 소신 있는 해설위원으로 성가를 올린 언론인기도 하다.

나도 언론계에서 신문과 방송을 넘나들며 반세기 넘게 봉직했고, 소로가 기틀을 다져놓은 대한언론인회 회장으로 마지막으로 언론문화 창달과 진흥을 위해 봉사하고 있지만, 소로의 언론철학을 늘 존경하며 반면교사로 삼고 있다.

내가 소로와 교분을 쌓은 인연은 역시 대한언론인회였다. 1989년 송구영신의 길목에서 대한언론인회 회원으로 가입하면서 소로와의 언론인 동행자의 인연이 맺어졌다. 그 뒤 소로는 1994년 1월 대한언론인회 제9대 회장으로 연임되면서 나를 이사로 선임했다. 이로써 소로와의 동행자 인연은 더욱 굳어졌다. 이런 저런 일을 함께 하면서 그때마다 소로의 진솔한 모습에 감동되고 매사를 분명하고도 절도 있게 처리하면서 난제를 풀어 나아가는 리더십을 지켜보았다.

인생사에서 한 번 맺어진 인연을 지켜간다는 것도 소중한 자산이다. 소로 이혜복 선배가 1990년부터 2000년 1월까지 10년 동안 제7대에서 제11대까지 다섯 차례에 걸쳐 대한언론인회 회장직을 모범적으로 수행하고 퇴임한 뒤에도 우리의 각별한 인연은 계속 돈독해졌다.

10. '6·25참전언론인회' 결성의 산파

2010년 7월 역사적인 6·25참전언론인회를 결성하면서 또 다른 인연의 고리가 깊어졌다. 이 때도 나는 이사가 되어 소로 선배와 동행자가 된 것이다. 2012년 4월 6·25참전언론인회 정기총회에서 소로 선배는 나를 차기 회장으로 추대하여 떨어지려 해도 떨어질 수 없는 인연을 이어가게 되었다.

내가 소로 선배와 일하면서 배우고 느낀 점은 부지런하고, 매사에 치밀하며 빈틈이 없는 신중함, 정도와 원칙을 지키는 강한 의지, 편애하지 않는 탁월한 리더십, 하고자 하는 일에 관한 한 타의 추종을 불허할 만큼의 강한 신념과 남다른 추진력 등이다.

소로의 그런 집념과 의지로 오늘의 대한언론인회가 궤도를 다졌고 6·25참전언론인회도 제 길로 접어들었다. 대한언론인회는 물론 6·25참전언론인회가 지향하고 추진해야 할 일들이 산적해 있다. 어려움이 있지만 소로의 집념과 의지, 정신만은 높이 받들어야 할 것이다.

1977년 4월 97명의 회원으로 발족한 4·7언론인회를 사단법인 대한언론인회로 위상을 격상하고 초창기 기금으로 적지 않은 3,000만원 기금조성에 앞장서고, '대한언론상'과 '효행상' 제정, 이슈별 대토론회 개최, 역사문화탐방, 체력단련 행사, '한국언론인물사화(韓國言論人物史話)', '우리는 이렇게 나라를 지켰다' 발간 등 괄목할만한 사업들을 진행했다. 이런 일들은 소로의 집념과 언론철학이 바탕이 되어 역동적으로 펼쳐온 결과물이다.

퇴직 언론인 단체가 단순한 친목단체로 안주해서는 안 된다며 기회 있을 때마다 역설하고 활기 넘치는 단체로 위상을 드높였으며, 사단법인으로 격상한 것도 소로의 탁월한 추진력과 뜨거운 열정, 숨은 공로의 결실이다.

나는 2007년 3월 강원민방에서 물러나면서 소로 선배에게 퇴임의 글을 드렸는데, 뜨거운 격려의 말씀을 담은 답서를 주셔서 나의 심금을 울려주었다.

"강원민방의 발전을 위해 빛나는 업적을 남기고 자유로운 위치로 물러난다니, 수고 많으셨다. 그간의 노력을 치하하며, 앞으로 대한언론인회에서 퇴역 언론인들을 위해 힘을 모아 달라. 나도 이제 뒷전에서 뭔가 도우려는 마음은 앞서지만 역시 90을 바라보게 되니 내일을 예상할 자신이 점점 줄어든다. 그러나 끝까지 버틸 결심으로 매일을 지낸다."

이런 내용의 회신이었다. 후배와 대한언론인회를 아끼는 애틋한 마음이 정감 있게 담긴 이 서신을 다시 보며 소로 선배의 고매한 인품, 자상한 사랑을 다시 떠올렸다.

6·25참전언론인 35명과 종군기자 43명 등 총 78명의 이름을 새긴 명패를 국방부와 프레스센터에 헌액, 자유와 평화 수호에 기여한 언론인을 예우하며 감사함을 전한 고고한 인품, 위국 헌신의 정신, 동족상잔의 비참한 전쟁에 참전해 대한민국의 자유와 평화를 수호하고 선진 조국 건설의 토대를 마련한 언론인들의 빛나는 공헌을 기억하게 한 숭고한 기자정신은 한국 언론사의 귀감으로 영원할 것이다.

'기자는 천직(天職)'이라며 격동 반세기 현장을 누비며 역사를 기록해온 평생 언론인, 공정과 정도(正道)를 걸어온 한길 언론인, 90

성상 학(鶴)처럼 고고하게 정론을 펴면서 노당익장(老當益壯)을 보이시다가 이승을 떠나 하늘나라를 여행하며 후배 언론인들을 굽어보고 계실 소로 이혜복 선배의 자상한 모습이 새삼 그리워진다.

고려 말 3은인 목은(牧隱) 이색(李穡) 후예인 이인구(李寅求 ; 한의사)-조관호(趙琯鎬)의 3남 4녀 중 막내로 태어나 방봉세 여사와 결혼, 평생의 반려자로 해로(偕老)하고, 충원, 양원, 향원 2남 1녀를 남기고 떠난 소로의 장례를 대한언론인회장으로 뫼시며 고별한 것이 엊그제 같은데, 벌써 8년 세월이 흘렀으니 세월의 무상함과 인명은 재천임을 다시 생각하며 옷깃을 여민다.

필자 **박기병**

대한언론인회 회장
6·25참전언론인회 회장
前 한국기자협회 회장
前 강원민방 사장
前 춘천 MBC 사장

오강(梧岡) 장기봉(張基鳳)

1927-2008년

한국최초 다색도 상업신문 창간
'자유 ·중립 ·공익' 언론관 정립

글 ; 정운종(전 신아일보 및 경향신문 논설위원)

<오강 장기봉 약력>

경북 안동 출신

한학 수학, 풍산보통학교 졸업
대구공립공업중학교 진학
만주 법정대학 졸업
하버드 대학 대학원
대통령 공보비서관
유엔총회 한국대표
코리아타임스 부사장 겸 편집국장
한국일보 편집국장
동화통신 전무
서울신문 사장
신아일보 창업주

<상훈>
세계언론인상
국민훈장 모란장

<저서>
『생산성 향상과 경제 개선』
『백만장자가 되는 길』

─ 거인의 여정(旅程) ─

1. 청운(靑雲)의 꿈을 안고 만주로

- 중3 때 전문학교 입학자격 검정고시 합격

오강(梧岡) 장기봉(張基鳳 ; 이하 오강), 그를 아는 많은 지인들은 오강을 가리켜 약간 파격적이며 기상천외한 성품을 지닌 기인다운 데가 있다고 말한다. 아닌 게 아니라 오강은 엄격한 안동 張씨 가문에서 태어나 만주로 출향해 언론계에 발을 들여놓기까지 범인(凡人)으로서는 도저히 상상하기 어려운 기상천외의 기지와 투지가 번득였다.

잘 될 나무는 떡 잎부터 알아본다던가. 오강은 어려서부터 유난히 신문보기를 즐겼고 일찍이 수신근행(修身謹行)이 독실했던 조부 통덕랑 장인식(通德郞 張仁植) 공의 슬하에서 3살 때부터 천자문(千字文)을 시작으로 보통학교에 입학할 때까지 명심보감 소학(明心寶鑑 小學)을 떼었다.

중학시절

풍산보통학교를 졸업한 오강은 부모의 권유로 무엇인가 직업적인 기량을 체득해야 된다는 생각에서 대구공립공업중학교(현 대구공고)를 지망, 토목과를 전공했다. 그 당시 전쟁의 말기라 많은 사람들이 직업적인 기술 분야에 진출하였다. 대구공업중학 토목과의 입시 경쟁률이 30대 1이나 된 것은 이런 사회분위기를 반영하는 것으로 오강은 그 관문을 무난히 뚫고 입학을 한 것이다.

오강은 그러나 곧 그가 토목학과에 입학한 데 대해 회의를 느끼기 시작한다. 토목학에 대한 지식을 공부했지만 그것이 너무나 실학적이며 동시에 직업적인 면이 과다한 것을 인식하면서 그 자신이 과연 이 직업공부에서 대성할 수 있을 것인가의 여부에 대한 회의(懷疑)가 앞섰기 때문이다. 이런 오강의 생각은 결국 부모의 양해를 얻어 이 학교를 3학년 1학기에 중퇴해 버린다.

오강은 그 후 뜻한 바 있어 만주로 들어가 만주 법정대학을 졸업하고 그곳에서 초등학교 훈도 생활을 하다 8·15 해방 직후 서울로 돌아와 강력한 반공신문이었던 대동신문 기자로 언론계에 첫발을 내 디뎠다.

2. 반공기자(反共記者)로 많은 일화 남겨

대동신문 시절 오강은 사장 이종영(李鍾榮)을 비롯하여 부사장 이봉구(李鳳求), 주필 김옥근(金玉斤), 편집국장 김선흠(金善欽), 양명복(梁命福) 황태열(黃泰烈) 박성환(朴聖煥) 등 당대의 민완기자들과 교유하며 법원과 돈암장을 출입하며 이승만(李承晚), 김구(金九), 이시영(李始榮), 유림(柳林), 조소앙(趙素昻), 엄항섭(嚴恒燮)씨 등 고

명한 정치인들과 자주 접촉했다. 미 군정청(지금의 중앙청)을 출입할 때는 아놀드 러치 장관과 친교를 두터이 했다.

돈암장과 군정청의 겹치기 출입은 오강에게 신문기자로서 광범한 활동과 노력의 여지를 안겨주었다. 야심만만한 청년이나 신문기자로서는 초년생인데도 불구하고 정부의 고관이나 정치 지도자들과 허물없이 대하고 기자로서의 역할과 활동을 할 수 있었던 것은 그에게 항상 만족스러운 일이었고 상대방도 오강을 인상 좋게 받아 들였던 것으로 알려져 있다.

오강이 우남 이승만 박사를 처음 만난 것도 이때였다. 대동신문기자로 돈암장, 경교장, 남로당, 전평, 종로서, 법원, 중앙청 등을 종횡무진으로 출입해야 했던 오강이었기에 건국 초기의 우남과의 만남은 신문기자로서 자연스런 대면이었는지도 모른다.

대동신문이 문을 닫자 오강은 중견 기자로 민중일보에 입사, 오종식(吳宗植) 김광섭(金珖燮) 이헌구(李軒求) 등과 교유했고 연합신문 창간 당시엔 사옥도 없고 공장 시설이 부족하여 우왕좌왕 하고 있을 무렵 오강은 연합신문 기자의 신분으로 이승만 대통령을 찾아가 사정을 설명하고 사무실 임대사용계약을 얻어주는 등 이 신문 창간에 크게 공헌했다.

연합신문과 오강과의 관계는 이 같은 특별한 인연이 있다. 연합신문을 창간할 당시 초대 대통령으로 취임한지 얼마 되지 않은 이승만 박사를 찾아가 연합신문사의 사정을 설명하여 그 임대사용계약을 주선해 주었던 것이다. 이렇듯 연합신문 창간에 크게 기여한 오강은 이 신문 정치부차장으로 중앙청을 출입했다.

1·4후퇴 후 임시수도였던 부산에서 연합신문을 발간할 수 있었던 것도 오강의 힘이 결정적으로 작용했다. 홍수처럼 밀어닥친 피란민들로 포화 상태를 이룬 임시수도 부산 시내에 양우정이 2층 건물 한 채를 구해 놓고 피란해 온 사우들과 합숙을 하며 신문 발간의 꿈을 불태우고 있을 때 연합신문에서 함께 일했던 양명복을 만나게 된다. 신문을 임시발간 하기 위해선 당국의 허가가 필요했다.

양명복은 그래서 마침 공보처장직을 겸하고 있는 임병직 외무장관실로 오강을 찾은 것이다. 절친한 친구 양명복 기자로부터 연합신문의 어려운 사정을 전해들은 오강은 즉각 연합신문 임시 발간에 필요한 허가장을 만들어 준데 이어 신문용지 한 트럭분을 구해주어 전란 중 실의에 빠진 언론인들의 사기를 북돋아주기도 했다.

3. 심리작전부 요원으로 6·25참전

6·25전쟁 중 오강은 많은 일로 바쁜 나날을 보내야했다. 전세는 불리하여 대전까지 후퇴한 오강에게 이미 신문사는 없어졌고 모든 인력이 전쟁수행에 기여 할 비상시국에서 한가로이 피란생활을 할 수도 없는 처지였다.

대전에 진주한 미군이 북진을 하며 적을 저지하려 할 때 맥아더 사령부는 대전의 미 24단이 사령부에 심리작전부를 세우게 되었다.

오강은 이때 유근창 육군대위(전 토지개발공사장, 전 국방차관) 장지량 대위(전 공군참모총장)와 함께 미 8군의 심리작전부의 한국 측 기획을 잠시 담당했었다.

대구에서 심리작전부는 단장에 제임스 스튜어트(전 미공보원장)를 필두로 한국 팀이 홍보문을 입안해서 인쇄까지 하기에 이르렀으며 그 인쇄물을 동천비행장에서 미군기를 통해 서울과 북한 땅까지 살포하였다.

심리작전부는 능력 있는 사람들이 모여 미군의 전후방 작전에 따르는 민간인과의 각종 관계사항을 주지시키는 중요한 업무를 수행했다. 이곳에서 입안되는 내용은 미군에 의해 동경과 오키나와 등지에서 그 내용을 인쇄물로 제작, 멀리 이북의 방방곡곡까지 전단으로 살포되었다.

오강은 줄곧 이일을 대구에서까지 맡아 했다. 그때 이들은 대구의 조그마한 인쇄소에서 밤을 새워 전단을 인쇄, 절단하여 다음날 동천비행장까지 날라주었으며 그 전단은 심리전의 일환으로 미 공군에 의해 북한 깊숙이 공중 살포되었다.

이와 같은 일은 글도 옳게 쓸 줄 알아야 하지만 전쟁을 치르는데 필요한 내용을 전후방에 홍보하는 일이었으므로 미국인들은 이를 매우 중요시했었다. 이들은 대전 최후의 날인 8월말까지 심리작전부에서 일을 했다. 이들은 대전에 진주했던 미 24사단장 윌리엄 딘 소장을 충남도청 기자실에서 자주 만났다.

딘 소장과 오강과의 관계는 그가 최후의 미군정장관으로서 군정청에 근무할 때 자주 기자회견을 한 연유로 매우 다정하고 친근하게 지냈었다. 또 주일 대사관에서 일하던 김길준 씨가 띤 소장의 통역 관으로서 같이 종군을 하던 관계로 미군정시대에 함께 일하던 기억 을 되살리며 자리를 같이 하기도 했다.

전시 임시정부 청사가 대구의 경북도청에 들어섰을 때 오강의 직 책은 역시 연합사령부 심리작전부 근무였다. 외무부에서는 경북여 고에 설치된 미 제5공군의 브리핑을 받고 전황을 정확히 파악하는 일도 매우 중요했기 때문에 그곳 일에도 몰두했다. 또한 미군이 과 연 전의가 있느냐 없느냐에 대한 분석 등 여러 가지로 정부가 해야 할 문제를 입안하기 위해 참여, 탐색, 판단 등 많은 분야에 걸쳐 사 안의 호 불호를 가리지 않고 일을 했다.

4. 이승만 대통령 공보비서관으로 활약

오강이 이승만 박사의 눈에 들게 띤 사연도 흥미롭다. 바로 피란 지 대구에서 이승만 박사를 극적으로 상봉한 것이다. 어느 날 부산 도청에서 미국 공보원 가는 길을 걸어가고 있는데 李 박사가 멀리서 오강을 알아보고 차를 세운 것이다. 바로 도지사 관저로 오라는 것 이 아닌가. (이 박사는 그때 경북 도지사 관저에서 집무를 보고 있었 다)

다음날 부산의 도지사 관사로 이승만 박사를 찾아간 오강에게 李

초대 대통령 이승만 박사(왼쪽 네 번째)를 수행하고 있는 오강(왼쪽 다섯 번째)

대통령은 "다시 서울로 밀고 가야 하니, 자네 공보비서 할 줄 알지 신문기자니까---" 라면서 일거리를 맡겼다. 이렇게 하여 오강은 우남과의 피란길 재회가 시작되었고 문서 사령도 없이 대통령 공보비서 직을 맡게 된다. 당장 맡겨진 일은 "철도에 가서 오르내리는 화차가 무엇을 싣고 다니는지 기록해서 직접 보고하는 일"이었다.

기자가 그런 것을 해야 하는가? 안 해야 하는가? 자문하다가 오강은 李 대통령 명령대로 해야 한다고 결심했다. 아침 일찍 신천교에 나가 대구역을 지나는 상행 하행의 모든 군수열차의 적재 물을 확인 실사했다. 서툴렀지만 수량은 정확히 적었다. 다음날도 그 다음날도 이런 작업이 일주일 정도 계속되니까 집계가 정확해 졌다. 미군의 군

장비와 전력은 증강되고 있고 미군이 후퇴하는 것이 아니라는 것을 명백히 확인할 수 있었다. 하루는 햇볕에 까맣게 탄 청년이 철로 옆에서 무엇인가 적고 있는 모습이 수상했던지 오강을 방첩대로 끌고 갔다. 대단한 곤욕을 치렀다.

증명서도 시효가 지난 연합신문의 것이었으니 말이 통하지 않는 것은 불문가지(不問可知)였다. 그렇다고 대통령을 팔수도 없고 난처한 일이 아닐 수 없었다. 오강이 생각한 것은 전쟁 중에 집중한 것이 공보비서의 역할보다 우위에 있다고 생각했기 때문이다.

전쟁 때는 무엇이나 해야 한다는 신념에서 오강은 두문불출 하고 2개월을 관저에서 기거하다시피 열심히 일했다. 일이 너무 많아 늘 수면부족이었지만 일선 방문은 c-47로 거의 매주 이승만 박사를 수행했다. 부산정치 파동 때도 오강은 李 박사의 오른 팔이나 다름없었다. 李 박사에 대한 국민 신임 안이 제기 되었을 때 당시 지방의회가 첫 선거로 대표를 선출하는데 거기다가 李 박사 파의 승패를 걸어 신임도의 예스 노를 묻도록 했다. 당시의 국회는 전쟁 전에 선출된 것임으로 이 지방의회선거는 정치적으로 대단한 주목거리였다. 집권자가 낙승한 것은 물론이었다.

5. 미 군정에 입법의원 구성 제안

미 군정하의 정국은 말 그대로 혼미를 거듭했다. 언론은 언론대로 좌우로 갈려 총칼 없는 전쟁을 계속하고 있었다. 좌익계열에서는 잇따른 좌익 지의 정간에 대처하여 다른 신문을 매수, 제호를 바꾸어 대치하는 한편 군정을 상대로 실력행사에 들어갔다. 뿐만 아니라 전평(全評)산하 노조원을 동원하여 철도총파업을 단행하기도 했다. 이 파업 소동으로 대구를 중심으로 한 영남폭동사건이 일어났다. 이런 얽히고설킨 상황에서 오강은 심사숙고했다. 초보적이 나마 입법의원과 같은 기구를 활동시키지 않고서는 도저히 한반도 남쪽만이라도 자유민주주의를 이룰 수 없다고 본 것이다.

이러한 오강의 시각은 급기야 미 군정청 당국에 입법의원 구성을 제안하기에 이른다. 미 군정청 기자 회견장 에서 질문하는 형식으로 제기된 장기봉 기자의 발상은 그 다음 번 기자회견에서 공론화 되었다. 러치 장관은 장기봉 기자가 질문한 내용을 여러 가지로 검토한 끝에 그 합당성이 인정되었고 그런 기관이야말로 평소에 구성코자 한 것이며 이것이 없이는 이 땅에서 미군정을 성공적으로 이끌 수 없다는 입장을 밝혔던 것이다.

러치 장관이 입법의원에 대한 포부를 물어 왔을 때 장기봉 기자는 서슴지 않고 그의 소견을 피력했다. 장 기자는 한국시민의 의사를 반영하여 입법을 한다면 한-미간의 화합을 도모하고 여러 가지로 도움이 될 것이며 입법의원의 구성방법을 관선과 민선을 절충하여 군정당국이 알아서 좋을 대로하는 것이 무방할 것이라는 요지의 소견을 밝혔다.

사가(史家)는 남조선과도입법의원에 대하여 어떤 평가를 할지 모르나 이런 기관이 미군정 과정에서 있었다는 자체가 매우 중요한 것이다. 또 이것이 우익만이 참여한 입법기관이었다면 그 의미는 많이 감소되었을 것이나 그것이 중립세력에 의해 운영되었다는데 더 큰 의의가 있었다.

6. 유엔 대표로 국가홍보 기여

국제연합(UN)의 전체 가맹국으로 구성되는 최고 의사결정기관인 유엔총회는 전 회원국으로 구성되며, 각 나라는 5명 이하의 대표를 파견할 수 있다. 1943년 12월 카이로선언에서 '조선'의 독립을 보장하였고 이는 다시 1945년 7월의 포츠담선언에서 재확인되었다. 미. 영. 소 3국 외상은 그해 12월에 모스크바에서 회동하고 한반도에 5년간 신탁통치를 실시할 것에 합의하였다. 이에 대하여 한국 국민은 맹렬한 반탁운동을 전개하였지만 1947년 11월 유엔총회는 유엔임시한국위원단을 구성하고 그 위원단의 감시 아래 남북한 총선거를 실시하기로 결의하였다. 그러나 북한을 점령하고 있는 소련군사령관은 1948년 초에 활동을 개시한 위원단의 입북을 거절하였다. 이에 유엔소총회에서는 선거의 감시가 가능한 지역에서의 총선거를 결의하여 그해 5월에는 남한에서 만의 선거가 행하여졌다. 8월에는 대한민국 정부가 수립되었다.

우리나라는 1951년 주유엔 상주대표부를 설치한 이후, 유엔의 규칙에 따라 비회원국으로 총회에서의 발언은 허용되지 않았으나 각 위원회의 토의에는 참여할 수 있었다. 서울이 수복될 때까지 대표단은 유엔 총회에서 활약하면서 한국이 북한의 불법침략전쟁으로 인하여 엄청난 참화를 입은 점과 공산군의 침략과 만행의 진상을 세계를 상대로 홍보하는 한편으로 북한과 중공을 침략자로 규정하는 데 주력했다.

제5차 유엔총회에 참석했던 대표단 중 한 사람이었던 김동성 씨는 당시 한국대표단의 활동보고서에서 오강(장기봉)이 미 언론계를 통하여 한국의 실정을 시기적절하게 보도케 하여 국가홍보에 기여한 공(功)이 컸었다고 높이 평가했다. 오강은 이 무렵 미국 언론계의 여러 지인들을 만나 한국의 사정을 설명하고 한국의 입장에 동조해 줄 것을 역설해 좋은 반응을 얻어낸 것이다.

7. 약관 29세에 서울신문 사장

오강이 서울신문 사장에 오른 것은 이승만 박사의 천거가 주효했다. 그만큼 이승만 박사의 신임이 두터웠다는 증거다. 서울신문사 사장으로 취임한 1955년 8월 당시 오강의 나이는 약관 29세로 미혼의 청년이었다. 그가 서울신문 사장으로 취임했다는 뉴스는 당시 조야를 깜짝 놀라게 했다.

서울신문사 사장으로 취임한 오강은 정력을 기울여 신문사를 현

역대 서울신문 사장들과(오른쪽 네 번째 오강 장기봉)

대화하는 한편 신문의 수지 지수를 개선하여 인기 있는 독자들의 것으로 만드는데 전념하였다. 서울신문에 재임한 기간은 1년을 넘지는 못하였으나 이 신문의 질적 향상과 경영의 정상화를 위하여 아침 일찍부터 저녁 늦게 까지 노심초사하며 노력했다.

특히 이 신문이 적자로 허덕일 때 흑자로 끌어 올렸으며 인사관리 면에서도 일의 효과를 높이는 방향으로 인사행정을 정상궤도에 올려놓았다. 당시 서울신문의 수지를 흑자로 전환시킨 것은 그의 피나는 노력의 소산이었다.

8. 한국일보 장기영 사장과의 각별한 인연

그러던 1962년 어느 날 한국일보를 운영하는 장기영(경제부총리 역임) 씨가 그의 영자신문인 코리아타임스를 보다 현대화하고 좀 더 알찬 신문으로 만들기 위해 오강의 자문을 구해 왔다. 장기영 씨는 오강에게 코리아타임스의 어떤 직책을 맡아 이 신문을 책임지고 육성해 달라고 요청했다. 오강은 흔쾌히 그 제안을 받아 들여 코리아타임스의 부사장 겸 편집국장으로서 이 신문을 이끌어 나갔다.

코리아타임스는 그 당시만 해도 역사와 관록이 있는 유일한 민간 신문이었으나 활자를 손으로 뽑고 조판을 하는 등 전근대적인 신문 제작 방법을 면치 못하고 있었다. 오강은 장기영 씨의 요청에 의해 코리아타임스의 시설을 현대화하기 위해 미국의 시카고로부터 M5 타이프, 마겐달러라이너 타이프 등 2대를 자기 돈으로 사들여 한국일보사 일각에 위치한 코리아타임스사에 설치하여 그것으로 자동적인 조판과 식자를 할 수 있는 시설을 제공하였다. 이로써 코리아타임스는 일약 그 면수를 두 배로 늘릴 수 있었다. 제작 속도도 매우 빨라 코리언리퍼브릭과 경쟁할 수 있는 위치에 오르게 되었다.

이 무렵 한국일보는 1962년 11월 28일 1면 머리기사에 '신당, 사회노동당(가칭)으로' 대서특필했다. 이에 민주공화당 창당 준비를 하고 있던 5·16 주도세력은 박정희, 김종필 등의 사상적 배경과 성향이 의혹을 받고 있던 상황과 맞물려 여론에 큰 반향을 불러일으키자 이 기사를 크게 문제 삼기에 이른다.

이에 당황한 한국일보는 이튿날 1면 머리기사로 '작일 보도, 사회 노동당 운운은 잘못'이라는 컷과 함께 전일 기사보다 더 많은 지면을 할애해 정정 보도했다. 그러나 최고회의 측은 사장 겸·편집국장 장기영, 편집부국장 홍유선, 정치부장 김자환, 정치부 한남희 기자를 구속했다.

장기영 사주가 구속된 한국일보는 거의 공백 상태에 들어갔다. 오강은 이때 장기영 출감을 위해 백방으로 노력했다. 오강은 장기영 사주를 구출하는 방안으로서 우선 군정의 수뇌부를 찾아 그의 석방을 설득했다. 언론탄압이라는 인상을 대외적으로 줄 수 있음을 역설, 사태의 원만한 해결방법을 제시하고 빠른 시일 내로 장기영 씨를 출감시켜 줄 것을 요구해 성사시켰다.

이 같은 장기영 씨와의 인연은 한국일보가 1967년 화재로 신문 발간이 위기에 처했을 때 흔쾌히 한국일보를 인쇄 해주는 우정으로 언론계에 신선한 충격을 안겨주는 미담으로 이어지기도 했다.

9. 동화통신 전무로 경영능력 과시

장기영 씨의 출감과 더불어 오강은 동화통신과 인연을 맺는다. 동화통신은 당시 자본금 1천만 원의 주식회사로 1954년에 설립되고 1956년에 미국 AP 통신사와 수신계약을 맺고 이해 4월 창간했다. 그 후 프랑스의 AFP 통신사와 계약을 했다가 1960년에 해약을 하고 영국의 로이터 통신사와 새로 수신계약을 했으며 한편 동화그라 프라는 월간 화보를 발간하고 있었다. 그런데 하루는 이 통신사를 경영하고 있던 경북 예천 출신인 정재호 사장으로부터 별다른 공직 없이 잠시 쉬고 있는 오강에게 조용히 만나자는 전갈을 해왔다.

당시 오강은 민완기자로 알려졌을 뿐만 아니라 미 하버드대학 출 신이라는 학벌과 화려했던 공직생활에서 얻은 경험 등을 살려 서울 신문사 사장으로 그 신문사를 재건한 일로 이미 언론계의 실력자요 거물이라는 세평이 자자했다. 1964년 초 선각자이기도 한 정재호 사장의 돌연한 요청을 받은 오강은 그 동안 격조도 했고 또 무슨 일 인가 싶어 인사를 겸해 찾아갔다.

반가이 맞아 수인사를 하고 난 정재호 사장은 자기가 그 동안 뜻 한바 있어서 적지 않은 돈을 들여 동화통신을 운영하고 있으나 수지 채산에도 문제가 있거니와 여러 가지 어려움이 많아 계속 투자를 해 서 과연 그만한 보람이 있을 것인지 의심스러우니 무슨 방도가 없겠 느냐고 문의하면서 차라리 서울신문을 훌륭히 키워낸 전력도 있으 니 한번 맡아서 이 난경에 처해 있는 통신사를 바로 세워보는 것이 어떻겠느냐고 간청하는 것이었다.

결국 동화통신 전무로 입사한 오강은 사세를 예비 진단한 결과 시급히 손을 대야 할 일이 너무도 많았다. 당장 오랜 타성과 무사안 일에 빠져 있는 사원들에게 의욕을 불어넣어야 했다. 편집도 내용의 충실을 기하는 동시에 통신의 생명인 발행시간의 단축 그리고 업무 면에서는 통신료의 인상문제가 시급했다. 그러나 일도양단의 대수

술이나 급격한 변혁보다는 점진적으로 개선해 나가는 것이 순리이고 좋은 방향이라는 결론을 내리고 정재호 사장의 동의를 얻어 하나하나 개선해 나갔다.

오강은 동화통신에서 개척자 정신을 발휘 동화통신사로서는 최초로 주일특파원을 외국에 파견해 생생한 뉴스를 공급했다. 로이터통신이 남산 송신소를 둔 것도 이 무렵 오강의 공이 컸다. 어려운 시기에 대한민국의 국익을 위해 동화통신이 나름대로 소임을 다할 수 있었던 것도 동화통신 전무시절의 오강을 아는 사람은 모두가 높이 평가하고 있다.

10. 국내 최초 컬러신문 신아일보 창간

오강이 자유당 말기에 신문발행허가를 얻기 위하여 분주히 노력하였으나 당시의 정치세력에 의하여 거부되었다는 사실을 아는 사람은 그리 많지 않다. 그는 언젠가는 기필코 신문을 창간하겠다는 신념에 불타있었다. 오강이 자신의 집에서 활자를 주조케 하는 등 신문사 창립을 서둘렀다는 사실은 그가 신문창간에 대한 집념과 의지가 얼마나 강했었나를 극명하게 엿볼 수 있게 한다.

오강은 신문제작의 모든 기재를 주조기와 자모 및 활자를 제외하고는 모두 호놀룰루 애드버타이저사에서 몽땅 가져다 썼기 때문에 시설 면에서는 국제수준을 자랑할 만 했다. 그 규모는 듀플렉스사

1965년 5월 14일 신아일보 창간기념 리셉션에서 신아일보를 들고 환담하는 하객들(종이모자를 쓴 분 우로부터 홍종철 공보부장관, 고재욱 동아일보 사장, 윤치영 국회의장, 박영준 한전 사장, 장기봉 신아일보 사장)

제(製) 윤전기 6대를 비롯하여 홀더 2대 포마 1식 연판기 2대(유명한 우드사 제) 그리고 연판용 전기로 대형 1기, 연판 윤전용 콤베이어 1대 등이었다. 윤전기가 지하 급지 식이었다는 것이 한국에서는 처음이고, 이 지하 급지 식으로 인연해서 용지를 자동적으로 연결하는 장치 같은 것이 모두 윤전기에 부착되어 있어 인쇄 공장으로서 당시의 한국 수준에서 본다면 월등하게 앞서 있었다. 더구나 부수가 많든 적든 6대의 윤전기는 32페이지를 한꺼번에 찍어 낼 수 있었고 그것은 그 홀더를 통해 시간당 10만 부 이상을 발행할 수 있었다.

그리고 사진과 사진 제판 시설은 그 당시 일본의 레트 식 분사 부식기를 처음으로 도입했기 때문에 사진이 잘 빠져서 선명했다. 사진기 역시 새로운 것을 많이 들여와서 사용했기 때문에 신아일보의 사진은 '살아 있다' 또는 액션적이라는 등의 호평을 많이 받았다. 이는 사진을 대담하게 크게 써서 효과를 내는 등의 제작 편집 면의 특성에도 있었지만 이런 사진 기재의 성능이 우수했다는 것을 말해 주고 있다. 신아일보가 컬러 신문을 창간하자 국내 언론사들이 당황한 나머지 이 방면에 눈을 뜨게 되고 시설투자 의욕을 북돋게 된 것은 한국 언론계에서 비단 1개 신문의 창간이라기보다도 동업 계에 많은 변혁을 촉진하는 계기로 작용했다.

11. '자유· 중립 ·공익' 언론관 정립

1965년 5월 6일 오강은 신아일보 창간호를 발행하였다. 대판 8면으로 된 창간 특집호는 1면을 박정희 대통령이 보내온 '정론환발 국리민복'이란 휘호로 장식하고 발행인 장기봉 사장이 직접 집필한 창간사는 '독립 성실을 지키는 상업신문으로 진리의 촛불을 밝힌다.'는 다짐으로 주목도를 높였고 '방청석' 난을 마련 정가의 모든 일에 시시비비주의로 나가겠다는 입장을 분명히 했다.

창간 준비 과정에서 윤임술 초대 편집국장(전 부산일보 사장)을 비롯한 편집 스탭들은 무언가 새로운 신문의 기치를 높이 들어 과시하자고 대담한 기획을 하고 있었다. 첫날 일약 10만 부를 찍어서 서울시내에 많이 뿌렸다. 동시에 열차 시간에 맞추어 2판 3판을 이미

조직된 지방으로 발송하였다. 이날부터 매일 빠른 속도로 1판을 가급적 11시 45분에서 12시 이전에 쇄출, 발행하여 처음부터 가장 빠른 가판 신문으로서의 이미지를 독자들에게 심어 주기 시작했다.

컬러 인쇄로 한국 신문 사상 금자탑을 이룬 신아일보의 창간호가 전국에 배포되자 이에 대한 평가가 쇄도했다. 대체로 잘 되었다는 평가와 함께 상업신문을 표방한 신아의 장래에 모두들 주목했다. 특히 창간사에서 강조한 '자유롭고 중립적이며 언제나 공익을 염두에 둔 신문'을 만들겠다는 독자와의 약속에 큰 기대를 거는 분위기였다.

창간호에 대한 반향은 의외로 컸고 좋았다. 전국 각 지방에서 전화 혹은 서면을 통해 계속 좋은 신문을 만들어 달라는 주문과 편달이 답지했다. 젊은 층에서 즐겨 찾는다는 독자층의 경향도 각 지사 지국에서 알려왔다. 보다 더 좋은 신문을 내는데 힘쓰고 있는 신아의 창간 멤버들은 이 모든 찬사와 격려와 편달에 고무하며 배전의 용기를 북돋았음은 말할 것도 없다. 공장시설은 우리나라에서는 처음으로 다색도 인쇄를 시도할 만큼 도하 신문사 중에서는 월등했고 일관작업이 가능했다.

오강이 창간한 신아일보의 사시 '자유 중립 공익'은 오강의 신문관을 극명하게 대변하고 있다. '자유(自由)'는 민주주의의 기초로서 자유로운 논지로 정론을 편다는 것은 자유언론의 정도이므로 이 자유는 어디서나 위축될 수 없다. '중립(中立)'은 정확한 판단과 사실의 전달 면에 없어서는 안 될 중요한 요소로서 어떠한 편견이나 왜곡을 불허한다. 신문은 그 역할만큼의 이익을 사회에 주지 못한다면 존재가치를 상실하게 됨으로 언제나 국리민복을 위해 앞장서야 한다는 점에서 '공익(公益)'을 세 번째 사시(社是)로 정한 것이다.

이 사시는 바로 신아일보 창업주 오강의 신문철학이며 신아일보의 입각점을 분명히 밝힌 독자와의 약속이었다. 신아일보는 특히 신문 이외의 어떤 방계 사업도 없었고 오직 신문 만에 의한 신문운영을 목표로 하였다. 경영면에서는 탁월한 관리체제와 인사 면에 있어 철저한 소수정예주의를 채택함으로써 타사의 반밖에 안 되는 인원을 가지고도 내용이 알차고 가장 빠른 신문을 내 놓아 가판시장을 석권했다.

신문 내용면에서도 오강은 파격적인 기획으로 독자들의 주목도를 높였다.

기독교 불교 천주교를 총망라해 일어나고 있는 종교계의 신풍을 해부한 이 기획 보도 '종교계' 각종 리셉션을 취재, 사진과 함께 참석인사들을 일일이 소개한 '사교계(社交界)', 신아일보 독자를 배가시키는데 적지 않게 기여한 '독자 룸', 군사정보분야에서 다른 어떤 신문보다 앞선 보도로 독자들은 물론 군 당국의 관심을 집중시켰던 군사부 신설, 소비자 보호 운동을 선도했던 '소비자 가이드', 등은 지금도 언론가에 화제 거리를 제공하고 있다.

오강은 한국 음악계에도 선풍적인 바람을 일으켰다. 세계적 음악의 거성(巨星) 쥬세페 디 스테파노를 비롯 제임스 마크라겐, 에리자베드 슈바르츠코프, 샌드라 워필드 등을 초청해서 이 땅의 음악인들에게 새로운 차원의 예술성을 소개한 것 등은 저명한 음악 평론가들로부터 '흥행성이나 수익성을 초월한 문화창달'이라는 의의와 창조적 가치에 중점을 둔 파이오니어적 노력의 결정'이라는 평가를 받았다.

12. 신아일보 강제종간의 비운(悲運)

그러나 오강이 창간해 운영해오던 신아일보는 한창 웅비의 나래를 필 무렵인 1980년 11월 25일 당시 신군부의 언론통폐합 조치로 강제 종간돼 경향신문에 흡수 통합됐다.

오강이 밝힌 당시 상황을 본인이 직접 밝힌 기록으로 살펴보면 그가 얼마나 통한의 나날을 보냈는지 짐작이 간다. 바로 그 진상을 오강이 밝힌 '치욕의 기무사 수사실'과 88년 12월 국회청문회 속기록을 중심으로 요약해 본다.

"버티기를 한 너 댓 시간 버텼는데 그 상대방하고 얘기가 안 되니까 내가 참 느끼는 것이 있었습니다. 여러 가지로 위압적인 그런 태도로 있었고 복도에서는 아주 심하게 큰 고함으로 서빙고로 모시라고 하는 얘기도 하는 것 같고, 또 뭐 그런 것 백장 찍어 봐야 내 본의가 아니니까 또 자유로운 상황에서 내가 내 의사에 의해 가지고 한 것이 아니니까, 내가 찍어 주

88년 11월 22일 국회 언론 청문회에서 증언하는 오강(오른쪽 두 번째)

는 것이 좋겠다. 그리고 또 말은 안 찍으면 못 나설 상황이었습니다. 내가 사실은 한 1주일이고 2주일이고 버텨 보려고도 생각을 했는데 그 사람하고는 얘기가 안 되고, 사령관을 만나자고 그랬더니 사령관이 지금 강원도에 출장을 가고 없다. 그러면 다른 사람이라도 있을 것 아니냐 했더니 밤이 늦어서 다 퇴근했다. 그러니 뭐 얘기할 사람도 없고 그래서 너 댓 시간 버티다가 그 사람이 그것을 꾸민 사람이 아니니까 내가 그렇게 해 놓고 찍고 나왔습니다.

그런데 지금 세간에서 그 종이에 서명한 것 밖에 없다고 이러는 데 나오는데 또 종이를 한 장을 또 주어요. 그것은 무엇이냐 여기에 다녀갔다는 소리는 절대로 입 밖에 못 내게 하려고 또 한 장 찍으라고 그래요. 그래서 그것은 네가 대신 찍으라고 했더니 무슨 말씀이냐고 찍는 김에 다 찍으시오. 그래서 찍고 나왔습니다."

(신아일보 실록 '치욕의 기무사 수사실' 참조)

신군부의 언론사통폐합 조치는 88년 서울올림픽 개최 후 5공 청문회에서 그 진상이 낱낱이 폭로되었다. 우리나라 의정 사상 처음으로 언론 청문회가 열린 것도 이때였다. 언론청문회는 88년 11월 21일 22일과 12월 12, 13일 31일 등 5일간에 걸쳐 열려 TV로 생중계되었다. 하지만 이 당시 동아 조선 중앙 한국 등 4개 신문의 사주들을 불러 마지막 청문회를 개최, 사주들이 언론인 강제해직에 관련됐는지 여부와 통폐합 건의설 등을 추궁했으나 사주들의 한결같은 부인으로 진실을 밝혀내지는 못했다.

13. '오강 일대기' 신아일보 기념관에 보관

오강이 신아일보 강제 폐간 이후 신문 복간을 위해 얼마나 노심초사했는지는 아는 사람은 다 알고 있다. 하루아침에 신문사를 빼앗긴 허망함 속에서도 오강은 뒤처리만은 철저히 깨끗이 하겠다는 생각만은 버리지 않았고, 신 군부와 친숙이 있다는 지도급 인사들을 조용히 찾아 자신의 억울한 입장을 설득하며 힘써 줄 것을 부탁하기도 했다.

그러나 오강이 만난 사람들은 모두 오강과 오랫동안 우정을 나눈 사이였지만 모두 오강의 입장을 십분 이해는 한다면서도 전두환에게 접근하는 것을 겁먹고 아예 손을 설레설레 흔들며 사절하는가 하면 심지어 오강과의 만남 자체를 부담스러워 하는 눈치였다고 한다.

오강과 친분이 두터웠던 워싱턴포스트지의 그레임 함 회장 뉴욕타임스사의 샬즈버거 2세 회장, 스크립 하워드 회장, 잭 하워드 회장, US News & World Report 편집국장 겸 주필 M. Stone 등은 오강의 이런 억울한 사정을 너무도 잘 알고 있었다.

나중에 안 얘기지만 이들은 한국 언론 상황의 심각한 위기에 대해 우려했고 레이건 대통령에게 이런 사실을 환기시켜 한국의 언론자유 회복을 위해 적극 나서 줄 것을 권유한 것으로 확인되었다. 이를 뒷받침하는 증거가 바로 1985년 한국을 방문했던 레이건 미국 대통령의 국회 연설이었다.

당시 레이건 대통령은 국회연설에서만이 아니라 한미정상회담, 공동기자회견 등 세 번씩이나 한국의 언론자유 회복에 대해 언급했지만 5공 정권의 반향은 레이건 대통령이 선거를 의식해 그런 발언을 한 정도로 경시했다는 후문이다.

오강은 신아일보 강제종간 이후 허망한 나날을 보내며 언젠가는 빼앗긴 신문을 되찾겠다는 집념을 버리지 않았다. 하지만 운명은 그를 그런 설욕의 기회로 인도하기보다 2008년 8월 28일 이승을 하직해야하는 운명을 담담히 맞게 했다. 향년 80세 유족으론 부인(安南得 여사)과의 사이에 2남 1녀, 장남 학준은 주식회사 신아일보 사장, 한국일보 부국장 겸 산업부장을 지낸 차남 장학만은 신아일보 기념관(서울시 근대문화유산 등록문화재 402호)에 오강 장기봉 선생 기념실을 꾸미고 오강의 언론관을 재조명하는데 정열을 쏟고 있다.

〈참고문헌〉
＊신아일보 사사(2005년 5월 신아일보기념사업회)
＊오강 장기봉 선생문집(2005년 5월 신아일보기념사업회)
＊한국언론인물사화(2010년 10월 대한언론인회)
＊석양에 노을진 여정(2017년 도서출판 태봉 정운종 지음)
＊오강 장기봉 평전(2021년 도서출판 태봉, 정운종 편저)

필자 **정운종**

前 신아일보 논설위원
前 경향신문 논설위원
前 민주평통 운영위원(동 간사)
前 대한언론인회 부회장 겸 상임이사
6·25참전언론인회 상임이사

〈정진기 약력〉

전남 나주 출신

나주민립중학교 졸
국학대학 경제학과 졸
고려대 경영대학원 수료
전남 삼도서소초등~해보초등학교 교사
주간 행정신문 기자
평화신문~서울경제~대한일보 기자
매일경제 설립 대표이사 사장
한국신문연구소 이사
주간매경 창간
한국신문윤리위원회 위원
정진기언론문화재단 발족

〈상훈〉

국민훈장 모란장

一 거인의 여정(旅程) 一

1. 매일경제신문 그룹 신화

매일경제신문은 2021년 3월 24일 창간 55주년을 맞았다. 반세기를 넘긴 장년의 나이에 접어들었다.

매일경제신문 창간 전후사(史)를 보면 이 신문이 이 정도의 긴 사력(社歷)을 쌓아오고 조·동·중·매(朝·東·中·每) 4강(四强) 자리에 오를 거라고는 누구도 예측하지 못했다. 지난 55년간의 한국 언론 환경을 되돌아보면 매일경제신문의 성장은 눈부신 것이고 기적적이었다고 해도 과장된 것은 결코 아니다.

이 원고는 매일경제신문 창업주 정진기(鄭進基) 씨가 어떤 정신으로 어떻게 했기에 50여 년 만에 국내 4강은 물론 국제적으로도 퀄리티 페이퍼로 명성을 얻었는가에 대해서 알아보는 것이다.

그의 집안은 유교 명문 가문이었다. 그는 1929년 6월 12일(호적상으로는 12월 15일) 전라남도 나주군 노안면 금안리 450번지에서 하동정씨 정찬서(鄭燦書) 공과 전의 이씨 판순 여사 사이에 2남으로 태어났다. 창업주를 잉태했는데 조모와 모친이 번갈아 큰 용이 안방 선반 위에 용트림을 하고 앉아 있는 꿈을 꾸었다 해서 집안에서 무언가 비상한 아이가 태어날 것이라는 기대를 갖게 했다고 전한다.

창업주가 태어난 나주군 금안리는 예부터 지세가 한양과 닮았다고 해서 도내 명당으로 손꼽히는 곳이다. 집현전 학자 신숙주가 태어난 곳이기도 하다. 전라남도에서는 제1 금안(金安) 제2 영암(靈岩) 학림(鶴林)이라는 말이 전해지고 있다. 금안리는 명당으로서 산뿐만

이 아니라 경치 좋기로서도 도내에서 손꼽히는 곳이다. 예부터 팔경(八景)이라 해서 풍광을 자랑해왔다.

그가 태어난 마을은 금안리 어귀에서 1.3km 들어간 가장 안쪽에 자리 잡은 광곡(光谷)이다. 광곡 마을 한가운데엔 지방보호수인 수령 1천여년의 느티나무(높이 25m, 둘레 7m)가 마을의 상징으로서 있다. 하동정씨와 나주지방의 인연은 창업주의 22대조 금성군 정성(鄭盛) 공이 나주원님을 지내면서부터다. 그 이전 더 거슬러 올라가면 고려 말 이성계, 최영과 더불어 3대 명장 중 한 사람인 정지(鄭地) 장군과 맞닿는다.

정 창업주의 생가는 광곡 마을 안쪽에 자리 잡은 일자(一字) 가옥으로 건평 30평, 대지 650평의 너른 집이다. 이 집에서 창업주는 모친과 형님 한 분과 성장했다. 부친인 심당(心堂) 정찬서(鄭燦書) 공은 창업주의 나이가 다섯 살 때인 25세의 나이로 작고했다. 정 창업주는 편모슬하에서 자란 것이다.

부친은 유학에 조예가 깊었던 분으로 머리가 명민했다. 나주향교의 추천을 받아 성균관에 올라와 경학(經學)을 공부했다. 당시 성균관에서는 각도의 뛰어난 유학의 수재들이 1~2명 정도가 성균관 경학원에 입교했다.

성균관 경학원은 현 성균관대학 전신이다.

정 창업주의 선친 정찬서 공이 성균관에 입교할 때「朝聞道면 夕死라도 可也」(아침에 깨달음을 얻는다면 저녁에 죽는다 해도 어떻겠는가)의 사상을 피력해 시험관들을 경악케 했다. 그러나 경학원을

전남 나주군 노안면 금안리의 창업주 생가. 뒷편으로 대나무숲이 둘러쳐져 있다. 맨 왼쪽 방이 창업주가 소년시절 쓰던 방이다.

마친지 얼마 안 되어서 타계했다. 가계는 모친이 길쌈으로 근근이 꾸려가게 됐다.

　이로 인해 정 창업주는 어려서부터 일찍 고생을 맛보았다. 하지만 그는 구김 없이 밝게 자랐으며 모친에 대한 효심이 대단했다. 모친 이판순 여사는 27세에 홀로되어 50년간을 오로지 자식들만을 위해 헌신한 전형적인 한국의 모성상(母性像) 그대로였다. (이판순 여사는 나주 삼강록(三綱錄)에 효부 열녀로 등재돼 있다.)

　정 창업주의 조부 후온(後穩) 정득채 씨는 나주향교의 2대 직원(直員), 즉 전교(典校)를 지낸 유학자로 근엄하고 강직한 성품의 소유자였다. 나주향교는 조선 태조 7년에 설립된 곳으로 전주, 광주,

남원과 함께 4당관(堂館)중의 하나이며 오성(五聖) 18현(賢)을 모신 유서 깊은 곳이다.(국보 제394호로 지정되어 있다.) 향교는 당시 지방의 최고 교육기관으로 그곳의 수장인 전교는 지방의 학문 및 정신세계의 지도자였다.

정진기 창업주는 그런 조부의 엄격한 유교적 훈육을 받고 자랐다.(정 창업주의 부친 찬서 씨가 조부 득채 씨의 동생 금채(金菜) 씨에게로 양자 입적하여 호적상의 조부는 정금채 씨로 되어 있다.)

2. 유교 집안 출신, 13세에 입지(立志)

유교 집안에서 태어난 정진기는 소학교(현 초등학교)를 마치기도 전에 고향을 떠나 자립의 길을 모색했다.

정 창업주는 1942년 음력 11월 초사흘 소학교 6학년 겨울방학 중 고향을 슬며시 빠져나와 목포(木浦)발 서울행 열차에 몸을 실었다. 서울을 거쳐 함흥에 가기 위해서였다. 함흥에는 비료공장건설 등 일자리가 많다는 것을 전해 듣고 일자리를 찾아 나선 것이다.

노자가 넉넉할 리가 없다. 국수로 허기를 달래며 이틀 만에 함흥에 도착했고 함흥비료공장에서 일자리를 얻게 되었다. 그러나 열세 살 소년이 감당하기에는 너무 벅찬 막노동자리였다. 청년들에게도 중노동 그것이었다. 자신의 노력으로 학자금을 벌어 학업을 계속하겠다는 꿈은 깨어졌고 실의에 빠져 고향으로 내려오고 말았다.

무엇을 해야 하나? 소학교 졸업학력으로는 취직이라야 공원(工員)을 벗어날 수 없다. 그러던 어느 날 정 창업주는 나름대로 위대한 발상을 하게 된다.

"일본(日本)으로 건너가자! 거기서 공부도 하고 자립할 수 있는 길을 찾자!"

나주 민립 중학교 시절

당시 일제하의 사회분위기는 모든 것이 일본에 있었다. 정 창업주는 집안 어른들께 간청, 간신히 허락을 얻고 소학교를 졸업하자마자 현해탄을 건너 일본으로 갔다. 16세 때의 일이다. 무일푼. 연고도 없고 말도 잘 통하지 않는 곳에서의 생활은 고생과 궁핍 그 자체였다.

정 창업주가 할 수 있는 일은 조오리(草履, 짚신의 일종)의 부품을 구입해서 완제품을 만들어 파는 일이었다. 새벽에 일어나 밤 12시까지 노동에 시달리면서 주경야독의 시간을 2년간 버렸다. 그때 생긴 왼손바닥의 못 자국이 평생을 두고 지워지지 않을 정도로 고생을 했다.

패전이 임박한 일본의 분위기도 더 이상 일본에 있기에는 불안했다. 정 창업주는 모친의 간곡한 귀국권유도 있어 44년 11월 귀국길에 올랐다.

해방 이듬해 46년 정진기 창업주에게 인생의 방향을 바꿀 기회가 찾아왔다. 나주민립중학교(羅州民立中學校, 나주중학교 전신)가 개교했고 여기에 입학할 수 있었다. 중학 1학년 때의 성적은 평균 98점으로 전교생 중 수석이었다. 일본에서 주경야독한 효과도 있었다.

그러나 정 창업주의 달콤한 중학교 학창생활도 2년을 넘기지 못하고 말았다. 가정형편이 학비를 더 이상 지탱해 줄 수 없었기 때문이다. 휴학하기 직전에 정 창업주에게는 생애 뜻 깊은 의미가 있는 일이 일어났다. 교내에서 있었던 웅변대회가 그것이다.

1947년 10월 어느 날, 교내 웅변대회가 열렸다. 해방 직후 웅변붐은 대단했다. 정 창업주는 세 번째 연사로 등단했다. 정 창업주의 원고는 "동해물과 백두산이 마르고 닳도록…"으로 시작됐다. 그리고 애국가의 한 소절씩 그 뜻을 풀어나갔다. 우렁찬 목소리, 불을 토하는 듯한 열변은 장내를 뜨겁게 달아오르도록 했고 연설이 끝났을 때는 방청하던 모든 사람이 일어나 애국가를 부르는 광경이 벌어졌다.

정 창업주는 1등을 차지했다. "저 놈은 필시 크게 될 놈"이라고 방청객들과 학생들 그리고 이를 지켜보던 교사들도 동의했다. 이때 얻은 「웅변가 정진기」씨의 명성은 이후 현실정치 속에서 빛을 발하게 되는 것이다. 또한 이 웅변대회 현장에서 이를 눈여겨보던 교사들 중에는 장지량(張志良) 선생님이 있었다.[장지량 선생님은 후에 공군 참모총장, 대사(大使)를 역임했다.]

추후 정 창업주는 장지량 대사와 사돈관계를 맺게 된다. 정 창업주 외동따님 정현희 여사(현 정진기언론재단 이사장)와 장 대사 맞아들 장대환(張大煥) 현 매경미디어 그룹 회장과의 결혼이 그것이다.

3. 뜻밖의 교편(敎鞭)을 잡고

정 창업주는 중학 휴교 후 48년 1월 나주군 삼도면(三道面)에 있
는 삼도서(三道西)초등학교 임시교사로 자리를 잡았다. 가형(家兄)
이 교사로 근무하고 있는 곳이다. 당시는 대한민국 정부가 수립되기
전, 미군정 하에서 각급학교의 교원부족이 심각했고 특히 초등학교
교사는 태부족이었다.

정 창업주는 나이 19세로 우수모범학생으로 평을 얻고 있었기에
임시교사로 채용될 수 있었다. 임시교사 얼마 후 교원시험이 있었고
우수한 성적으로 합격, 정식교사자격을 얻었다. 정 창업주는 삼도
서초등학교에서 만 2년간 근무했고 교장직무 대리보직을 맡아 혼신
의 힘을 쏟았다. 삼도서초등학교는 폐교(廢校)명령이 떨어져 해보(海
保)초등학교로 자리를 옮겼다. 여기서도 교장 직무대리에서 급사 일
까지 2세 교육 등에 헌신했으나 50년 6·25전쟁으로 교사직을 계속
할 수 없게 되었다.

정 창업주는 본가로 돌아와 생계를 위해 죽세공(竹細工) 일을 하
기도 했다. 죽세공이란 대나무로 바구니 등을 만드는 일을 말한다.
이때 정 창업주의 전해지는 일화가 하나 있다.

죽세공을 하는 사람들은 5일 장날마다 그간 만들어 놓은 물건
등을 내다팔아 수입을 올리는 것이다. 어느 날 정 창업주는 정성들
여 만든 죽세공품을 불태워 버리고 마는 일이 벌어진 것이다. 집안
은 물론 인근 사람들은 깜짝 놀랐다. 정 창업주는 어느 순간 죽세공

품을 전부 팔아본 들, 들어오는 수입은 미미하다. 그가 평소 갖고 있는 큰 꿈에 비해 너무 초라하다. 아예 일을 그만두는 게 더 낫겠다는 생각에서 나온 결단으로 해석되는 것이다.

4. 광주(光州)로 진출

정진기 창업주는 본가(本家)에서의 죽세공 일을 뒤로하고 전남도청 소재지 광주시로 진출했다. 세 번째 가출인 셈이다. 본가 광곡은 웅지를 품고 있는 정 창업주를 품고 있기에는 좁았다. 정 창업주 역시 더 넓은 곳으로 나가야 뜻을 펼 수 있는 것이다. 고래가 모래밭에 있을 수 없는 것과 같은 것이다.

정 창업주는 광주에서 여수일보(麗水日報) 광주지사 기자로 일하게 됐고 마침내 언론과 인연을 맺게 됐다. 광주생활은 새롭고 희망찼다. 도시생활이 주는 활력은 정 창업주를 자극했다. 53년 1월 이서례(李瑞禮) 여사(현 정진기언론재단 명예 이사장)와 결혼했고 55년 따님 정현희(鄭賢姬)(현 정진기재단 이사장) 여사를 얻었다. 이서례 여사는 결혼을 며칠 앞두고 흰 두루마기를 입은 사람이 울긋불긋한 용(龍)을 타고 지붕으로 올라가는 꿈을 꿨다고 한다.

정 창업주는 단칸 셋방살이를 했고 한편으로 검정고시 시험을 거쳐 조선대학교 법정대 법학과에 입학했고 고등고시 사법과를 겨냥, 주경야독의 바쁜 생활을 했다.

58년 봄 어느 날 정 창업주는 뜻밖의 소식을 접했다. 나주가 선거구인 J모 국회의원이 재선을 위해 국회의원에 출마하는데 유세요원이 되어줄 것을 제의해 온 것이다. J모 국회의원 측에서는 정 창업주가 나주중 재학 때 웅변대회에서 1등을 차지한 「웅변가 정진기」를 기억하고 그를 유세요원으로 제안한 것이다. 이 제안은 정진기 창업주의 인생행로에 중대한 변화를 가져오는 것이었다.

정 창업주는 조건을 내걸었다. 만일 J의원이 재선되어 서울에 가면 「서울에 있는 신문사 기자로 취직자리를 구해주시오」였다. J의원측은 흔쾌히 약속했고 정 창업주는 그의 뛰어난 열변으로 J의원을 도왔고, J의원은 압도적인 표차로 재선에 성공했다.

5. 신문기자의 꿈 안고 상경(上京)

정진기 창업주는 58년 5월 22일 서울로 올라왔다. 30세가 된 해였다. 부인과 딸은 고향에 남겨둔 채였다. 며칠 분의 하숙비가 가진 것의 전부였다. J의원 측에서는 「곧 취직이 된다. 열심히만 하고 있으면 살길은 열릴 것이다.」는 막연하고 상투적인 이야기였다. 정 창업주는 그 기간이 빠르면 3개월 늦어야 6개월쯤으로 생각했다. 그러나 시간이 흐를수록 그런 희망은 흐려져 갔다.

당시 정국은 자유당 정권의 말기적 증상으로 혼탁하기 이를 데 없었다. 기댈 곳도, 가진 것도 넉넉지 않은 시골청년 정진기, 취직약속은 차일피일, 이 핑계, 저 핑계로 언제 실현될지 막연하기만 했다. 정 창업주가 할 수 있는 일이란 막노동뿐이었다. 마침 퇴계로 5가 중앙시장 건설현장이 있었다. 잡역부 자리였다. 기술이 없기에 잡역 부일 수밖에 없었다. 잡역일은 두 다리가 후들거리고 등줄기가 쑤셔대는 힘든 일이었다. "여기가 바닥이다. 쓰러지면 끝이다!"이를 악물었다.

그러나 8일 만에 쫓겨나고 말았다. 창업주는 하는 수 없이 국제극장(현 동화백화점) 뒷골목과 광화문 일대에서 담배 파는 일을 했다. 당시 고학생들이 담배판을 목에 걸고 낱개비로 담배를 팔아 학비를 조달하는 때였다.

창업주는 광화문 일대를 택한 것은 당시 국회의사당(현 서울시의회) 인근으로 J의원을 만나기 쉬웠기 때문이다. 창업주는 고향사람들도 만났고 J의원도 만났고 그에게 담배를 직접 팔기도 했다. 특히 J의원은 담배 값으로 큰돈을 내고 거스름돈을 받지 않으려 했지만 그때마다 거절했다.

"내가 동정받자고 하는 일이 아니다. 이건 내 생활이고 내 장사다. 내 담배 사준 것만으로 감사하다."고 말했다. 비록 담배를 파는 일을 하고 있지만 그의 기개는 살아있었다. 부인 이서례 여사는 토굴생활이라도 함께 하자면서 서울에 가족이 함께 모여 살기를 원해 가족이 다시 모였다.

정 창업주는 상경 7개월 동안 가장 혹독한 시간을 보냈고 이후 어려운 일에 부딪칠 때면 부인의 손을 잡고 "상경할 때의 각오를 잊지 말자"고 다짐할 정도였다. 정 창업주는 가끔 광화문 네거리 국제극장 뒷골목을 찾곤 했다. 어려운 일에 부딪칠 때면 이곳에서 어려웠던 시절을 돌아보며 결심을 다지기 위해서였다.

정 창업주는 타계하기 전 며칠 전에도 이곳을 찾았다. 남겨 논 어록은 없지만, 서울생활 28년을 회상하고 그가 이룩해 놓은 매일경제를 생각하며 절망을 딛고선 그의 생애를 되돌아보았을 것이다.

정진기 창업주는 59년 봄, 거의 존재감도 없던 주간행정신문(週刊行政新聞)에 입사했다. J의원 측 취직약속을 더는 기다릴 수도 없었고 가능성도 희박했다. 광주에서의 여수일보 지국기자의 경험이 참조되어 행정신문에 입사했지만 그 신문의 성가는 지방지국보다 나을게 없었다. 그러나 정 창업주는 특유의 열성과 기질을 보이면서 노력을 기울이기 시작했다. 입사 후 체신부를 출입처로 배정받았는데 출입한지 얼마 되지 않아 당시 곽의영(郭義榮) 장관의 주목을 받기 시작했다.

곽 장관은 지방 출장 때면 쟁쟁한 일간(日刊)지 출입기자들을 제치고 정 창업주를 대동하기에 이르렀다. 곽 장관의 사람 보는 눈이 남달랐고 정 창업주의 열의 있는 취재 활동이 눈에 뜨이는 것이다.

정 창업주는 매주 체신부에서 1천 내지 2천부의 행정신문을 구입하도록 만들기도 했다. 그러나 정 창업주의 꿈은 다른 곳에 있었다. 일간(日刊)신문사에 입사하는 것이다. 기회가 찾아왔다. 당시 한국경제신문 김기영(金基永) 부국장(매일경제 초대 편집국장)이 평화신문 편집국장 서리로 자리를 옮기면서 그 곳에 정 창업주가 천거되었다. 김기영 국장은 평소에 정 창업주를 장래가 촉망되는 재목으로 눈여겨봤다.

그러던 중 60년 5월 서울경제신문이 한국일보 자매지로 창간되면서 김기영 씨가 부국장 겸 경제부장으로 자리를 옮기자 얼마 뒤 정 창업주도 서울경제신문에 입사했다. 열망해왔던 일간(日刊)신문 기자가 된 것이다. 그 후 대한일보가 평화신문을 인수, 새 제호로 창간될 때 그곳으로 옮겼으며 드디어 종합일간지 기자의 소망을 이루었다. 주간지에서 출발, 5년 여 만의 일이다.

정 창업주는 그에 앞서 국학대학(國學大學 ; 후에 우석대학) 야간부에 입학해 면학의 끈을 놓지 않았다. 정 창업주는 4년의 학업을 마치고 졸업과 동시에 경제학 강의를 맡아 강의했다.

서울경제신문 재직기간이 문제였다. 정 창업주는 언론사의 실상을 보았고 신문제작이 편집국장 또는 데스크(부장)의 사견(私見)에 좌우되는 것도 보았다.

정 창업주는 신문기자로서 어느 누구도 꿈꾸기 어려웠던 신문 창간(創刊)의 꿈을 꾸고 있었고 그에 필요한 힘을 기르고 있었다. 서울경제신문에 함께 근무했던 중견언론인 L씨(후에 수자원공사 사장)는 "그는 매사에 틀림이 없었고 끊고 맺는 것이 분명했다. 그의 생활엔 절도가 있었고 말로 표현하기 어려운 분위기가 있었다. 마치 몸속에 강철파이프가 들어있는 듯한 느낌을 주었다."고 말했다.

역시 함께 근무한 또 다른 중견언론인 S씨(추후 삼성그룹 비서실을 거쳐 대동공업 대표이사)는 "펄펄 끓는 가마와 같았다. 신문제작의 내부적 모순에 울분을 토하면 끝이 없을 정도였고 밤 새워 토론해도 샘이 마르지 않았다."고 했다.

기자실 동료였던 어느 인사는 "처음 만났을 때 인상은 촌스러울 정도로 순박했지만 옳은 말을 했고 정의감이 강했다. 항상 노력하는 모습이었으며 다른 기자들이 잡담하고 놀고 있을 때 열심히 취재했다. 출입한지 얼마 안 돼 출입이 오래된 기자들보다 출입관서의 사정을 더 잘 알았다."고 말했다. 기사를 무척 많이 썼고 경제원론(經濟原論)을 늘 뒤적였다고 했다. 포부가 커 보였고 얼마 안 있어 "나도 신문 하나 차려야지"를 이따금씩 내뱉곤 했다고 전한다.

6. 창간 전야 - 공보부에 등록

정진기 창업주가 신문 창간을 염두에 두기 시작한 것은 서울경제신문 정경부 기자로 있으면서 국학대학에 강의를 나가고 있을 무렵이고 뜻을 굳힌 시기는 64년 10월 대한일보로 옮겨 가게 될 때이다. 정 창업주가 창업의 뜻을 표면화한 것은 1964년 연말께였다. 창업주의 과묵했던 성품, 매사에 사려가 깊었던 점을 미뤄보면 창간을 발설하기까지에는 상당기간 구상을 구체화하는 기간이 있었을 것이 분명해 보인다. 이는 훗날 그의 회고를 통해 확인할 수 있다.

정 창업주는 회사설립 10년째인 75년 8월 어느 날 "내가 신문을 하나 만들어야겠다는 생각을 품기 시작한 것은 64년 봄, 매일경제신문을 창간하기 2년쯤"이라고 말한 적이 있다.

정 창업주의 머릿속엔 "멀지 않은 장래에 내 의지대로 제작되는 신문을 만들겠다"는 생각이 굳어져 갔다.

64년 10월 소속사는 대한일보로 옮겨졌다. 정 창업주의 오랫동안의 꿈이었던 중앙일간종합지 기자 소망은 이루어졌다. 정 창업주는 대한일보 근무를 시작한지 두어 달이 지나 상경(上京) 동지를 찾아갔다. 그리고 그에게 깜짝 놀랄만한 제의를 했다. 당시 매각설이 나돌던 H일간경제신문을 인수할 의사가 있다는 말을 하고 도와줄 것을 요청했다.

그 동지는 당시 그럴만한 힘이 있는 배경을 갖고 있었다. 처음에는 농담 정도로 여겼던 그 동료는 정 창업주의 진지한 설명에 귀를 기울였고 인수 작전에 동참했다. 인수 작업은 급진전 되었다. 정동(貞洞) J호텔에 인수본부가 설치되었고 인수대상 신문사의 간부들과 접촉이 시작되었고 계약의 키를 쥐고 있는 K전무의 협조를 얻게 되었다.

H경제신문은 당시 중앙정보부 출신으로 정계의 유력인사가 소유주였는데 적자 투성이었고 부채가 누증되어 경영위기에 놓여있었다. 인수 교섭 후 며칠 만에 판권(板權)과 윤전기 인수계약금으로 총 인수액의 20%가 건네졌고 인수 후 간부경영진 구성까지 합의가 이루어졌다. 장차 경영진 구성은 인수자 측이 사장, 상무, 편집국장을 맡고 매도자 측은 전무자리를 맡는 것으로 합의되었다.

그러나 인수계약이 이루어진 다음 날, 이 사실이 언론계에 파다하게 알려지면서 파문은 커졌다. 해당 신문사 기자들이 회사 매매계약을 반대하기 위한 파업을 계획하는 등 사태가 예상치도 않게 확대되었다. 거기에다 매도 측 사주가 심경변화를 일으켜 인수교섭 1개월 만에 모든 게 백지화되고 말았다. 새로운 신문발행 판권(板權)을 위한 정진기 창업주의 시련은 이때부터 시작되었다.

"그렇다면 판권을 새로 내는 수밖에 없지 않은가? 이 외의 선택은 있을 수 없다." 정 창업주의 판단이었다. 당시 언론계 환경은 엄혹했다. 5·16 군사혁명 이후 민주당 장면(張勉) 정권 때 난립된 언론기관을 정비하기 위해 「신문·통신 등의 등록에 관한 법률」을 만들어 신규 신문판권은 허가되지 않았다.

정진기 창업주는 물러설 수가 없었다. 물러설 정 창업주도 아니었다. 정 창업주는 「뜻이 있는 곳에 길이 있다」는 공리를 철저히 신봉하는 사람이었다. 정 창업주는 창간 준비위를 꾸리고 중구 소공동 50번지(한국은행 본점 맞은 편)에 사옥을 마련했다. 이 사옥은 당시 꽤 큰 기업을 운영하던 D필터의 K모 사장이 "내 사무실을 쓰십시오."하면서 제공한 것이었다.

K모 사장은 평소 정 창업주의 사람 됨됨이, 순수함에 반해 사무실을 마련해준 것이다. 건평 20여 평, 3층 규모의 이 건물은 매일경제신문 창간사옥이 되었다. 정 창업주는 신문·통신 등록에 관한 법규를 연구했고 이 법 규정에 신문발행을 위해서는 일정 기준 이상의 시설구비를 등록조건으로 정해놓고 있다는 것을 찾아냈다. 신문발행을 하려면 윤전기를 확보하는 것이 첫째의 관문이었다.

그런데 상공부의 윤전기 수입 허가 조항은 독소규정을 안고 있었다. 일반 인쇄물이 아닌 신문사용 윤전기를 수입하려면 무역계획(貿易計劃)에 따라 주무 부처인 공보부(문공부 전신)장관의 추천을 거쳐 상공부 장관의 허가를 받도록 한 것이다. 이 규정은 기존 신문발행을 하고 있는 회사를 전제한 것이었고 발행실적이 없는 경우는 해당되지 않는 것이었다. 창간은 원천적으로 봉쇄돼 있는 것이다.

정 창업주로서는 윤전기 국내 제작은 생각하기도 어려웠고 기존 대 신문사에서 윤전기를 매각하는 사례도 없었다. 정 창업주는 이때 조선대학에서 법학을 공부한 것이 빛을 발휘했다. 정 창업주의 논리는 상공부의 무역계획은 법 하위 개념이고 그렇기 때문에 법이 우선함을 들어 발행등록 이전에도 수입이 가능해야 한다고 정부를 설득했다. 정진기 창업주의 설득작업은 전 방위적이었다.

정 창업주는 창간에 힘이 될 만한 사람이면 친소관계를 가리지 않고 만났다. 그러는 과정에서 창업주의 우호세력들의 도움으로 실세의 한 사람인 공보부 장관 홍종철(洪鍾哲) 씨를 만날 수 있었고 홍 장관을 설득해 청와대에 진언하도록 했다.

정 창업주는 이 과정에서 박정희 대통령에게 한지 두루마리 1m 길이의 진정서를 모필 글씨로 써 보내기도 했다. 정 창업주는 이 진정서에서 젊은 경제기자가 국가의 경제 발전에 이바지 할 수 있는 일간경제신문을 창간할 수 있도록 도와줄 것을 진정하기도 했다.

하늘은 스스로 돕는 자를 돕는다고 했다. 정진기 창업주는 문공부를 무려 36번이나 찾아갔다. 홍종철 장관은 "정진기 그 사람 젊지만 무엇인가 해낼 수 있겠다. 내가 보니 훌륭한 사람 같은데 도울 수 있는 길을 찾아보라"고 관계직원에게 말했다.

드디어 65년 6월 제반서류가 갖춰져 윤전기 허가신청을 냈으며 공보부 추천을 통해 상공부의 허가를 얻었다. 정 창업주의 꿈이 이루어지는 순간이었다.

7. 창간준비 당시의 비화

창간준비 작업이 시작되었고 회사설립절차가 진행되었다. 65년 8월 18일 주식회사 매일경제신문사 설립이 정식으로 법원에 등기되었다. 설립자본금 5백만 원, 서울 중구 소공동 50번지에 사무실을 두고 이사엔 정진기, 김종철, 송태식 씨, 감사엔 이서례 씨가 선임되었다. 천신만고 끝에 얻은 신문발행허가였다. 그러나 세상은 경이의 눈초리가 아닌 질투, 험담으로 가득했다.

매일경제신문의 정체가 의심스럽다는 말도 돌았고 신문을 낸다 해도 얼마 못가서 사라질 것이란 입방아도 있었다. 언론계 일부에서도 빠르면 3개월, 늦어야 6개월이면 문을 닫을 거란 이야기도 돌았다. 사장은 돈이 없는 사람이기 때문에 재일교포의 후원이 있었거나 재벌의 앞잡이라는 악의적인 험담도 있었다.

정 창업주는 훗날 "그런 말들은 내 몸을 칼로 찌르는 것처럼 아프게 느껴졌다. 세상이 야속하다는 생각도 했지만 결국 독자들이 알아줄 때까지 참는 길밖에 없었다.” 고 술회했다. 정진기 창업주는 생각 끝에 사회의 그런 불신을 일소하고 본인의 신문발행의 신념을 알리기 위해 「매일경제신문의 창간을 준비하면서」라는 내용을 조선일보 일면(一面)에 광고로 게재했다. 광고료가 가볍지 않는 수준이었지만 그렇게 하는 게 효과적이라고 생각했다.

다음은 광고전문이다.

“매일 태양은 동쪽에서 떠서 서쪽으로 기울어집니다. 이 자연의 법칙은 우주의 역사가 시작된 이래 오늘에 이르기까지 수억 년 동안 추호도 변함없는 철칙입니다. 이와 같이 경제에도 영원히 변할 수 없는 원칙이 존재하는 것입니다.

인류는 이 불멸의 원칙을 정확히 파악하기 위하여 역사의 변화와 함께 꾸준히 노력해오고 있습니다. 이러한 인류의 노력은 결국 영국의 산업혁명을 이뤘고 미국의 부강을 창조하였으며 서독과 일본과 같은 경제 재건을 이룩하게 하였던 것입니다. 그러나 우리 한국은 5천년이란 기나긴 역사를 자랑하면서도 우리 스스로가 실현해야할 경제발전의 원칙을 발견하지 못한 체 변칙된 경제 속에서 생활해왔던 까닭에 오늘날 우리의 실정은 연간 국민소득(國民所得) 1백 달러 미만이라는 경제적 후진성을 탈하지 못하고 있는 것입니다.

과연 우리 국민은 지금 무엇을 희구(希求)해야 하겠습니까. 그것은 바로 매일같이 닥쳐오는 생활고(生活苦)의 해결입니다. 정권을 잡기 위한 정략적인 싸움보다도 자기만을 위한 사리사욕보다도, 정치인과 정부와 그리고 국민이 혼연일체가 되어 우리의 적(敵)인 경제후진성을 탈피하며 생활고를 해결하는데 총력을 기울여야한다고 확신하는 바입니다.

그러나 우리의 현실은 우리의 적인 경제적 후진성 탈퇴에 총력을 기울인다고 하기보다는 오히려 후진성은 자기 아닌 타인의 책무인 것처럼 잘못 생각하는 현실외면의 경향이 농후한 실정이라고 단정할 수 있습니다. 본인은 일천하나마 일선 경제기자생활과 함께 대학에서 경제학 강의를 하여 왔습니다. 그동안 실사회에서 일어나고 있는 경제의 변칙을 보았고 정책의 시행착오를 보았으며, 현실과 원리가 도저히 부합되지 않는 모순을 목격했습니다.

본인은 본인이 담당하고 있는 경제정책 강의가 진실 탐구하려는 학도들의 뇌리에 부각되었다가 그들이 한국의 현실사회에 나아가 생활경제에 부딪혔을 때 자기가 배운 것과 거리가 멀다든가가 또는 정반대의 성질을 발견하였을 때 그들의 실망이 얼마나 큰 것인가를 생각하면 나의 양심은 나를 그대로 방치하지 않을 것입니다.

더욱이 기자생활에서 나를 놀라게 한 사실은 국민을 위하여 수립하는 정부의 정책들 가운데 국민이 진정 무엇을 희망하는가를 등한히 하고 있다는 부분이 있으며 국회든 정책적인 토론에 앞서 경제관계마저도 정략적인 면에서 이용하고 있는 부분이 있으며 일부 업계는 자기목적 달성을 위하여서는 도덕심마저도 망각하고 있을 뿐만 아니라 대다수의 국민은 국회가 정부에 대하여 자기들의 정당한 권리를 요구하기 이전에 대안 없는 비판만을 거듭하고 있는 것입니다.

이러한 결과는 결국 우리의 적인 경제적 후진성만을 이 나라에 뿌리 깊게 했다는 결론을 얻게 했습니다. 본인은 2에 3을 더하면 5가 된다는 수학적인 공식이 존재하는 것과 같이 이 나라 경제건설에도 이에 알맞은 원칙이 있음을 확신하면서 정부는 국민경제가 균형적으로 발전할 수 있도록 정책을 수립하고 국회는 정부가 수행하는 정책을 비배관리(肥培管理)하여 모순만을 시정, 수행케 하고 국민은 국가시책을 정당하게 받아드리는 제도의 확립만이 이 나라의 경제적 후진성을 탈퇴하고 조국을 근대화하는 길이라고 확신하는 바입니다.

본인은 이와 같은 신념을 가지고 매일경제신문의 창간을 준비 중이오니 선배 제현께서는 연소한 이 사람의 뜻이 이루어지도록 많은 지도와 편달을 해주시기를 충심으로 바라마지 않습니다.”

8. 창간호가 나오던 날

창간일인 1966년 3월 24일, 봄 날씨답지 않게 눈발이 휘날렸다. 창간에 이르기까지의 신산고초를 말해주는 듯 했다. 어쨌든 감격의 날이었다. 2년여의 구상, 1년의 악전고투 끝에 지령 1호를 손에 쥐게 된 정진기 창업주의 감회는 무량했을 것이다.

창간호는 12면(面)으로 꾸며졌다. 본지 8면과 부록 4면이었다. 창간호 인쇄는 난산이었다. 석간(夕刊)이기 때문에 12시에 나와야 할 신문이 윤전기가 몇 차례 시운전을 거쳤지만 말썽을 부려 부록 4면은 오후가 되어서야 초쇄가 시작됐고 본지 8면은 어둠이 깔리기 시작할 무렵에야 인쇄되기 시작했다. 지령 1호는 오후 6시쯤에야 모습을 드러냈다. 신문 인쇄발은 인쇄를 한 것인지, 먹칠을 한 것인지 모를 지경이었다.

정진기 창업주는 인쇄가 너무 보잘 것이 없어서 그 후 한 달 동안 창간인사를 다니지 못했다고 훗날 회고했다.

창간호 일면은 「앞길은 밝다」라는 표제 아래 철마(鐵馬)가 터널을 빠져나오는 사진과 함께 기사를 실었다. 창간호 제작 기획은 비범했다. 박정희 대통령에게 서면 인터뷰를 청한 것부터가 그랬다. 창간호 제작에서 눈길을 끈 것은 3면에 매일경제신문이 박정희 대통령에게 서면질의를 했고, 박 대통령이 답변을 준 것이었다.

박 대통령은 2차 5개년 계획에 담길 경제 정책에 대해 성의 있게 답변했다. 박 대통령은 경제 실리 외교방안, 투자우선 순위와 국민

1966년 3월 24일 매일경제 창간호 제1면 – '창간, 앞길은 밝다. 우렁찬 고동, 빈곤을 헤치고'라는 제목에 당시 치악산 기슭의 터널을 빠져나오는 열차 사진을 함께 실어 빈곤했던 우리나라 산업에도 희망이 있음을 표현했다. – 사진은 과거 종이신문을 원형 그대로 보여주는 '네이버 뉴스 라이브러리(newslibrary.naver.com)'의 서비스 화면.

경제발전, 농어촌발전, 기술개발의 강화 등 국정운영의 구상을 밝혔다. 그러면서 박 대통령은 '節約勤勉'이라는 휘호를 써주었고 정 창업주는 사원들의 봉급 봉투에 이를 새겨 오랫동안 사원들을 격려했다.

창간호 제작은 특이했다. 정진기 창업주의 철학에 따라 사설(社說)이 게재되지 않았다. 정 창업주는 사설 없는 신문에 대해서 "경제현상에는 언제나 양면성이 있기 때문"이라고 말했다. 경제현상의 양면성을 생각하면 일방적인 주장을 내세우기 보다는 각계의 의견을 폭 넓게 보도하는 것이 진정한 정론지의 길이라는 것이다. 당시 일부 언론이 필자의 사견에 따라 스스로 주장을 뒤집는 식의 무책임한 풍토를 개탄하는 면이 있었을 것이다.

정진기 창업주는 70년 3월 24일 창간 4주년 기념일부터 사설을 싣도록 했다. 그러면서 정 창업주는 "우리나라 언론의 사설들은 모순된 말을 자주 해오고 있다. 어느 날은 쌀값이 비싸 서민생활이 고통스러우니 쌀값을 억제시키라 주장하고 어느 날은 농촌이 피폐해지니 고미가 정책을 펴야한다고 주장한다."고 말했다.

창간기에 사시(社是)에 대한 논란도 주목을 끌었다. 정진기 창업주는 사시를 정하면서 제1항으로 신의 성실한 보도. 2항으로 부(富)의 균형화(均衡化)로 정했다. 1항이 신속, 정확이 아니라 신의 성실한 보도로 정하는 것도 이색적이었지만 2항 부의 균형화는 많은 논란을 불러 일으켰다.

당시 정부의 경제 정책의 대원칙이 「성장위주」였는데 부의 균형화

개념은 이에 맞지 않는다는 것이다. 균형화란 말이 평준화의 어감으로 받아들여지고 사회주의 경제개념으로 이해된다는 일부의 지적이 있었다. 정 창업주는 66년 7월 19일 지령 100호를 맞아 4,5면 두 면에 4개 항의 사시가 정해진 배경과 의미를 특집으로 꾸미도록 지시했다. 일부 독자들의 오해를 불식시키기 위함이었다.

9. 뛰어난 성장전략, 따뜻했던 인간미

정진기 창업주의 신문제작 전반에 대한 방향 설정과 판매, 광고 분야에 대한 아이디어는 누구도 따라올 수 없는 탁월한 것이었다. 정 창업주는 창간호 제작에 자신이 뽑은 공채 1기생이 기사를 쓰도록 했다. 매경 공채 1기생은 65년 9월에 입사, 6개월간의 수습을 거쳐 66년 3월 24일 제작에 투입되었다. 정 창업주는 기성 기자들의 몸에 밴 타성, 고정관념으로는 신생후발 신문사의 특징 있는 기사작성을 기대하기 어렵다고 본 것이다. 이런 결정은 장기적인 안목에서 볼 때 너무 날카롭고 적절한 것이었다.

정 창업주는 판매 전략에서도 독특한 시스템을 도입했다. 본사 직영제가 그것이었다. 기존의 전 신문사들이 보급소 체제, 즉 지역 총판방식에 의존하고 있는데 이 방식은 비효율적이라고 정 창업주는 판단했다. 정 창업주는 서울시 각 지역을 본사 직원이 관할하는 직영체제로 관리하는 것이다.

이런 방식은 어느 누구도 구상하지 못한 정 창업주의 창작품이다. 예컨대 어느 한 동(洞)에 한 사람의 독자를 위해 본사 직원 한 사람이 관리, 배달하는 것이다. 보급소 총판방식으로는 불가능한 판매방식이다. 실제 당시 강서구 화곡동에서 한 사람의 독자를 위해, 창업주의 지프차를 내주어 배달하는 사태가 일어났다. 화곡동은 신시가 조성지역으로 주택이라곤 허허벌판에 몇 채 없는 때였다. 수지가 맞지 않는 장사였다. 그러나 그런 판매 전략을 꾸준히 밀고 나갔다.

　정 창업주의 토요(土曜)회의는 유명했다. 정 창업주는 창간 직후부터 매주 토요일 오후 2시부터 4시까지 편집부 전원을 상대로 회의를 주재했다. 말이 4시까지이지만 5시, 6시에 끝나는 날이 더 많았다. 회의주제는 경제원론에서부터 그 주에 쓰여진 기사에 이르기까지 다양했고 기사를 서툴게 쓴 기자는 호명되어 곤욕을 치르기도 했다. 2년 넘게 계속된 이 회의로 사원들의 자질향상, 제작품질을 높이는데 기여한 것으로 평가된다.

　정 창업주는 어떻게든 후발의 불이익을 상쇄하고 많은 잠재적 독자를 만나려고 고심했다. 그것이 1967년 1월 13일 선언된 소비자 보호 캠페인이다. 「소비자 보호」라는 개념조차 낯선 때였다. 재계에서는 "경제신문이 기업을 도와주지 않고 소비자만 보호하는 것이냐"는 반발이 있기도 했다.

　정진기 창업주는 편집국에 재계를 심하게 비판하지 말라는 주문을 했다. 경제신문이 설 자리는 재계인데 제 발에 도끼를 찍지 말라는 취지였다. 정 창업주는 매년 삼성 이병철 회장을 비롯 재계순위 5위 안에 드는 회장들에게 신년인사를 드렸다. 언론사 사장이 사무실을 찾아와 신년인사를 하니, 인사를 받는 회장들은 하나같이 신선한 즐거움을 느꼈을 것이다.

정진기 창업주는 남다르게 정이 많은 사람이었다. 정 창업주는 당시 106명의 사원 전부의 개인 신상을 꿰뚫고 있었고 개인의 어려움에 무관심하지 않았다. 이런 일화도 있다. 정현희 여사(현 정진기문화재단 이사장, 정 창업주 따님)가 「우리, 공부 합시다」라는 저서에서 밝힌 내용이다.

"언젠가 다른 신문사의 배달 소년이 우리 집에 편지를 보냈다. 저는 고학하며 일보를 돌리고 있는 김철수라고 합니다. 매일 새벽 3시에 일어나 안암동 일대를 돌며 신문을 배달하고 있습니다. 선생님 댁에서도 신문은 보시겠지만 혹시라도 여유가 되신다면 일보를 한 부 구독해 주신다면 감사하겠습니다. 만약 신문을 보지 않고 계신다면 꼭 일보를 봐주십시오. 불쌍한 학생을 도와주신다 생각하시고 한 번 읽어봐 주십시오."

정 창업주는 회사에서 이미 그 신문을 구독하고 있었다. 그럼에도 바로 일보 지국에 전화를 걸어 "내일부터 신문을 넣어주시오." 정 창업주는 다음날 새벽 문 밖에서 배달 소년을 기다렸다. 정 창업주는 소년에게 "편지 잘 봤다. 추운데 고생이 많지?"하면서 봉투를 손에 쥐어 주었다.

정 창업주는 겸손했다. 지위고하를 막론하고 사람들을 존중했다. 수위에게도 먼저 고개 숙였다. 똑같은 잘못을 저질러도 간부들 보다는 아래계층에 관대했다.

정 창업주는 풍류와 멋도 있었다. 댁에서 시간에 여유가 있을 때는 춘향가 중 쑥대머리 부분을, 황성옛터를 곧 잘 불렀다.

10. 승승장구한 매일경제

매일경제는 창간 이후 온갖 어려움을 딛고 성장가도를 달렸다. 1977년은 매일경제에 뜻 깊은 해였다. 새 사옥이 준공되어 3월 24일 창간 11주년 기념식을 가진 것이 그것이다. 새 사옥은 중구 필동 1가 51번지. 대지 245평, 연건평 2251평의 11층 빌딩으로 사원 모두는 긍지와 자부심으로 기뻐했다.

정진기 창업주는 이날 기념식에서 "이제 매일경제의 경영은 새 시대에 돌입했다. 이제부터 우리는 새로운 각오를 다져야 한다."고 말해 매일경제가 여기에서 만족하지 않는다는 희망을 피력했다.

"매일경제신문은 다시 한 번 현 시국과 현재의 국민경제 실상 및 세계적인 환경 속에서의 우리나라 입장을 생각하며 많은 국민이 실망하지 않게, 마치 배고픈 사람에게는 식량이 되도록 하는 신문을 제작해야 한다. 지금까지 고생했지만 이제부터 고생한 성과는 나타날 것이다. 사람의 성장과정에서도 10~15세까지는 1년에 10~20cm 크지만 15세 이상에서는 크는데도 한계가 있다. 눈에 보이지 않게 조금씩 커간다. 뼈대가 굵어지며 힘이 생긴다.”

정 창업주는 새 사옥에서 처음 맞는 창간기념식에서 먼저 기쁨보다 내실을 강조했다.

11. 언론통폐합에서 살아남아

1979년도 마무리 될 무렵 한국은 최대의 정치적 사건에 휘말렸다. 박정희 대통령의 시해사건이 그것이다. 정국이 한치 앞을 예측할 수 없는 위기상황이었다. 군 병력끼리 충돌한 소위 12·12사태가 터졌고 신군부가 권력을 장악했다. 신군부는 언론통폐합이라는 칼을 빼들었다. 언론계는 생과 사의 갈림길에서 전전긍긍했다.

정진기 창업주는 80년 시무식에서 “매일경제를 지켜줄자 누구이어야 하는가?”로 화두를 던졌다. 성장하고 확장하는 일을 말하는 대신 내실을 다지는 문제를 제시했다. 언론계는 하루가 다르게 변하는 풍문으로 시달렸다. 오늘은 A사가, 내일은 B사가 폐합된다는 식으로 소스도 아리송한 풍문들이 정설처럼 돌아다녔다. 정진기 창업주도 불안하기는 사원들과 크게 다르지 않았을 것이다. 베일에 가려 있던 언론 통·폐합안이 윤곽을 드러냈다.

1980년 11월 17일, 한국신문협회와 한국방송협회의 결의사항 발표 형식을 취했지만 신군부가 결정해 놓은 것에 불과했다. 당시 생존한 신문은 사주(社主)의 도덕성, 매체에 대한 사회의 평판이 기준이었던 것으로 알려졌다. 매일경제는 살아남았다. 4개의 경제 신문 중에서 서울경제와 내외경제가 사라졌고 한국경제신문은 주체가 바뀌었다. 정진기 창업주는 살아남게 된 현실을 언급하면서 "매일경제가 통폐합에서 제외된 것은 그 동안 전 사원들이 고통을 참아왔기 때문이다. 매일경제가 우수한 신문이기에 살아남았다고 자만해서는 안 된다."

정 창업주는 사원들의 자만을 경계했다. 어떻든 매일경제는 입지가 넓어졌고 힘을 받게 됐다.

12. 격랑 속의 투병

81년은 80년의 악몽을 떨치고 재도약의 희망 속에서 시작되었다. 정진기 창업주는 81년을 「최대 도약의 해」로 정했다. 정 창업주는 "81년이 우리 매일경제의 최대도약의 해라고 확신한다. 여전히 장래가 불투명하다는 견해도 있지만 나는 외부여건이 돌발적으로 악화되지 않는 한 매일경제만은 도약할 수 있다는 확고한 신념을 갖고 있다."고 신년사에서 말했다.

그러나 정진기 창업주의 건강은 오래 전부터 그의 의욕을 지탱하지 못 할 만큼 악화되어 있었다. 정 창업주는 2년 전 담낭수술을 받은 부위가 참을 수 없을 만큼 통증을 느꼈다. 주위에서 병원에 가볼 것을 권했으나 마침 매일경제가 전개하고 있는 중소기업 육성 캠페인을 끝내고 병원에 가보겠다고 했다.

정 창업주는 6월 1일 강남 성모병원에 입원했다. 병원에서는 별다른 병명을 찾지 못했다. 정 창업주는 6월 18일 한 2주일 예정으로 일본을 방문했다. 「일본 경제신문」과 특약협의를 마무리 짓는 업무여행이었다. 창업주는 다시 7월 1일 서울대학병원에 입원했고 췌장암이 깊어진 상태라는 확진을 받았고 7월 17일 생의 종지부를 찍고 말았다. 향년 52세. 너무 아까운 나이였다.

13. 재산 사회환원 '언론문화재단' 발족

정진기 창업주는 평소에 "회사는 사원의 것이며, 신문은 사회의 것"이라고 말해왔다. 정 창업주는 매일경제를 자신의 생명처럼 아껴왔어도 단 한 번도 창업주 개인의 것이라고 말하지 않았다. 7월 9일 오후 6시 30분 서울대 입원병실에서 이사회가 열렸다. 정 창업주는 돌이킬 수 없는 상태에 있음을 통고받은 날이었다.

정 창업주는 이날 이사회에서 자신의 일생과 바꾼 매일경제신문사의 주식 일체를 내놓았다. 한국 언론사상 초유의 「사회 환원」을 실현한 것이다. 정 창업주는 이렇게 해서 평소 말해오던 "회사는 사원의 것이요. 신문은 사회의 것"이란 지론을 실천에 옮겼다. 창업주는 약속을 지킨 사람이었다.

정부는 그 이듬해 4월 언론보국과 사회 환원을 기려 국민훈장 모란장을 수여했다. 그리고 영국 캠브리지 IBC가 81년 12월 간행한 「맨 오브 어치브먼트81」에도 소개되었다.

정진기 창업주가 내놓은 매일경제신문사 주식은 공익재단(公益財團)에 80%, 사우회에 20%씩, 각각 출연되었다. 매일경제신문의 공유화가 이루어졌고 신문의 경영과 제작은 사원의 손에 맡겨졌다.

필자 **백인호**

前 매일경제 경제부장
前 매일경제 편집국장
前 MBN 대표이사
前 YTN 및 광주일보 사장
前 리빙TV 회장

우리 모두의 영원한 사회부장

'기록의 달인' 김은구(金銀九)

1937~2020년

신문기자 15년, 방송인 26년
사람 존중 맏형의 언론생애

글 ; 심의표(전 KBS 부산방송총국장, 현 대한언론인회 부회장)

〈김은구 약력〉

황해도 벽성 출신

서울 배문고 졸
동국대 법과 중퇴
조선일보 사회부 기자
서울신문 사회부 차장
경향신문 사회부 부장대우
KBS 사회부장~취재부국장
KBS 대전 국장
KBS 업무국장~부산 본부장
KBS 뉴스센터 주간 겸 보도본부 부본부장
KBS 방송개혁위원회 위원장
KBS 기획조정실장~경영본부장
KBS 아트비전 사장
대한언론인회 제19대 회장

〈상훈〉

새마을훈장 노력장
체육포장 수상

1. 참으로 소중한 인간관계

한 평생 살다보면 우리는 많은 사람을 만난다. 좋은 사람, 싫은 사람, 고마운 사람, 미운 사람…. 인연이라는 게 다양하기 짝이 없고 그럴수록 서로간의 관계는 더욱 각양각색이기 마련이다. 부모 자식이나 형제자매처럼 천륜의 연이야 그렇다 치더라도 사제지간, 선후배, 동문·동향·친구·연인 등 살면서 맺어지는 관계를 나누고, 가르다 보면 도대체 그 끝을 찾을 수 없다. 그러나 어쩌겠는가? 사람과 사람간의 관계라는 게 본래 그렇고 그런 것인 걸!

수많은 관계 속에 귀하고 소중하지 않은 인연이 따로 있으랴 하겠지만, '이 분과의 기억만은!' 하고 오래오래 간직하고 싶은 그런 인연이 있다. 오늘 이 글을 시작하면서 필자도 '내가 그처럼 존경하던 그 분의 생을 단편적이나마 기록으로 남길 수 있어서 너무나 행운'이라는 생각에 기쁨이 앞선다. 주어진 기회가 고맙기까지 하다.

사람과 사람 간의 관계를 얘기하면서 '존경'이라는 단어를 쓰기란 여간 쉽지 않다. 존경하는 사람을 만나기도 '하늘의 별따기' 만큼이나 어렵지만 더구나 다른 사람으로부터 존경을 받기란 더더욱 어렵기 때문이다. 하물며 그 세계가 '기자'라는 특정 직업인이 주를 이루는 언론계에선 더욱 그렇다. '기자라고 특별히 유별난 데가 있을라고?' 하겠지만, 다른 직종보다 좀 까칠하다고 할까, 냉정하다고 해야하나? 분명히 그런 분위기가 좀은 있는 것 같다. 그러다 보니 언론계에서 '누구를 존경 한다'거나 '존경을 받고 있다'는 말은 결코 쉽게

들을 수 있는 말은 아니다.

많은 후배들이 그를 따랐다. '맏 형님'이라고 부르며 좋아했다. 조선·서울·경향 신문에서 같이 일한 기자들도, KBS에서 동고동락한 동료, 선후배들도 그가 너무 일찍 떠난 것을 못내 아쉬워했다. 오늘 이 글을 쓰는 필자도 그랬다. 그와의 인연은 단 한 가지. 학교를 졸업하고 첫 직장인 KBS에서 그를 사회부장으로 만나 한 동안 같이 일한 게 전부다. 그런데 그를 평생 존경하며 따랐다.

2. 첫 대면과 고뇌의 시절

다른 사람들의 여느 만남처럼 김은구 사회문화부장과 나의 첫 만남 역시 너무나 평범했다. 입사 후 간단한 연수과정을 거친 뒤 첫 근무부서를 배정받아 부서장에게 인사하는 것은 누구나 비슷하게 겪는 일이다. 그러나 뉴스를 다루는 방송사 보도국 특유의 투박한 분위기 때문이었을까? 아니면 나의 개인적인 소심함 때문이었을까? 처음 그의 앞에 섰던 날, 숨 막힐 듯한 긴장은 지금도 기억이 생생하다. 부장 얼굴을 바로 쳐다보고 시선을 맞춘다는 건 언감생심, 아예 말을 붙여볼 생각조차 못했다. 혼자서 속으로만 되뇌었다. '무척 근엄해 보이는, 그래서 좀은 무서워 보이는 부장을 만났구나!'

그때 KBS는 지금의 여의도로 옮기기 전이었다. 남산 중턱에 사옥이 있었다. 사무실에서 고개를 돌려 언뜻 쳐다만 보아도 남산이 한

눈에 들어온다. 봄이면 노란 개나리와 분홍빛 진달래, 울긋불긋 가을 단풍과 하얗게 눈 뒤집어 쓴 겨울풍경, 창밖의 남산은 언제 보아도 아름다웠다.

그러나 1975년 당시, 언론사 KBS를 둘러싼 시대의 먹구름은 너무나 무겁고 깜깜했다. 불과 2년여 전이던 1972년 10월, 박정희 정권이 개정·공포한 제8호 헌법, 이른바 유신헌법에 대한 반대시위가 갈수록 격렬해지던 때였다. 서울을 비롯한 전국의 대학교에서는 거의 하루도 빠짐없이 '유신철폐' 시위가 잇따랐다. 강제 휴강, 휴교 조처로 대학마다 극심한 몸살을 앓아야 했다. 더구나 그해 4월 '제2차 인민혁명당 사건'에 대한 대법원 확정판결로 8명의 연루자에 대한 전격적인 사형이 집행되면서 정국은 들쑤신 벌집처럼 혼란스러웠다.

오랜 국영방송 이름을 벗고 불과 2년 전 공영체제로 갈아탄 KBS, 그 중 매일, 매시간 뉴스를 생산해야하는 보도국은 격렬한 진통을 겪어야 했다. 연일 계속되는 유신반대 시위를 어떻게 보도해야 하나? 해답이 나오지 않았다. 보도국 부서 중에도 시위 현장에 취재 기자를 내보내는 사회부의 입장이 가장 난감했다. 그 고통은 고스란히 취재 기자의 몫으로 떠넘겨졌다. 아무리 기사를 보내도 방송에는 한 줄도 나오지 않는다. 그렇다고 현장을 뻔히 보면서 기사를 안 보낼 수는 없다. 타사 동료 기자 보기도 부끄럽다. 이런 기자도 기자냐며 스스로를 질책한다. 모든 게 힘들고 귀찮아져 불만과 분노만 눈덩이처럼 쌓여갔다.

이처럼 이어지는 갈등과 자책을 참고 견딜 수 있게 해준 유일한 버팀목이 있었다. 바로 부장이었다. 평소의 모습처럼 별다른 말씀은 없었다. 풀이 죽은 채 출입처에서 사무실로 들어오면 언제 다가왔는지 어깨를 툭 치신다.

"힘들지?" "좀 참아봐! 힘내!" 그 뿐이다. 누가 봐도 '절름발이'인 '9시뉴스'가 끝나면 여지없이 부장의 명령 아닌 명령(?)이 떨어진다. "다들 충무로로 가, 술이나 한잔씩들 해!" 그리고 1년 365일, 휴일도 없이 (부장을 따라서, 부장과 같이) 소주를 들이켰다. 뉴스나 방송 얘기는 거의 없었다. 그러면서 그 세월을 잊었다. 견뎠다.

어디서 (부장의) 그런 힘이 나올까? 아니 그것은 힘은 아니었다. 마음이었을까? 마음이라면 어떤 마음이었을까? 적어도 나는 그렇게 느끼고, 또 그렇게 믿었다. '최소한 우리 부장님만은 나의, 우리의 이 고뇌를 같이 해 주실 것'이라고. 우리 모두에게 그런 마음을 전해주고, 믿음을 심어준 분이 바로 김은구 사회부장이었다.

3. 운명의 38선 넘나든 어린 시절과 '홀로 서기'

황해도 벽성군 추화면 월학리. 1938년 2월 20일. 호적에 기록돼 있는 그의 출생지와 생년월일이다. 태평양 전쟁(1941~1945년)을 몇 년 앞둔 일제 말기의 어려운 시절, 그 때는 누구라 할 것 없이 출생 신고 등 호적 정리가 명확하지 않은 게 보통이었다. 월남 후 가호적에 적힌 대로 38년생으로 옮겨졌지만 실제로는 1937년생이었다고 한다. 고향 마을은 행정구역 상 황해도였지만 위도상으로는 북위 38도 선이 걸쳐있는 해주시에 인접해 있어 서울과는 그리 먼 곳은 아니었다.

그가 생전에 정리해둔 자서전 준비 메모를 보면 '19살의 맏며느리가 종손을 낳으시니, 한 지붕 밑에서 5대가 함께 사는 대가족이었다'고 적고 있다. 할아버지는 '단군할아버지와 같은 (하얀) 수염을 가지신 분'으로 '할아버지 무릎은 (언제나) 종손의 자리였다'는 메모를 통해 볼 때 비교적 유복한 환경 속에서 듬뿍 사랑을 받으며 유년시절을 보낸 것을 짐작할 수 있다. (연세가 높아) 앞이 잘 보이지 않은 고조할머니와 '나 잡아봐라', '이노옴…' 하고 놀기도 했다고 하니 고조할머니께서는 꽤 장수를 하신 모양이다. 외할아버지는 해주시를 관통해 흐르는 광석천(廣石川) 제방을 축조하신 건축가였다고 하니 친가·외가가 아무래도 여유가 좀 있었던 것 같다.

그의 준비 메모를 좀 더 따라가 보자.

'8살이 된 1944년, 해주시에 있는 욱정(旭町)공립국민학교에 입학해 추화(秋花)국민학교로 전학 갔다가 졸업 후에는 해주 명문 동중학교(東中學校)로 진학한다.' 초·중학교에 관한 메모에 수양산(首陽山, 해발 946m : 황해도에서 구월산 다음으로 높은 산) 이름이 나오는 것을 보면 초·중학교 모두 수양산 가까이에 있었던 것 같다. 초등학교에 입학한 이듬해인 1945년, 해방의 기쁨을 맞은 후에는 '38선 남쪽에 사시는 할

아버지를 뵈러 38선을 넘나들었다고 하니 그때는 남북한을 오가는데 큰 어려움이 없었나 보다.

북한에 김일성 정권이 수립된 이후 일제시대 청년 독립운동가였던 아버지 김주행(경찰학교 1기생, 만송리 지서 근무)씨가 납북되자 가족의 시련이 시작되었다. 공산치하를 벗어나고자 일부 가족은 고향에 남은 채 본인과 동생 등이 '남쪽으로 가게' 되었다.

월남 후 서울에서 서울중학교에 다니다가 6·25전쟁이 발발하며 남은 가족을 찾기 위해 동생 현구(鉉九)와 함께 걸어서 3일 만에 고향집으로 돌아갔다. 그 해 9월, UN군이 서울을 수복하자 다시 학교에 복학했으나 그것도 잠시, 중공군의 남진에 따른 1·4후퇴 때 호남선 기차를 타고 논산 외할머니 댁으로 피난 갔다. 그 곳에서 헤어졌던 어머니와 두 여동생을 재회하게 되었다 하니 그동안 가족이 겪은 수없는 고통은 미루어 짐작할 수밖에 없다.

4. 언론인 첫 걸음, 조선일보 입사

6·25전쟁의 참화 속에, 38선을 넘나들다 멀리 논산 외할머니 댁까지 내려가야 했던 피난생활은 '군 트럭 뒤에 매달려 다시 서울로 돌아온 한강 건너기'로 새로운 전환기로 접어들게 된다. 1952년의

일이었다. 서울역 앞에 위치한 국군 유류 급유부대에 소년 군속으로 생애 첫 일자리를 얻었다. 그 부대장은 육군 제6군단장과 인천 선인학원 이사장을 지낸 백인엽(白仁燁) 중위였다. 그의 자서전 준비 노트에는 이 시기, 한 가지 눈에 띄는 기록을 남겨 두고 있다.

"휘발유를 (빼돌려) 팔아먹는다는 전시(戰時)의 군 부정에 분개하던 열혈(熱血)! - 왕십리 미군 보급소에서 수령한 휘발유가 하루에 한 트럭분은 다른 길. 15~20갤런 전표에 실제 급유는 10~15갤런도". 평생 부정과 불의를 멀리하고, 알고는 덮어두질 못하던 그의 성품을 이 메모를 통해서도 엿볼 수 있다.

긴 세월이 흐른 뒤, 그의 메모 속 몇 줄의 글을 인용해 그 당시 그가 겪었던 고난과 험난한 시간을 옮기긴 했지만 가장 절실한 표현은 그 스스로 메모 속에 이렇게 적었다. '살아남아 목숨을 지킨 것만 해도 천만다행'이었다. 그러나 그 난리 통속에서도 배움의 끈은 놓을 수 없었다. 수도학원, 배문고를 거쳐 동국대학교 법학과에 진학했다.

이 무렵 은구 학생은 서울 무교동에 있는 서광출판사로 일자리를 옮기면서 평생의 은인이 된 전 서울신문 기자 이우태(李愚兌) 씨를 만나게 된다. 그를 '평생의 은인'이라고 지칭하는 것은 바로 그가 김은구를 '언론인' 길로 접어들게 한 최초의 길잡이가 되었기 때문이다.

그가 이 '영특한 젊은이'를 소개한 곳이 바로 조선일보사다. 이 무렵 어머니가 신촌에서 전셋집을 얻어 하숙을 시작하고 큰 여동생 숙자가 군경유자녀로 직장을 잡으면서 생활의 안정을 찾게 된다. 남동생 현구와 작은 여동생 정자도 고등학교에 입학, 실로 오랜만에 온 가족이 안정된 생활의 기쁨을 맛보게 된다.

1958년, 조선일보사 견습기자 채용을 그는 메모장에 이렇게 적었다. "행운! 노력의 인정?" 조사부와 교정부를 거쳐 드디어 체육부 외근기자로 취재현장을 밟게 된다. 스포츠 취재 기자로 성실성과 기민성을 인정받은 김 기자는 "김은구는 내가 관리하겠다"며 사회부로 끌어 온 목사균(睦四均) 사회부장과 팀워크를 이루게 된다. 서대문·마포경찰서 출입기자를 거쳐 서울시경 캡을 맡게 되면서 김 기자는 그의 언론인 생활의 상징이자 자랑이 된 "영원한 사회부장" 타이틀을 얻게 되는 기반을 닦는다.

조선일보 편집국에서 9년 동안 취재현장을 누비는 동안 올챙이 기자 김은구는 이제 어엿한 중견기자로서의 탄탄한 경륜을 쌓게 된다. 사회부 차장 직을 맡아 데스크 역할을 겸하면서 특집 시리즈물로 게재한 '낙도(落島)의 가을'은 그의 유려한 필치를 한껏 뽐낼 수 있는 기회가 되었다.

"철썩 – 금시라도 집어삼킬 듯한 파도가 사철 출렁이는 낙도에도 가을은 온다." 볼음도(乶音島), 백아도(白牙島), 어청도(於靑島)…로 이어지는 그의 섬 기행문은 서리서리 비단 이불을 펼치듯 고달픈 섬 사람들의 애환을 녹여 담았다. "바다의 시름을 달래고자 이 포구에 들르는 어부들은 한잔 술의 얼큰한 기분 끝엔 가난한 입을 짝 벌려야만했다." 촌각을 다투며 피 튀기는 사건현장을 누비던 그의 날카로운 펜 끝 뒤에 이렇게 부드럽고 정겨운 정서가 어느 구석에 숨겨져

조선일보 대구SOS어린이마을 방문_1966년 12월

있었던가, 지금도 이 시리즈물을 되읽어보면 고개가 갸웃해진다.

조선일보에서 사건·스포츠 취재기자로서의 필명을 날리는 동안 그의 기사 뭉치를 들춰보면 물씬 사람냄새가 풍겨 나오는 기사들이 유난히 많았다. 몇 가지 대표적인 기사 제목만 뽑아보자. "데모와 곤봉과 여심(女心)과…어느 여대생과 경관 아내와의 지상대화", "결혼선물 분필 세 자루 - 한국 구화학교 「부부교사」", "국체의 가난한 사람들 - 사이클 없는 사이클 선수" 등이 그런 기사들이다. 언제나 가난하고 힘들어하는 사회적 약자와 소외층에 대한 진한 연민과 사랑의 끈을 놓지 않았던 그의 일면이 담긴 내용들이다.

5. '천하장사' 별명 얻은 서울신문 시절

아~ 아쉽다! 너무나 안타깝고 아쉽다! 자서전 발간 준비를 위해 한 페이지, 한 페이지씩 당시 상황과 심경을 꼼꼼하게 기록하고 관련 자료를 낱낱이 정리해 가던 그의 치열한 작업은 갑자기 얻게 된 병마의 습격으로 조선일보에서의 활약상을 끝으로 그 행진을 멈추고 만다. 조선일보 근무에 이어 서울신문, 경향신문, 그리고 KBS(한국방송공사)로 이어지는 그의 언론인생은 그의 비망록 앞부분에 정리해둔 요약식 기록과 전화나 면담을 통한 관련 언론인들의 증언 등에 의존할 수밖에 없었다.

조선일보 사회부에 근무를 하고 있을 때, 중앙일보가 창간을 하게 된다. 조선일보 체육부 기자 몇 명이 갓 출범한 중앙일보로 자리를 옮기게 되자 회사 측에서는 사회부 전 근무부서인 체육부로 다시 전보발령을 낼 참이었다. 조선일보 목사균 사회부장을 통해 이 소식을 들은 서울신문 정달선(鄭達善) 사회부장이 "김은구 기자는 체육부 보다는 사회부 기자가 제격이라 내가 서울신문으로 데려 가겠다"며 강권하다시피 서울신문 이직을 권하게 된다. 신동호(申東澔), 조덕송(趙德松) 두 선배의 만류와 호통을 들었으나 결국 서울신문 차장대우 직을 수락하고 회사를 옮기게 된다. 1967년 9월이었다.

그를 아는 주위로부터 '타고난 사회부장'으로 불리던 정달선 부장과 이렇게 한 솥밥을 먹게 된 것이 아마도 김은구란 이름 앞에 '영원한 사회부장'이란 상징적 타이틀을 달게 된 운명적인 만남이었던가

보다. 두주불사, 호주가(好酒家)
였던 정 부장을 두고 그의 메모
에는 '호걸(豪傑)?'이라고 적어두
었다.

서울신문 구봉광산 붕괴사고_1967년

서울신문 근무기간은 67년 9
월에서 69년 5월 까지, 2년이 채
안 된다. 길지 않은 기간이었는
데도 검찰, 법원 등 법조계 출입
과 보건사회부, 문교부 등 행정
부처 취재를 맡았었다. 취재 메
모장에는 '구봉광산 붕괴사고', '에베레스트 원정대 설악산 조난사
고' 등 당시 굵직굵직한 사건 취재 기록들이 담겨져 있다.

특히 법조 출입 기록란에는 '동백림 사건 확정판결 특종'으로 선
후배들로부터 '천하장사 김은구'란 별명을 얻은 일화를 적어 두었
다. 문교부 취재 과정에서 '중학교 무시험제 채택' 기사로 연이은 특
종상을 받는 행운을 잡았다.

특종상 상장 등 다른 표창장은 남아있지 않지만 다행히 당시 서
울신문사가 수여한 상장과 표창장 기록이 있어서 그 문안 일부를 옮
겨 본다.

"賞狀-功勞賞" 編輯局 社會部 金銀九

'위의 사람은…1967년 9월과 10월에 걸친 九峯鑛山 및 루
害地區 慘相取材에서 보인 卓越한 筆力과 機敏한 活動力으로
品位있는 記事를 迅速正確히 報道하므로서 當社 社勢伸張에
寄與한 功을 높이 讚揚하여 이에 賞狀을 授與함

1967年 10月 28日 서울신문사 社長 張太和'

"表彰狀-功勞賞" 編輯局 社會部 次長 金銀九

'위 사람은…지난 3월 15일에는 西海最北端 白翎島 文化學
院의 딱한 사정을 取材報道함으로써 落島 어린이들의 서울
招待를 實現시켰을 뿐 아니라 正規實業中學校를 設立하는데
길잡이가 됨으로써 社威를 크게 宣揚하였으므로…'

1968년 12월 24일 서울신문사 社長 張太和'

6. '영원한 사회부장' 초석, 경향신문 4년

서울신문 사회부에서 명콤비를 이루며 일하던 정달선 부장이 주
일특파원 발령을 받게 된 무렵, 용케도 경향신문 쪽에서 김은구 기
자에 대한 제의를 해오게 된다. 1969년 봄철이었다. 조용중 경향신
문 편집국장이 "이쪽으로 와서 나를 좀 도와 달라"는 요청을 보내온
것이다. 당시 경향신문 편집국 안에는 오랫동안 사회부장을 지낸 뒤

막 진급한 어임영(魚壬泳, 별명 '사카다') 부국장 진용이 사회부를 꽉 채우고 있었다.

타사에서 온 이른바 '외부 인사'가 발을 들여놓기는 무척 어려운 분위기였다. 그래서 '텃세로 힘들 것이 뻔하니 안 가는 게 좋겠다'는 만류도 있었으나 결국 이창호(李彰浩) 사회부장과 팀워크를 이루어 새로운 도전을 시작해보기로 했다. 이 부장은 사회부 차장으로 새로 임용된 김 기자에게 "당신이 7년 만에 처음 경향 사회부로 진입한 타사 인사"라며 "힘들더라도 잘해보자"며 격려했다고 한다.

2년 뒤인 71년 10월 부장(부장대우)으로 승진한 김은구는 이제 사회부 데스크로서의 그동안 갈고 닦아온 기량을 한껏 꽃피우게 된다. 1969년 첫 사회부 취재기자 견습을 김은구 차장 밑에서 시작한 홍성만 전 경향신문 사장은 "저도 모르게 그 분을 형님처럼 생각하며 평생 따라다니게 되었다. 우리 애들조차 모두 그 분을 큰아버지라고 부르게 됐으니까요."라며 두 가지 일화를 들려주었다.

"이창호 부장이 계셨지만 실질적인 일은 김은구 선배에게 거의 맡기다 시피 했습니다. 특히 사건 쪽은 더 그랬지요. 저는 그때 서대문·마포경찰서 등 서대문 라인을 맡고 있었는데 그때(1970년) 마침 김활란 박사께서 타계하시게 됐습니다. 김 박사께서 생전에 이화여자대학교 총장과 재단이사장을 역임하셨고, 이화여대도 서대문 라인 안에 있었던 관계로 제가 부음 기사를 쓸 수밖에 없었죠. 저는 여느 유명인사의 부음

기사처럼 아무 생각 없이 김 박사님 타계 소식과 빈소 스케치 등 스트레이트 기사를 회사로 보냈지요. 그런데 이게 웬일입니까? 이튿날 새벽 저는 저희 경향신문 사회면을 보고 기절초풍 까무러칠 뻔했습니다.

김 박사의 타계 기사가 완전히 둔갑, 김 박사의 생애가 농축된 추도문 형식의 기사로 바뀌어 사회면 톱기사 자리를 잡고 있었기 때문이었습니다. 저의 기사를 손을 본 것이 아니라 데스크에서 완전히 새로운 기사를 쓴 것이었습니다. 지금도 기억이 생생합니다. '교정의 풀 한포기까지 소중히 여겼던 총장' 등을 묘사한 부분을 본 다른 선배들이 저더러 '시를 썼더구먼!' 하고 놀림 반 칭찬 반 격려하는 말을 듣고는 엄청 부끄럽기도 했습니다. 그러나 이 일을 통해 한 가지 사실이 기사를 어떻게 쓰느냐에 따라 1단 기사로도, 톱기사로도 재탄생될 수 있다는 걸 배우게 되었습니다.

'아! 각 부에 경륜을 쌓은 부장, 차장직이 그냥 있는 게 아니라'는 것도 깨우치게 되었고요. 아무나 할 수 있는 데스킹이 아니었죠. 김은구 부장께서는 비단 기사처리 뿐 아니라 매사가 그랬습니다. 무엇을 하시든 깊은 애정을 담아 최선을 다하셨죠. 기자 선배로서 뿐 아니라 인생의 선배로서 정말 많은 걸 가르쳐 주신 분이었습니다."

김은구 부장이자 선배에 대한 그의 찬양은 계속된다. 이미 80을

경향신문 표창장 수상. 최치환 사장(우측). 김경래 편집국장(가운데)

넘긴 본인의 나이도 잊은 듯 50년도 더 지난 오랜 기억보따리를 소년처럼 풀어놓는다.

"사건 취재 라인이 '서대문'에서 '종로'로 바뀐 지 얼마 지나지 않았을 때였지요. 제가 처음 받은 특종상과 관련된 얘깁니다. 어느 날 저녁 술자리에서 짤막한 우스개 한 토막을 듣게 됩니다. 며칠 전 우체국에 도둑이 들어 돈을 찾지 못했던지 우표를 몽땅 쓸어 담아 갔다는 것입니다. 우체국으로서는 여간 난감한 일이 아니었는데 이 도둑이 며칠 뒤 훔쳐갔던 우표를 도로 우체국에 되돌려놓았다는 거예요. 우표를 훔쳐가긴 했지만 어디 팔수도 없고 버리기도 어려웠던 모양이지요.

그 얘기를 들은 지 이틀 쯤 지나서였습니다. 재미삼아 사회부에서 이 얘기를 털어놓았지요. 김은구 부장이 언뜻 이 얘기를 들으셨던가 봐요. 대뜸 '홍성만, 그걸 기사로 써야지!' 하시는 겁니다. '잃어버렸던 우표를 모두 되찾은 데다 날짜도 너무 지나서 기사화하기가 어렵다'고 했더니, '무슨 소리야! 지금이라도 기사만 잘 쓰면 그 도둑을 자수시킬 수도 있지!' 하시는 겁니다. 어쨌든 그 기사는 재구성되어 그 다음날 아침 떡하니 경향신문 사회면 톱기사로 실렸지요. 그 다음은 김은구 부장의 예측대로 그대로 진행이 되었습니다. 기사를 본 도둑이 경찰에 연락을 해오고, 정상이 참작돼 무거운 처벌도 받지 않게 돼 결국 해피엔딩, 멋진 미담 기사를 한 건 남기게 됐습니다. 저한테는 기자생활 최초의 특종상을 안겨 준 사건이었고요.

앞서 말씀드린 김활란 박사 추모기사 못지않게 저로서는 김은구 부장으로부터 한 수 단단히 배운 셈이지요. 그 분의 가르침이 제가 경향신문 사장까지 오를 수 있었던 정신적 지주가 되었는지도 모르죠."

7. '신문 기자'에서 '중견 방송인'으로

조선일보 견습기자를 시작으로 조선일보(9년), 서울신문(2년),

경향신문(4년)을 거치는 동안 그는 15년간 (1958년~1973년)의 짧지 않은 세월을 정론직필, 신문기자로서의 역량을 다져나간다. 사회부 명 데스크로서 어느 정도 언론계의 명성도 얻게 되었다.

그러던 그가 1973년 4월, 돌연 KBS 한국 방송으로 옮겨 가면서 언론 인생의 일대 전기를 맞게 된다. 종이신문에서 전파방송에 로의 전환, 큰 변신이다. 이렇게 시작한 방송인 김은구는 KBS 이사

KBS 사회문화부장 사원증 _1974년

직이 끝나던 1999년 2월까지 장장 26년간을 우리나라 방송발전에 온 몸을 던지게 된다.

출발은 KBS 보도국 사회문화부장이었다. 그가 혼신의 힘을 쏟아 일일이 손 글씨로 정리한 노트를 보면 KBS 본사에서 받은 임용장 수가 22장, 그리고 계열사 2장까지 합치면 신규임용을 시작으로 무려 24차례의 임명, 전보, 승진 등의 인사 명령을 받게 된다. 그가 간추린 기록을 좀 더 따라가 보자. 그는 KBS에서 맡았던 각 직책을 6개 업무 부문으로 구분해 다음과 같이 적었다.

- 보도 부문 : 사회문화부장, 취재·편집부국장, 보도국장 대우, 보 도본부 부본부장 겸 뉴스센터 주간
- 방송(라디오) 부문 : 사회교육방송국장
- 기획 부문 : 기획조정실 부본부장 겸 방송개혁발전위원장, 연수

KBS 사회문화부장 시절, 윤주영 문공부장관(오른쪽 흰옷)과 대화

　　원 교수, 기획조정실장
　- 경영부문 : 인사관리실장, 경영본부장
　- 지역책임 부문 : 대전방송국장, 부산방송본부장
　- CEO 부문 : KBS아트비전 사장, KBS 이사

　　15년간 신문사에서 잔뼈를 키워온 이른바 '신문쟁이'가 무척 생소
할 법도 한 방송사로 자리를 옮겨 어떻게 이 수많은 직책과 다양한
업무를 혼자의 힘으로 감당해 낼 수 있었을까? 그것도 전문분야인
보도부문 뿐 아니라 기획, 경영, 지역책임자, 계열사 사장직 등을 종
횡무진 넘나들면서 말이다.
　　아무리 간추리고 압축을 한다고 해도 26년간 그가 KBS에서 이

KBS 사회문화부장 시절. 박정희 대통령 방문

른 업적을 모두 펼쳐 놓기란 불가능에 가깝다. KBS에서의 첫 직책
이었던 사회문화부장과 보도본부장 시절, 그리고 부산본부장, 경영
본부장 등 대표적이랄까, 상징적인 직책을 맡아 일궈낸 그의 업적을
발췌·정리해보는 것으로 만족할 수밖에 없을 것 같다.

　당시 사회부 기자로 김은구 부장과 오랜 세월, 같은 부서에서 근
무했던 남승자 전 KBS 이사(전 한국여기자클럽 회장, 최은희 여기
자상 수상)의 후일담도 빠뜨릴 수가 없다.

　　"김은구 부장님은 여느 언론인 선배와는 많이 달랐던 분이
　　었던 것 같아요. 평소 말수도 적으신 데다 여간해서 잘 웃지
　　않으셔서 겉보기는 무척 근엄해 보이셨죠. 그런데 같이 일을

해 보면 남달리 속이 깊다고 해야 하나, 인정이 많았다고 해
야 하나…제가 내리 5년간 보건사회부 출입기자를 맡는 바람
에 동료기자들로부터 눈총과 핀잔을 받은 일이 있었어요. 같
은 부처 5년 출입은 분명 드문 케이스였죠.

그때 저의 부모님 두 분이 동시에 중한 병을 얻으신 데다
더구나 어머님은 치료를 받는 중에 의료사고까지 겹치는 바
람에 불가피하게 장기간 병원신세를 질 수밖에 없었습니다.
병원비도 감당이 쉽지 않았지요. 직접 말씀을 한 적은 없지만
사회부 출입처 조정을 할 때마다 저의 딱한 처지를 많이 배려
하신 것 같아요. 분명 주위의 따가운 시선을 모르지는 않으셨
을 텐데 말입니다.

저로서는 당연히 죄송하기 짝이 없는 일이었습니다만, 평
생을 두고 고마움을 떨칠 수가 없었습니다. 부장을 도와 일을
더욱 열심히 해야겠다는 마음이 저절로 생겨서인지 밤을 새
운 취재 끝에 특종상도 받게 되고 그 당시만 해도 흔치 않던
여기자의 출장취재도 머뭇거리지 않고 거침없이 다녀오곤 했
습니다. 같이 일하는 부원들에게 자발적인 취재의욕을 샘솟
게 만드는 독특한 리더십이랄까, 소프트(soft) 카리스마라고
할까, 하여튼 묘한 힘을 가지셨던 것 같아요."

8. 경영자로서도 빼어난 역량 돋보여

1973년 4월에 보도국에 발을 들여놓은 뒤 7년여의 세월을 KBS 뉴스의 변신과 경쟁력 강화에 온 정렬은 쏟은 뒤 보도본부를 벗어나 처음 맡은 보직이 대전방송국장이었다. 지금의 직제로서는 대전방송총국장 자리다. 지금까지 신문·방송사에서 온통 뉴스와 함께 살아온 인생이었다면 대전방송국장은 보도, TV·라디오 프로그램 제작, 기술, 행정 부문을 총괄하는 경영인으로서의 새로운 수업이 시작된 셈이다.

당시 대전방송국 산하에는 을지방송국(※당시 KBS는 지방방송사를 편의상 갑지방송국과 을지방송국으로 나누어 불렀다)인 공주방송국과 계룡산 송신소, 그리고 홍성·공주·금산·식장산·원효봉 중계소 등 여러 방송시설을 관장하고 있었다.

2년 반 기간의 대전방송국장 경험은 그 이후 이어지는 업무국장, 기획조정실장, 사회교육방송국장 등 숨 가쁘게 이어지는 비보도성 업무의 책임보직을 성공적으로 수행해 내는 밑거름이 되었다. 특히 1986년부터 89년까지 3년 가까이 부산본부장을 맡아 근무하면서 KBS 역사에 기록될만한 굵직한 족적을 남겼다. 1985년 기공한 부산총국의 남천동 신사옥 건립을 마무리하여 1988년 5월 현재의 수영로 429번지 신사옥에로의 이전을 깔끔하게 마쳤다. 지난 1935년 개국 이래 50여 년간 이어져 온 부산방송국 역사의 새 장을 연 쾌거였다.

부산본부장 재임기간 중 빠뜨릴 수 없는 업적의 하나는 88서울 올림픽 요트방송의 효율적 지원을 통한 성공의 견인역할을 손꼽을 수 있다. 88올림픽에서 요트 종목은 경기 중계경험이 풍부한 오스트레일리아의 NET10사 제작팀이 중계방송 용역을 맡았다. 공교롭게도 돌발적으로 일어난 방송용 헬기 추락사고로 요트 종목 중계가 큰 난관에 부딪치게 되었다.

KBS부산방송본부의 적극적이고 능동적인 대처가 없었다면 요트 경기 중계자체가 심각한 위기를 맞을 뻔 했다. 어쩌면 KBS부산본부와는 직접적 관련이 없는 일이라고도 할 수 있었던 요트중계 사안을 대회 개최 전부터 깊은 관심과 함께 세심하게 챙겨온 김 본부장의 통 큰 배려심이 갑작스런 급변상황을 맞아 진가를 발휘한 셈이었다. 당시 요트 종목 중계책임을 맡아 한국·호주·미국 등 3개국 60여명 혼성방송 팀의 코오디네이터(Coordinator) 역을 맡았던 필자로서는 그때의 김 본부장의 전폭적 도움과 지원에 대한 기억을 잊을 수가 없다.

부산방송본부장 이후 인사관리실장과 기획조정실장 등 몇 차례 주요 보직 변경을 거친 후 마지막으로 맡았던 경영본부장을 끝으로 1973년 KBS로 옮긴지 꼭 20년 만에 KBS 본사 근무를 마무리 하게 된다. 그리고는 숨 돌릴 틈도 없이 곧장 계열사인 KBS아트비전 사장직을 2년간 역임한 뒤 그 이듬해인 1996년 임기 3년의 KBS 이사직을 맡아 방송에 대한 마지막 열정을 쏟게 된다.

26년! 보도, 기획, 경영, 지역국 관리, 계열사 CEO, 연수원 교수…

KBS 이사회_1996년

그의 손길이 미치지 않은 곳이 없고 그의 땀방울이 스며들지 않은
분야가 없다. 앞만 보고 숨 가쁘게 달려온 시간들이라고 해야 하나?
거친 파도와 풍랑을 헤쳐 온 기나긴 항해였다고 해야 하나? 서리서
리, 굽이굽이 마다 담긴 그 숱한 애환과 난관을 헤쳐 나오며 이룩해
낸 빛나는 성취들을 모두 나열할 어떤 방안도 쉬 찾아낼 수는 없다.
단지 그동안 그가 꾸려온 시간과 항해를 한 마디로 뭉뚱그려 'KBS
는 물론 대한민국 방송 발전의 물꼬를 텄고, 새 길을 열어 온 한 방
송 거인(巨人)의 웅혼한 발자취'였다고 밖에는 달리 요약할 길이 없
다.

9. 생의 마지막까지 헌신과 봉사의 길

그가 3년간의 KBS 이사직을 내려놓은 해가 1999년, 그의 실제 나이 63세 때다. 1958년 조선일보에서 일을 잡기 시작한 지 어언 40년이 넘는 세월이 흘렀다. 해방의 환희도 잠시, 전쟁의 참화를 겪은 이후 1996년 OECD에 가입하기까지 우리나라의 근, 현대사는 말 그대로 다사다난, 파란만장의 역사였다. 그 시대를 살아온 누구나 그랬듯 긴 세월, 신문과 방송사에서 무거운 등짐을 버텨온 그의 두 어깨도 무척이나 힘들 수밖에 없었다. 이제 좀 그 부담을 벗어날 때도 됨직했다.

그러나 본인의 뜻인가? 주위의 추대인가? 아니면 본인의 의지와 주위의 추천이 하나로 어우러져서인가? 신문기자 15년을 제1기. 방송인 26년을 제2기의 삶으로 편의상 나누어 본다면 그는 그 이후 1·2기 못지않게 활발한 '제3의 인생'을 펼쳐 나간다.

KBS 보도본부 퇴임 간부(기자직) 모임인 '여맥회' 회장을 거쳐 2007년 2월 KBS 전체 퇴직사우 친목단체인 'KBS 사우회' 제10대 회장 직을 맡는다. 회원 수가 3000명이 넘는 국내 언론사 최대 사우회를 2년간의 재임 중 직종 간의 원활한 소통을 유도, 화합의 반석 위에 올려놓는다. 국내에서는 제주지회를 개설하고 해외로는 처음으로 미주지회를 만들어 KBS 사우회 국제화의 문을 열었다. 월간 'KBS 사우회보'도 지면 증·개편과 광고 게재 개시 등으로 오늘날의 모습을 갖추게 되었다.

언론계 현업을 마무리한 뒤 바로 열정을 쏟은 곳이 퇴직언론인들의 모임인 '대한언론인회'였다. 10여 년간 이사, 상담역 등을 맡아 국내 퇴직언론인들의 열악한 복지환경 개선을 위해 남다른 노력과 공을 들였다. 무슨 일이든 열과 성을 담아 최선을 다하는 그의 모습을 지켜본 많은 회원들이 회장 직을 맡아줄 것을 권유하게 된다. 2014년 2월, 그는 임기 2년의 제19대 대한언론인회 회장에 취임했다. 2020년부터 대한언론인회 제22대 회장 직을 맡아오고 있는 원로 언론인 박기병 회장은 그를 두고 이렇게 회고한다.

"김은구 전 회장은 그를 아는 많은 선후배 언론인으로부터 신뢰와 존경을 받아 오신 분이지요. 회장 재임 중 대한언론인회 발전에 큰 족적을 남겼지만, 특히 회장 재임 시 국방부 '기자 브리핑 룸'과 언론인들의 요람인 이곳 프레스센터 19층 '프레스클럽'에 참전언론인 명패를 헌정한 일은 대한민국 언론사에 길이 남을 의미 있는 업적으로 꼽을 수 있습니다."

숨 가쁘리만치 쉼 없이 달려온 그의 삶의 궤적엔 온갖 이정표가 담겨져 있다. 방송위원회 자문/기획 위원(1989~1991년), KOBACO 공익광고협의회 위원(2009~2010년), 대한노인회 고문(2010~2017년), 건국대통령 이승만박사기념사업회 이사·고문(2014~2020년), 백범 김구선생탄신100주년축전 집행위원(1976년), 황해도 중앙도민회 자문위원 등 헌신과 봉사의 길이라면 몸을 사리거나 아끼지 않았다.

1996년부터 3년 동안 주식회사 대명레저산업 부사장으로 일한 것이 민간기업에 몸담았던 유일한 기록이다.

10. '기록'과 '사람 존중'의 삶, 그리고 맺음말

꼭 누구라 할 것 없이 기자라는 직업인은 대체로 가정생활 평가에 낙제점이다. 이유는 가지가지, 쓸어 담기 어려울 만큼 다양하다. 퇴근 시간은 아예 있으나 마나이고 주말이나 휴일도 까먹기 예사다. 무슨 야근은 그렇게 잦고 숙직에, 긴급 취재 까지는 직업상 그렇다 치더라도 언론계라는 데는 무슨 초상도 그렇게 잦은지 알다가도 모를 일이다. 바쁘지 않은 부서가 따로 있겠느냐 하겠지만 여러 취재부서 중 사회부가 유독 심한 건 언론인이라면 누구나 동의하는 터다.

술은 또 어떻고? 입으론 '안 죽을 만큼 피곤하다'는 말을 달고 다니면서 매일 밤마다 술은 잘들도 마셔댄다. 그리도 힘들면 술 대신 그 시간에 집 들어가 쉬는 게 훨씬 나을 텐데! 도대체 앞뒤가 맞지 않는다. 물론 요즘 얘기는 아니다. 오래 전, '호랑이 담배 피던 때'의 일이다. 그때는 왜 그랬던지 기자들 대부분의 생활이 그랬다. 관행이 계속되다 보니 버릇처럼 굳어져버린 것인가?

'영원한 사회부장' 김은구도 전혀 예외가 아니었다. 조선일보 사회부에서 출발해 서울신문, 경향신문에서도 일선기자, 데스크 시절

대부분이 사회부 근무였다. 신문 쪽에서 방송계로 옮겨 탄 KBS의 첫 직책도 보도국 사회문화부장이었다. 게다가 호주가에 애주가, 대주가 까지 술에 관한 한 호칭이란 호칭은 모조리 꿰찰 만 했다.

평생을 같이하다 지금은 세 아들 내외의 홀어머니, 네 손주의 할머니가 돼있는 허인순(1939년생) 여사를 찾아가 얘기를 나누었다. 세 아들 중 막내인 태성(그도 1971년생이니 올해 한국 나이로 꼭 쉰이다) 씨가 자리를 같이 했다.

"어려움이 많으셨죠? 하실 말씀도 많으실 테고…"

"전에는 섭섭한 일도 (더러) 있었던 것 같았는데, 돌아가신 후에는 모두 잊어버렸습니다."

"그래도 기억에 남는 일화가 적지 않으실 텐데요…"

"경향신문사에 계실 때였던 것 같아요. 그때는 통금이 있었을 때였는데 한밤중에 여럿이 우르르 함께 집으로 (몰려) 올 때가 많았어요. 그때는 집에 일을 도와주시던 아주머니가 계셨는데, 늦은 밤 시간인 데다 한두 번도 아니어서 밤중에는 아예 도우미 아주머니는 일어나지 못하게 했습니다. 그 때는 나부터 '기자는 의례 그런 직업인가 보다' 하고 아무리 늦은 밤중이라도 혼자 일어나 술상을 차리곤 했죠. 이런 얘기는 자꾸 물어보시니까 꺼내긴 했지만 원래는 무척 자상한 분이었습니다. 저 한테는 물론이고 세 아들들에게도 워낙 좋은 아버지였지만 KBS 퇴임 후 손주들에게 하시는 걸 보면 그 분의 본 모습을 알 수 있을 것 같아요. 미국에 가 있던 손녀는 14개월 간 할아버지가 이메일을 통해 보내준 미국대륙 횡단 취재 자료를 정리해서 발표를 했더니 학교로부터 최우수상을 받기도 했답니다. 또 다른 손녀는 할아버지가 집을 비우시기라도 하면 '나는 누구하고 놀아야 해!'하며 울음보를 터뜨릴 만큼 손녀 사랑이 극진하셨죠."

셋째 태성씨가 어머니 말씀을 뒷받침한다.

"아버님은 손주 4명, 한 사람, 한 사람 모두 따로따로 육아 일기를 쓰셨습니다. 할아버지가 돌아가신 뒤, 할아버지가 쓰신 본인들의 육아일기장을 읽어보고는 '우리가 좀 더 크면 반드시 이 일기장에 담긴 할아버지의 사랑을 책으로 엮어 펴내겠다.'며 서로들 약속을 했습니다. 저희들의 생일은 물론이지만 결혼기념일에는 한 번도 빠짐없이 세 며느리들에게 축하 메시지를 보내셨습니다."

다시 사모님에게 질문을 던져보았다.

"평소 말씀은 좀 적은 편인 건 다 알고 있습니다만 웃음도 그러셨죠? 좋아하시던 18번곡은 무슨 노래였지요?"

"집에서도 마찬가지였어요. 말 수도 적으신 데다 그리 많이 웃지는 않으셨던 것 같아요. 그러나 속정이 아주 깊었다고 할까, 누구나 사람을 무척 귀하게 대하셨어요. 분리수거를 하러

평생의 반려자 부인 허인순 여사와 미국여행_2005년 7월

쓰레기를 가지고 가실 때에는 종종 호주머니에 얼마간의 돈
을 넣어가세요. 분리수거를 도와주시는 경비아저씨들에게 드
릴 용돈인 것 같았어요. 사회부장 하실 때, 그 때는 꽤나 이
른 아침 시간에 집으로 자동차가 왔습니다. 덮고 자던 이불을
옆으로 걷어놓고는 출근 차 기사 분을 꼭 집으로 들어오라고
해서 한 밥상에 마주앉아 아침밥을 먹곤 하셨죠.

　18번이라 하셨나요? 나도 평생을 같이 살았어도 노래하시
는 건 들어본 적이 없어요. '노래와 춤은 통일 이후에나 해야
지'라고 하셨죠. 단지 교회에 같이 가면 찬송가를 부르는 모
습은 보아왔지만요."

이 부분에서 같이 있던 태성 씨가 한 마디 거든다.

"아버지는 주변에 대한 애정과 사람에 대한 예의가 남다르셨습니다. 좀 특별한 날 가족이 같이 외식을 하면서 식사를 도와주는 식당 종업원에게 고맙다며 1, 2 만원 팁을 줄 때가 있지요. 봉투가 없으면 종이에라도 싸서 주지 돈을 그냥 건네지 않았습니다. 누구든 사람을 Respect, 존중하는 아버지 모습을 저희들은 어릴 때부터 보면서 자랐습니다. 저희 세 형제들이 나이가 좀 들었을 적 얘기입니다만, 함께 식사를 할 때면 종종 들려주시는 말씀이 있었습니다. '직원들 야간 일 시킬 때나 후배들하고 술 한 잔 할 때, 밥부터 잘 챙겨 줘야한다.' 요즘 세상과 좀 안 맞는 말씀 같은데도 아버지의 속뜻을 충분히 느낄 수 있는 말씀이었습니다."

"얘기를 나누다 보면 끝이 나지 않을 것 같네요. 평생 언론인이셨던 회장님에 대한 잊을 수 없는 추억 같은 것이 있다면요…"

"그 대답 대신 저 방을 한 번 보시죠. 생전에 서재로 쓰시던 방인데 돌아가신 뒤에도 거의 그대로입니다."

방문을 여니 평소 쓰던 책상과 가지런히 자료가 잘 정돈되어 있는 큰 책장이 한눈에 들어온다.

"기자를 하셔서인지 기록과 정리는 누구도 따라갈 수가 없을 정도였습니다. 평생 쓰셨던 취재노트, 메모장, 일기장을 하나도 빠짐없이 이렇게 정리해 두셨습니다. 돌아가신 뒤 제가 이 방을 생전처럼 두고 사용하고 있는 것은 추억도 추억이지만 지금도 이방에만 들어오면 거의 모든 것이 다 해결돼요. 생활에 수시로 쓰이는 봉투, 볼펜, 가위 등 문구류에서부터 제가 미처 챙기지 못했던 영수증 등 책상 서랍을 열어보면 필요한 물건들이 가지런히 정리돼 있어 도움이 많이 되니까 방을 치울 수가 없어요."

"어머님이 말씀을 하셨지만 아버지의 인생을 한마디로 묶는다면 '기록의 인생'이라고 할 수 있을 것 같아요. 모든 순간, 순간을 정말 하나도 빠짐없이 기록으로 남기셨지요. 심지어 이런 일도 있었습니다. 저희 형제들끼리 3박4일 휴가를 갈 기회가 있었지요. 부모님께 키우던 개를 맡겼었는데 그 나흘 동안 아버지께서 매일 일기를 쓰신 거예요. 그런데 우리에게 주신 일기를 읽어보니 '(아버님이 아니라) 낯선 집에 맡겨진 개의 입장에서 쓴 일기'였습니다."

그는 평생의 반려자였던 허 여사를 아주 가까운 지인에게는 '우리 집 사임당'이라고 소개를 하곤 했다. 거칠다면 거친 사회부 기자와 함께하면서 온유함과 따뜻한 섬김으로 감싸 준 내조에 대한 고마움의 표시였다. 바로 손위 오빠의 단짝 친구여서 어릴 때부터 집을 드나들어 잘 알던 사이였다고 한다. 그때만 해도 명문이었던 경기여고를 졸업하고 한국은행 행원으로 근무할 때 가정을 꾸려 세 아들을 두어 훌륭히 키웠다. 일체 자기자랑이라고 모르던 그도 자식들만은 '우리집 SKY 삼형제'라며 대견스러워했다. 큰 아들 태완(泰完)은 고려대(K대) 의학과, 둘째 태정(泰廷)은 서울대(S대) 국제경제학과, 막내 태성(泰成)은 연세대(Y대) 경영학과를 졸업했으니 내세울 만도 하다.

전쟁과 혼돈을 거쳐 고속성장으로 이어진 격랑의 한 시대, 바람은 드세고 파도는 거칠었다. 불끈 펜 한 자루 손에 쥐고 신문과 방송 현장을 온 몸으로 맞닥뜨렸던 한 거인의 발자국 – 이제 그 발자취도, 기록도 역사의 뒤안길로 멀어져 간다. 그러나 우리 모두가 그처럼 좋아하고 사랑했던 '영원한 사회부장' 김은구는 '언론계의 거목'이나 '거인'이라는 호칭 보다는 아무래도 우리 모두가 그를 불러왔던 애칭이 더 어울릴 것 같다. '맏 형님!', 그리고 '은구(銀九) 부장님' 보다 더 친근하게 불렀던 '동팔(銅八)이 성님!' 말이다.

필자 **심의표**

前 KBS 보도국 기자
前 KBS 해설위원
前 KBS 부산방송총국장
前 세종대학 교수
대한언론인회 부회장

언론계 거목들 3

2021년 10월 25일 초판 인쇄 발행

발　행 : (사)대한언론인회(회장 박기병)
지은이 : 대한언론인회 편저

大韓言論人會
Korea Journalists Club
서울 중구 세종대로 124(프레스센터 1405호)
Tel: (02)732-4297, 2001-7691
Fax: (02)730-1270

펴낸이 : 도서출판 정음서원
편　집 : 유한준
디자인 : 박상영
주　소 : 서울특별시 관악구 서원7길 24, 102호
전　화 : 02-887-3038 팩스 : 02-6008-9469
등　록 : 제 2010-000028 (2010.04.08)호

I S B N : 979-11-972499-2-1 93990
정　가 : 25,000원

잘못된 책은 바꾸어 드립니다.

이 책은 한국언론진흥재단의 출판사업 지원금으로 제작하였습니다.